Bernard DEMORY

la
créativité
en
pratique
et en
action

7ᵉ réimpression 1987

Préface de Thierry GAUDIN

avec la participation québécoise
de Lucie JULIEN
et de Michelle SAUNIER

LES ÉDITIONS AGENCE D'ARC INC.
6872, rue Jarry, est,
Montréal, Québec H1P 3C1
Canada

CHOTARD ET ASSOCIÉS ÉDITEURS
68, RUE JEAN-JACQUES ROUSSEAU · 75001 PARIS

DU MÊME AUTEUR CHEZ LE MÊME ÉDITEUR

La créativité en pratique (épuisé).

Le jeu de la créativité (avec Alain Convert) (épuisé).

La créativité en 50 questions.

L'animation des réunions de travail en 60 questions (2ᵉ édition).

Des produits nommés désirs (avec Antoine Lancestre).

La sécurité dans votre magasin (avec Alain Chevalier-Beaumel).

En préparation :

— *Convaincre par la parole.*

— *Pour une entreprise créative.*

Vous intéresse-t-il d'être tenu au courant des livres publiés par l'éditeur de cet ouvrage ?
Envoyez simplement votre carte de visite à
CHOTARD ET ASSOCIES, EDITEURS
Service « Vient de paraître »
68, rue Jean-Jacques Rousseau, 75001 Paris

et vous recevrez régulièrement et sans engagement de votre part, nos bulletins d'information qui présentent nos différentes collections, que vous trouverez chez votre libraire.

© CHOTARD ET ASSOCIES, EDITEURS, 1984

Croquis : Laurence Verret

IMPRIMÉ EN FRANCE

Pour Lucie Duranceau
et Lucie Julien,
mes consœurs québécoises.

CONTENU DE L'OUVRAGE

PREFACE

L'industrie, lieu d'élection des phantasmes, vous n'y pensez pas ? Non, je le constate. Sa réclame, ses emballages, ses flashes publicitaires me parlent d'un autre monde, chancelant, celui d'un désir impérieux et éphémère à la fois. Cette machine à satisfaire s'angoisse à tenter de me connaître, moi qui ne suis que vide, et son discours, en compensation, se couvre de simulacres.

Où est l'imaginaire d'aujourd'hui : dans l'industrie. Mais l'accepter est pour l'industriel aussi pénible que naître une seconde fois. Pour devenir un homme de connaissance, dit le sorcier à son disciple, il te faudra vaincre la peur; « mais une fois dominée, l'homme en est libéré pour la vie entière car à la place de la peur il a acquis la clarté — une clarté d'esprit qui efface la peur. A ce niveau l'homme connaît parfaitement ses désirs, il sait aussi comment les assouvir... ». En revanche, « s'il cède devant la peur il ne la vaincra jamais, car la peur d'apprendre le gagnera et jamais plus il n'essaiera »[1].

A tous ceux qui vivent du désir des autres et ne pourront donc plus connaître le repos, s'adresse le message de la créativité : essayez ensemble et vous finirez bien par savoir qui vous êtes. La progressive initiation que proposent Bernard Demory et ses Consœurs Québécoises vous y mènera.

Thierry GAUDIN
*Directeur du Centre de Prospective
et d'Evaluation du Ministère
de la Recherche et de l'Industrie*

---

1. Castaneda : *L'herbe du diable et la petite fumée.*

AVANT-PROPOS DE LA NOUVELLE EDITION

Lors de sa première édition, ce livre n'a été ni un best-seller ni un de ces fracassants « livres de l'été » aussi vite oubliés que lus.

Mais, patiemment, il a fait son chemin en empruntant parfois des voies surprenantes pour arriver jusqu'à ceux qui attendaient un tel ouvrage.

Cela, je l'ai appris par de nombreuses lettres de lecteurs. Lettres souvent suivies de rencontres et, parfois, d'amitiés.

En tout cas, lettres toujours intéressantes. Lettres émouvantes, lettres en forme d'appels. En France, en Belgique, en Suisse, au Québec, ce livre rencontre un écho qui ne cesse de m'étonner.

Pourquoi cacher son plaisir d'auteur lorsqu'on voit que son œuvre a touché un lecteur et que celui-ci a trouvé dans son livre quelques-unes des réponses qu'il cherchait en vain ? On se dit alors que son travail n'a pas été totalement inutile...

La diversité des publics touchés (enseignants, cadres et chefs d'entreprises, formateurs, artistes, religieux, responsables d'organisations sociales et syndicales, etc.) m'a prouvé, si j'en doutais encore, que le développement de la créativité est un besoin de plus en plus impérieusement ressenti par nos contemporains.

Du reste depuis quelques années, l'attitude du public vis-à-vis de la créativité a beaucoup évolué.

D'abord le mot lui-même est entré dans les mœurs. C'est-à-dire qu'on l'emploie n'importe où et n'importe comment car, avec son aspect un peu technique, il sonne mieux que « imagination », « aptitude à inventer » ou « goût pour le bricolage ».

Je me suis même amusé à ouvrir un dossier où j'amasse tous les articles et publicités qui me tombent sous la main dans lesquels le mot apparaît. On en trouvera quelques exemples dans le corps de ce livre.

Donc un fait est là : le mot est utilisé, parfois galvaudé, mais il ne fait plus peur. Il semble même paré d'un certain prestige.

Une évolution plus profonde s'est accomplie au niveau des structures (entreprises, administrations, organismes sociaux, établissements d'enseignement, etc.).

La plupart d'entre elles, il y a seulement quelques années, affichaient une ironie certaine à l'égard de la créativité. Il faut dire que les pratiques douteuses de certains « spécialistes » et leurs déclarations aussi fracassantes que confuses, incitaient justement à la prudence.

Mais, dans le même temps, un travail sérieux et efficace était accompli dans certaines de ces structures. Par ailleurs, la situation de crise que nous connaissons, faisait apparaître l'incapacité de ces mêmes structures à trouver spontanément des solutions originales et efficaces aux problèmes nouveaux qui se posaient à elles.

Cette conjonction a permis à la créativité de pénétrer dans des lieux où hier encore on la considérait comme une coûteuse inutilité.

Parallèlement, nous étions un certain nombre à poursuivre une politique de formation des individus aux approches créatives. Il faut penser que cela ne fut pas du temps perdu puisque ceux qui avaient suivi nos séminaires et nos groupes de recherche continuaient dans leur vie professionnelle, sociale, syndicale, etc., à utiliser ces approches.

Un phénomène de démultiplication s'est donc déclenché dont on voit les effets dans les milieux les plus divers : c'est une institutrice à la retraite qui forme, dans sa ville de banlieue, un groupe de créativité avec des gens de toute provenance, c'est un ordre de religieuses qui organise un séminaire de créativité pour ouvrir de nouveaux horizons à ses membres, c'est une école qui applique les techniques créatives à la pédagogie, etc.

J'avoue que j'éprouve un intense plaisir lorsque des inconnus ou d'anciens stagiaires m'écrivent ou viennent me raconter des expériences de ce type. Car dans ces groupes, où ne rôde pas en permanence la redoutable notion de rentabilité, s'élabore sans nul doute la créativité de demain.

En amont, la créativité fait plus timidement son chemin. Les établissements d'enseignement s'entrouvrent seulement (et avec quelle réticence et avec quelle prudence!) à ces pratiques. Quelques facultés, quelques grandes écoles ont accepté, à titre d'essai, d'inclure des « cours » de créativité dans leurs programmes.

A voir le succès de ces « cours » (qui, justement, ne ressemblent en rien à des cours) auprès des jeunes, on ressent jusqu'au malaise le besoin qu'ils éprouvent d'échapper à la pesante atmosphère dans laquelle on les confine de toute part.

C'est ici qu'on touche l'ambiguïté de l'introduction de la créativité dans une structure : d'un côté on l'appelle avec force, ayant bien conscience que les entreprises, organismes, etc., qui ne feront pas preuve de créativité sont condamnés à une mort certaine et, de l'autre, on s'aperçoit que la créativité est beaucoup plus qu'un ensemble de techniques propres à développer l'imagination productive.

Avec une stupeur effrayée, ceux-là mêmes qui se plaignaient du manque de créativité de leurs collaborateurs, de leurs confrères, de leurs élèves, etc., découvrent que rendre aux gens leur dimension créatrice c'est prendre le risque de les transformer profondément et d'en faire de dangereux individus qui posent et se posent des questions, remettent les choses et les systèmes en cause et n'acceptent plus pour intangibles les situations et les dogmes. Bref, la créativité en fait des contestataires du présent et des ordres établis.

Devant cette évolution, les structures ont tendance à faire preuve d'une violente réaction de rejet : eh! quoi, on vous demandait de trouver une nouvelle machine et vous vous mettez à discuter l'organisation hiérarchique, à contester nos belles publicités et l'utilité même des produits que nous avons tant de mal à faire accepter aux gentilles ménagères! Si l'on avait su, jamais la créativité ne serait entrée chez nous...

Mais cette réaction[1], de par sa violence même, est génératrice de progrès. Elle permet à la créativité de situer son véritable champ d'action : non pas outil neutre et indolore se limitant à la création de produits et de slogans, mais instrument de changement en profondeur de l'existant individuel et collectif.

———

Voici donc la nouvelle édition de ce livre. Tenant compte des critiques et suggestions des lecteurs de la première, j'y ai apporté de nombreuses modifications. En particulier, j'ai multiplié les éclaircissements et les exemples afin de demeurer toujours dans le concret.

A la demande de nombreuses personnes, j'ai ajouté à la suite des chapitres consacrés aux techniques, des exercices d'application qui permettront au lecteur désireux de mettre ces techniques en œuvre d'avoir suffisamment de matériau pour réaliser une animation vivante.

Enfin, j'ai demandé à deux consœurs québécoises de rédiger un chapitre complet sur la situation de la créativité au Québec et les expériences qui sont réalisées là-bas.

———

1. Réaction que j'analyserai en détail dans *Pour une entreprise créative.*

Cela s'explique de plusieurs façons. D'abord une raison person-
nelle : comme on dit au Québec, je suis tombé en amour avec ce pays
où je me rends le plus souvent que je puis. On y respire un air vif et
chaleureux et les idées y sont en marche. La créativité trouve donc là
un terrain d'élection. Il est donc particulièrement intéressant de voir où
elle en est aujourd'hui et comment les Québécois utilisent les approches
créatives dans les différents aspects de leur développement.

Ensuite, il m'a paru intéressant de montrer comment les Québécois,
formés aux méthodes américaines, sont en train de réaliser une approche
originale compte tenu de leur mentalité propre et, peut-être, des apports
plus proprement français. C'est dire l'intérêt de ce qui se passe là-bas.

Voilà. Je souhaite maintenant bonne aventure au lecteur en espé-
rant qu'un jour nos chemins se croiseront et que, l'un pour l'autre, nous
prendrons une voix et un visage.

1.

ouverture

Plutôt que de reprendre le texte d'ouverture de la première édition qui me paraît un peu grandiloquent, je propose au lecteur cette mosaïque de textes, empruntés à des revues et à des journaux. Il pourra ainsi se faire une première et contradictoire idée de la question.

« Il faudrait aussi entreprendre une reconstruction radicale et esthétique de l'environnement, dans la perspective d'une existence non violente, qui serait la négation du principe de rendement. En termes freudiens cela signifierait le remplacement de ce principe de rendement par un principe de réalité différent qui permettrait une libération authentique de l'existence. Ce nouveau principe de réalité ne nierait plus le principe de plaisir, car il impliquerait le déclin progressif du travail aliéné et de l'« éthique de travail », leur remplacement par un travail créatif de telle sorte que la créativité occuperait une place de plus en plus importante dans la vie de chaque individu.

Les gens apprendront à nouveau — s'ils l'ont jamais su — à percevoir, à sentir, à toucher les choses, qu'il s'agisse de simples objets ou des êtres. Ces modes de perception entièrement nouveaux seraient orientés vers une transformation du monde qui permettrait aux hommes de vivre en développant leurs facultés de jouissance, de créativité et d'amour ».

Herbert MARCUSE (*Remplacer le « travail aliéné » par la création — Le Monde.*)

« Si son bureau est transformé en grotte, si la salle de réunion de son agence est meublée de coussins posés à même sur la moquette; s'il porte des bottes à talons; s'il affectionne les blouses à manches flottantes mauve acidulé; si, un peu rondelet des fesses, il porte des blousons collants; s'il déteste le milieu des publicitaires mais se fait payer grassement; s'il est parfaitement indifférent à la bonne éducation; s'il aime s'asseoir par terre pour animer un séminaire; s'il s'intéresse à la cité de l'an 2000 dans un méli-mélo de lieux communs et d'archétypes dans un milieu où souffle un vent exceptionnel de vanité et de prétention...

... Vous êtes en face d'un « créatif ». Il est souhaitable que vous ne le rencontriez pas, parce qu'il vous coûtera cher, en faisant certainement partie de la moitié du budget marketing, inutilement dépensé. »

> Marie RAMEAU (*Vive la créativité! — Développement.*)

« *L'imagination au pouvoir* » est un slogan sympathique, mais l'imagination et le pouvoir sont antinomiques. L'imagination ne peut vraiment fleurir que dans les masses. Il n'est qu'à regarder comment naissent les idées nouvelles, celles qui font vraiment avancer la société. Ce n'est, pour ainsi dire, jamais un parti, ni même un syndicat, qui les font éclore; ceux-ci ne servent que d'instrument de transmission, d'amplification. Indispensables, certes, mais non suffisants. Ce germe est au plus profond de cette conscience collective dont les manifestations sont variées, inattendues, parfois d'une grande étrangeté.

Mai 1968 a porté le phénomène jusqu'à la caricature. Ce spasme a aidé aux réformes plus que dix ans de discussions. Toutes les prises de position sur « une autre croissance », les combats menés plus énergiquement sur la réduction des inégalités, le temps de vivre, etc. sortent de là. »

> Pierre DROUIN (*Les cristaux du progrès — Le Monde.*)

« Voici l'histoire d'un homme qui vivait au bord de la grand-route et vendait des hot-dogs.

Comme il était un peu dur d'oreille, il n'avait pas de radio. Comme sa vue était mauvaise, il ne lisait pas les journaux, et, naturellement, il ne regardait pas la télévision.

Ce qui ne l'empêchait pas de vendre d'excellents hot-dogs.

Pour vanter la qualité de sa marchandise, il avait posé des panneaux publicitaires, interpellait les passants et ses affaires montaient en flèche. Régulièrement, il augmentait ses commandes de viande et de pain. Pour pouvoir suivre la demande il avait aussi acheté un four plus grand.

Son fils étant revenu du collège avec un diplôme, il le prit avec lui pour l'aider.

Alors un phénomène curieux s'est produit.

18

« Tu n'écoutes donc pas la radio? Tu ne lis pas les journaux? Tu ne regardes pas la télévision? » demanda son fils. « Tu ne sais donc pas que nous traversons une crise économique grave? La situation en Europe est catastrophique. Quant à l'Asie et à l'Est, c'est le chaos et tout contrôle nous y échappe... Sans compter les problèmes d'inflation, de pollution, de grève, de révolte, de minorités, de majorités, de riches, de pauvres, de drogue, de fascisme, de communisme... »

« Mon fils a fait des études... Il lit les journaux... Il écoute la radio, regarde la télévision... Il doit donc savoir de quoi il parle... », se disait son père.

Aussitôt il réduisit ses commandes de viande et de pain, enleva ses panneaux publicitaires et n'avait plus du tout envie d'interpeller les passants sur la route.

Ses ventes tombèrent en flèche. « Mon fils avait bien raison », conclut-il, « nous sommes certainement au milieu d'une grave dépression économique... »

Tract publicitaire du Centre de Promotion et de Sélection Sprl [1].

---

1. Organisme dirigé par Georges Rona, traducteur d'Alex Osborn en langue française.

2.
pour qui ce livre est-il écrit?

*« On peut lire les livres de deux façons.
On peut, en les lisant, ne guetter que ce qui
est faux et ridicule et qui prête aisément à
critique : ainsi lisent les hommes qui ne
savent pas tirer un profit personnel des découvertes de la science.*

*« Mais on peut les lire aussi autrement :
en y cherchant ce qui est nouveau, ce qui
stimule la pensée et la fait bondir en avant,
en dépit des erreurs et des falsifications,
même abondantes.*

*« Ainsi lisent ceux qui savent tirer profit
de la science. »*

Adam SCHAFF
(Introduction à la sémantique)

Depuis quelques années, les ouvrages traitant de la créativité se sont multipliés. Des petits et des gros. Tous très intéressants, bien sûr, mais intéressants pour qui?

C'est la question que l'on peut se poser en parcourant des lignes telles que celles-ci : « L'émergence créative a généralement été pensée — et désignée, sur le modèle de plusieurs représentations qui en ont fixé les limites et commandé la signification. Ces représentations se laissent toutes essentiellement appréhender comme des figurations et presque des « imageries » qui opèrent une réduction des phénomènes créatifs à ordre empirique plus familier. »

Loin de moi la prétention de critiquer un tel langage dans la mesure où il s'adresse à ce public qu'on a coutume de qualifier *d'averti*. Malheureusement, ce fragment est extrait d'un petit ouvrage publié dans une collection de grande diffusion destinée à un public désireux de s'initier aux grands courants de la pensée contemporaine.

On comprend alors la stupéfaction mêlée d'irritation des lecteurs qui, intéressés par le sujet et alléchés par le titre, ouvrent de tels ouvrages.

Ce n'est pas, bien sûr, la compétence des auteurs qui est en cause (encore que l'on commence à voir surgir des ouvrages et des articles traitant de la créativité écrits par des gens qui n'ont qu'une connaissance toute relative du sujet), ni leur intelligence, mais la relation entre l'auteur et le lecteur. Visiblement, ils ne se situent pas au même niveau, ne parlent pas la même langue.

Bref, la communication ne passe pas. Ce qui, pour des gens qui ont vocation de l'améliorer est pour le moins paradoxal...

Mais cet état de choses ne doit pas étonner : aujourd'hui, pour être pris au sérieux par ses pairs, pour pénétrer en grande pompe dans l'establishment culturel, il est nécessaire de paraître sérieux.

Et pour paraître sérieux, il convient de faire montre d'une pensée que l'on pourrait qualifier de « lestée ».

J'entends par là une pensée qui, pour se donner du poids et prouver sa pertinence, s'appuie sur un impressionnant attirail de citations, de références, de recours à d'autres auteurs (de préférence inconnus ou non traduits en français) dont le lecteur, il faut bien le dire, se moque éperdument.

On en arrive alors à cette situation ahurissante où l'on ne peut se comprendre si l'on ne possède pas les mêmes références. En fait, si l'on ne fait pas partie du même monde.

« Vous ne pouvez comprendre mon discours si vous ne connaissez pas la pensée de Moscovici à laquelle j'emprunte mes concepts essentiels », annonçait sans rire un chercheur en sciences humaines venu présenter un projet d'étude à un groupe de recherche dont je fais partie!

Cette habitude, héritée de notre culture universitaire, donne bientôt à la pensée un côté figé, un aspect « au garde-à-vous » qui, s'il en impressionne quelques-uns, en rebute beaucoup d'autres, ceux-là mêmes que l'auteur désire mettre en contact avec cette fête de l'esprit que devrait être la créativité.

A cette manie de la référence, de la thèse (« Soutenir une thèse disait Braque, c'est qu'elle ne tient pas debout toute seule ») s'ajoute une manie encore plus grave : celle du jargon.

On est assez effrayé, à la lecture de la plupart de ces ouvrages (il existe heureusement quelques remarquables exceptions — cf. annexe bibliographique) de voir l'envahissement de tout un vocabulaire emprunté à la psychologie, à la sociologie, à la psychanalyse, aux mathématiques, au structuralisme, à la linguistique, etc. qui, sous prétexte de donner un poids « scientifique » au discours, ne fait que l'obscurcir. Bien souvent, d'ailleurs, il en cache seulement la banalité ou l'approximatif.

Dénonçant depuis longtemps l'obscurcissement d'un domaine qui m'est cher — l'économie — par les « spécialistes » et œuvrant pour faire comprendre à de non-initiés que ce domaine est parfaitement compréhensible par tous, j'ai pensé qu'il était nécessaire et urgent d'en faire autant pour la créativité.

Que le lecteur qui ouvre ce livre se rassure. Il n'a pas été écrit pour les brillants esprits de notre brillante *intelligentzia*. Mon refus d'entrer dans les règles d'un jeu que je dédaigne m'exclut du Saint des Saints de la pensée. Tant pis pour moi et (je l'espère) tant mieux pour mes lecteurs.

Car le lecteur que je vise c'est celui que l'exercice de ma profession me donne journellement l'occasion de rencontrer. Il est cadre, artisan, enseignant, agriculteur, fonctionnaire, chef d'entreprise — et, au-delà de son activité professionnelle, un individu qui cherche à connaître et à changer.

Il y a en lui cette quête d'éléments qui lui permettraient de faire éclater les contraintes dont il prend conscience qu'elles l'étouffent, de points de repère qui l'aideraient à sortir des routines et des carcans dans lesquels il sent qu'il s'enferme et qu'on l'enferme.

Ce livre s'adresse donc à un lecteur insatisfait. Non pas d'une insatisfaction racornie, râleuse et bilieuse mais d'une insatisfaction dynamique. Je veux dire cette insatisfaction de l'étant qui pousse à cheminer vers de nouveaux horizons en empruntant des chemins inconnus.

En ce sens, ce livre se veut une sorte de guide au pays de l'imagination. Guide ouvert et non livre de recettes. La créativité n'a rien à faire des recettes car elle implique avant tout que pour avoir des idées nouvelles, il faut d'abord se changer soi-même.

Ce livre serait alors une sorte de guide du changement et mon souhait (les réactions des lecteurs de la première édition m'ont prouvé qu'il n'était point trop utopique) que le lecteur, au terme de sa lecture, se retrouve *autre*.

Enfin, disons-le franchement, ce livre se veut *ouvrage de vulgarisation*.

Vulgariser un sujet, c'est prendre de grands risques.

D'abord le risque de déplaire aux experts de la matière qui tiennent à maintenir une certaine aura de mystère autour du savoir qu'ils détiennent.

Au contraire, j'ai essayé de faire un livre de lecture aisée et un livre de démystification. Le lecteur me pardonnera volontiers, je pense, de ne pas l'impressionner avec des airs mystérieux et pontifiants et de ne point l'éblouir avec un attirail théorique redoutable.

C'est là, du reste, un autre risque. Simplifier sans être simpliste, être vivant sans tomber dans l'anecdote, demeurer clair sans gommer la complexité d'un sujet qui est, par nature, des plus complexes, voilà une entreprise pleine de redoutables embûches et non dénuée d'une certaine prétention.

Pour me prémunir des critiques éventuelles, je précise donc que cet ouvrage ne prétend aucunement être exhaustif. Il ne prétend pas non plus apporter des vues radicalement nouvelles sur le sujet, ni des méthodes, ni des théories.

Il a pour seul but de répondre le plus simplement possible aux questions que m'ont posées, depuis que j'exerce la profession de conseil en créativité, les quelques milliers de personnes qui ont participé à mes séminaires et à mes groupes de recherche.

C'est à partir de leurs interrogations, de leurs réflexions et de leurs critiques que j'ai rédigé cet ouvrage qui se veut avant tout outil d'information.

Qu'est-ce que la créativité? Comment se pratique-t-elle? A quoi sert-elle? et, plus profondément, comment peut-elle transformer les individus et le monde dans lequel ils vivent? Voilà quelques-unes des questions à quoi j'ai tenté de répondre.

En caressant l'espoir, bien sûr, que la lecture de ce livre est le premier pas de celui qui le lit vers une aventure aux innombrables promesses.

3.
qui est l'auteur ?

« Une ligne droite ne cesse pas d'être une ligne droite parce qu'elle change de direction. »

Jean COCTEAU.

Actuellement, il n'existe pas en France d'enseignement systématique de la créativité. Peut-être, un jour, y aura-t-il des licences, des agrégations, des doctorats de créativité. Ce sera bien triste. Il faudra inventer alors l'anti-créativité, comme existe déjà l'anti-psychiatrie.

Pour l'instant, le chemin qui mène de la profession de « conseil en créativité » (le mot définissant cette profession n'existe pas. Doit-on dire « créaticien », « créativiteur » ?) est un chemin mal défini, plein de détours, fait de rencontres et de changements de direction.

J'ai pensé que cela intéresserait le lecteur de savoir comment je suis arrivé à cette activité. D'abord pour que nous fassions connaissance, ensuite pour lui inspirer une certaine confiance. Entendre parler de techniques de création par quelqu'un qui n'a jamais créé quoi que ce soit dans un quelconque domaine, c'est prendre le droit de refermer l'ouvrage ou de quitter la salle de conférences. Qui croirait un potier qui expliquerait comment on fabrique un pot alors qu'il serait incapable de pétrir la glaise et de la façonner sur un tour?

Ma vie scolaire ne présente qu'un intérêt modéré. J'étais le littéraire-type, français, latin, grec, lauréat de français au Concours général et, de ce fait, obligatoirement destiné à la Khâgne, à Normale Supérieure ou à l'agrégation de lettres.

Mais déjà cette trajectoire m'ennuyait prodigieusement. Depuis l'âge de quinze ans je me passionnais pour la peinture, la littérature, le cinéma (à douze ans je passai trois mois de vacances à réaliser un dessin animé). J'étais donc bien décidé, après le baccalauréat, à tout abandonner pour me consacrer entièrement à l'art.

En fait, soucieux d'éviter les drames familiaux et désirant acquérir ma liberté économique et géographique je transigeai et entamai conjointement des études de lettres et de droit.

Je découvris alors que l'économie et les sciences humaines pouvaient se révéler aussi passionnantes que la littérature. Je m'y absorbai donc, en faisant un détour par Sciences-Po et en poursuivant mes activités littéraires, artistiques et théâtrales.

Le service militaire me fournit une occasion exceptionnelle : passer plus d'un an à faire de la recherche économique sur les pays de l'Est au sein d'un organisme interministériel. Après des années de théorie c'était l'affrontement avec les réalités et les statistiques. De ces recherches je tirai une série d'études qui furent publiées dans diverses revues.

Lors de ma libération, je cherchai donc à devenir journaliste économique. Après quelques mois, assez réjouissants, passés dans des revues pétrolières, un de nos plus grands éditeurs me proposa, à la suite de singuliers « hasards » (il n'y a jamais de hasards, mais des chances qu'on sait ou non exploiter) de monter une maison d'éditions satellite, entièrement consacrée à la vulgarisation économique.

J'avais vingt-sept ans, aucune expérience de l'édition, aucune connaissance de l'entreprise et des innombrables pièges qu'elle sait tendre à ceux qui veulent aller trop vite et introduire trop de nouveautés à la fois.

Avec le bel enthousiasme de ceux que les connaissances et les habitudes ne freinent pas, avec l'inconscience aussi de ceux qui ignorent les difficultés, je me précipitai dans l'aventure.

Le livre économique, à cette époque, était sinistre (il n'a guère changé) : présentation austère, textes indigestes — et réservé à une élite. Je décidai de faire le contraire : la réalisation des couvertures, des présentoirs fut confiée à un cabinet de design, les textes à de jeunes économistes soucieux de faire comprendre cette matière à la plus grande quantité de lecteurs. Pour la première fois, je crois, on fit systématiquement appel à des dessinateurs humoristiques de grand talent (Desclozeaux, Puig-Rosado, Kerleroux, etc.) pour illustrer les textes. Des maquettistes de qualité s'ingénièrent à trouver des compositions intérieures qui donneraient à ces ouvrages un aspect guilleret et avenant.

Dans le domaine de la promotion et de la distribution, le même effort d'imagination fut effectué avec l'aide d'un cabinet de promotion. Nos moyens financiers étant très faibles, il fallait trouver de très bonnes idées. Je puis dire que le lancement de la maison fut, à ce titre, une manière de chef-d'œuvre.

Ce que j'ignorais, à cette époque, c'est qu'il est redoutable d'introduire des méthodes nouvelles au sein d'une organisation traditionnelle sans une longue préparation des esprits. Or la maison dont je dépendais n'était pas encore prête à introduire ce type d'innovation. Moi, j'étais le jeune chien dans un jeu de quilles. Le premier moment d'amusement passé, il agace, puis il irrite franchement. On cherche alors, par tous les moyens, à l'envoyer jouer ailleurs.

Ce que furent quatre années de lutte contre toute une maison pour imposer (souvent malhabilement, je le reconnais) des livres d'un genre nouveau, introduire des innovations dans le lancement et la commercialisation des ouvrages, créer un nouveau style de rapports avec les libraires et, plus largement, un nouveau style d'entreprise, je le raconterai dans un autre livre.

C'est à la fois pittoresque et décourageant. Très enrichissant aussi puisque je vécus, comme en accéléré, tous les problèmes d'une entreprise.

L'histoire finit mal puisque l'éditeur-financier décida de couper les vivres au moment où la maison opérait son « décollage ». Elle finit bien puisque le dernier livre que je publiais était consacré à la créativité.

Je découvris alors un autre monde autour duquel je rôdais depuis quelques années sans en connaître le nom et la géographie.

Je m'initiai donc à ces nouveaux modes de penser et d'agir sans pour autant abandonner l'économie, ni le livre (j'ai dirigé, au Groupe Express *Le guide pratique de l'artisan, du commerçant et de la petite entreprise* et publié chez Bordas *Gérez votre budget familial*).

Ni abandonner les recherches, commencées dès mon entrée dans l'édition sur la pédagogie économique, tant par le verbe, que par l'image et l'audiovisuel (stages, jeux, émissions radio et télévision, bandes dessinées, etc.). Dans ce domaine, la créativité trouve, en effet, des champs d'application immenses.

Depuis peu, avec deux amis, formateurs et passionnés de recherche pédagogique, nous avons créé une maison d'édition de jeux et de matériels pédagogiques. Notre première production, *Le jeu du budget familial,* outil de formation destiné à un public d'ouvriers, d'employés et d'agents de maîtrise pour leur faire connaître l'environnement économique et social rencontre un beau succès.

Non seulement nous faisons appel à la créativité pour concevoir et distribuer nos produits mais aussi pour imaginer une structure d'entreprise originale qui nous permette d'échapper à la contradiction classique de l'entreprise capitaliste.

Aujourd'hui, je viens d'avoir trente-huit ans. Depuis sept ans je pratique les techniques de créativité en tant que formateur et en tant que conseil. Je les ai d'abord appliquées à moi-même. C'est-à-dire que ma vie a profondément changé. Celui que j'étais il y a quelques années, je ne l'aime plus du tout. Comme les insectes j'ai mué. Je me suis débarrassé des vieilles peaux qui m'alourdissaient. Ce à quoi je tenais beaucoup : l'argent, la considération, l'impression de dominer les autres, maintenant je le regarde avec un sourire. Cela n'a que peu d'importance.

J'avais arrêté de peindre : j'ai recommencé et fait une exposition. J'en prépare d'autres. Ma vie personnelle aussi a complètement changé. Je m'y trouve très bien. Peut-être ai-je trouvé ce qu'on appelle « la sécurité ontologique ».

Maintenant, je suis indépendant, considérant que le métier que j'exerce ne peut être enfermé dans des structures économiques, juridiques et financières traditionnelles.

Je suis un peu surpris de voir des cabinets, spécialisés dans la créativité, s'organiser en sociétés anonymes avec P.D.G., directeur général, directeurs régionaux. Il y a là une contradiction de fond avec la discipline qu'ils prétendent communiquer et une impuissance à imaginer les nouvelles relations qu'ils préconisent aux autres.

C'est, je pense, cette souplesse et cette liberté qui incitent mes « clients » à faire appel à moi plutôt qu'aux puissants cabinets qui me paraissaient être, lors de mes débuts, d'inattaquables citadelles.

Dialoguer avec un individu qui ne représente que lui-même et non pas une organisation avec toutes ses contraintes hiérarchiques et financières, travailler avec une personne qui peut constamment prendre le risque de dire ce qu'elle pense, même si cela lui fait perdre un contrat, avoir en face de soi un conseil qui engage directement sa responsabilité sans la possibilité de se dissimuler derrière l'écran de fumée des structures complexes, voilà qui, dans une société où l'on joue de plus en plus sur les irresponsabilités partagées, a un prix inestimable.

Un participant à l'un de mes séminaires me qualifia un jour « d'artisan de la créativité ». J'accepte avec joie cette qualification. Dans la notion d'artisan, il y a liberté, art, amour du travail bien fait, recherche, plaisir à faire ce que l'on fait.

La formule me plaît. Je la fais mienne.

4.

ce que n'est pas la créativité

Le terme « créativité » est aujourd'hui à la mode. On l'emploie n'importe comment à propos de n'importe quoi. Un enfant qui scie les pieds d'une table et barbouille les murs du salon fait preuve, aux dires de ses parents extasiés, d'une « étonnante créativité ».

La publicité (elle-même emplie de *créatifs* et d'agences *créatives*) s'est emparée du mot. Les annonceurs proposent aux femmes oisives de développer leur créativité en fabriquant des tapis ou en améliorant leur potage.

Un fabricant de chaînes haute fidélité intitule sa publicité « Sincérité-créativité ». Un constructeur d'ordinateurs annonce : « Changez pour l'informatique créative. »

Les journalistes en font un usage de plus en plus abondant et souvent cocasse : « Quand la créativité n'était pas affaire d'Etat » (*Le Monde*). « Jacqueline Baudrier fait le point : « Pour Radio-France, la créativité doit être une seconde nature » (*Le Figaro*). « En vacances, développez votre créativité : grâce à des stages de dynamique de groupe, vous pouvez apprendre à mieux réussir dans la vie et dans votre métier » (*Paris-Match*). « Et quand il (Jacques Chirac) reste à Paris, c'est pour convoquer, à l'heure de la grand-messe ou des vêpres, ses collaborateurs en séances de *brain storming* » (*Le Nouvel Observateur*).

L'Eglise elle-même n'échappe pas à la mode. Témoin cet extrait d'un article de André Piettre paru dans *Le Monde* : « Quand le Centre national de la pastorale liturgique s'efforce d'introduire la « créativité » dans la liturgie, va-t-il dans le sens ou à contre-courant du concile? Quand il suggère : « 1. La créativité d'invention... *par exemple, on projette des diapositives pendant une célébration (ce mot remplace le mot de messe ou d'eucharistie) ; ou bien on chante une chanson tout à fait profane... 2. La créativité d'innovation : la modification des fondements mêmes... dans un domaine donné. On bouleverse l'« ordre »* — le Centre en question, très officiel, répétons-le, prolonge-t-il le concile? »

Enfin, flairant la bonne affaire, la plupart des cabinets-conseils en organisation, management, motivations, marketing, etc. ont ouvert en hâte une branche « créativité » dont la description publicitaire laisse, la plupart du temps, assez rêveur.

Tout cela ne serait pas très gênant si le mot lui-même n'était devenu une sorte de fourre-tout dans lequel s'entassent et se mêlent, tant bien que mal, psychologie, psychanalyse, expression corporelle, artisanat, mystique hindoue, analyse de la valeur, dynamique de groupe, zen, linguistique, sémantique, mathématiques modernes, etc.

Bref, lorsqu'on parle actuellement de créativité, on parle de n'importe quoi. Ce qui ne manque pas de créer une confusion certaine dans l'esprit de ceux qui s'intéressent à la chose (en particulier au niveau de l'entreprise) et qui, devant cette mixture au goût indécis qu'on leur propose, font la moue.

J'avoue entrer en une fureur contenue lorsque mon interlocuteur, à qui je viens parler de créativité commence par me dire que s'il s'agit de faire faire les pieds au mur à ses cadres ou de passer deux jours à se tripoter au son de mélodies exotiques, je puis tout de suite repasser la porte.

Pour essayer d'éclaircir le sujet et de dissiper un certain nombre de malentendus, je commencerai donc par m'efforcer de préciser *ce que la créativité n'est pas,* c'est-à-dire ce avec quoi on a le plus fréquemment tendance à la confondre.

La créativité n'est pas une mode.

« C'est la toute dernière mode, écrit un journaliste de *Paris-Match* [1]. Vous réunissez une dizaine de personnes quand vous avez un problème à résoudre. Vous les faites parler sans contrainte et vous triez les idées émises spontanément. Dans le tas, il y aura forcément la solution. »

Il est évident que l'entreprise suit des modes; on se souvient peut-être des dernières : l'organisation, le T.W.I., la R.C.B., le Pert. Actuellement on parle beaucoup de la Direction Par Objectifs, surtout dans les entreprises où ni les directions ni les objectifs ne sont clairement décelables.

Depuis peu, on a introduit la créativité venue, comme les autres modes, des Etats-Unis. C'est le dernier gadget que se payent, ou payent à leurs cadres, les patrons dans le vent.

---

1. A qui l'on ne saurait en vouloir pour cet article. Il est au contraire très intéressant qu'il ait perçu la créativité de cette manière-là, car il donne un bon reflet de l'idée que beaucoup de gens s'en font.

Cet aspect gadget est encore renforcé par certains marchands de créativité qui font n'importe quoi pour séduire le chef d'entreprise un peu naïf ou le cadre pas très à l'aise dans sa peau qui aimerait bien s'extérioriser un peu.

Alors, on organise des séminaires dans des résidences campagnardes où, durant trois ou quatre jours on s'affuble de totems et d'oripeaux, on marche à quatre pattes en aboyant comme un chien, on se déteste, on jette des petits suisses au plafond et on gribouille sur les murs.

Tout cela pour aller à la recherche de son « moi profond » qui, comme chacun le sait maintenant, est enfoui sous un amas de tabous, de complexes, de refoulements imposés par une société hautement répressive. Quand tout cela est balayé alors, tirée d'un profond sommeil comme la Belle par le Prince Charmant, la créativité s'éveille...

Cela (et je reste bien en dessous de la réalité) c'est ce qu'on pourrait appeler les Clubs Méditerranée de la créativité [1].

On y vient, quelque temps, se détendre l'esprit, se chatouiller l'inconscient et se donner l'illusion de la liberté. Sans prendre aucun risque, on se donne le frisson de l'aventure. Il ne s'agit que d'une escapade. Après quoi, la parenthèse est fermée et tout recommence comme avant.

En matière vestimentaire, la mode a ses charmes et ses utilités. Dans ce domaine, elle risque fort de faire oublier, sous le clinquant et sous le tintamarre, que la créativité est autre chose qu'un divertissement pour gens au goût un peu émoussé.

Sous cette forme, elle ne peut que susciter des réactions de mépris ou de franche hostilité. Ce que n'a pas manqué de faire *Charlie Hebdo* dans un article aussi virulent qu'intelligent intitulé *L'imagination au pouvoir* dont je cite les dernières phrases : « La « créativité » est, par rapport à l'imagination, ce qu'est un ballon rouge crevé par rapport à un ballon rouge gonflé. C'est de l'art ménager qui ne consiste qu'à aménager les divers milieux que vous cotoierez afin de vous les rendre aussi séduisants que possible : A VOTRE IMAGE! A VOTRE IMAGE! Cette image abrutissante, dégradante dans laquelle, par tous les moyens on tente de nous confiner en nous faisant prendre sa diversité pour une nouveauté. »

Ce livre espère montrer que la créativité c'est autre chose, qu'elle va infiniment plus loin que la découverte d'une boîte qui s'ouvre sans clé ou d'un slogan publicitaire pour une banque mais qu'elle a pour but final de donner aux individus les moyens d'imaginer la société dans laquelle ils veulent vivre.

---

1. Sans aucune nuance péjorative pour le Club qui, à son origine, fut une approche remarquablement créative du problème des vacances.

La créativité n'est pas de la dynamique de groupe.

On confond trop souvent la créativité avec la dynamique de groupe, confusion du reste entretenue par des psychologues qui baptisent « stage de créativité » un stage de dynamique de groupe agrémenté de quelques exercices de créativité.

Sans entrer dans les détails d'une technique complexe (et, la plupart du temps, maniée sans précautions ou en partie vidée de son contenu) disons que la dynamique de groupe, fondée par Kurt Lewin, est l'étude, en situation, de toutes les forces qui agissent au sein d'un groupe.

Comme l'écrivent les auteurs de *Les secrets de la dynamique des groupes* [1] : « Les groupes aussi éprouvent des désirs et agissent en conséquence. Pour atteindre leurs buts, ils doivent recourir à certains moyens.

En cela réside donc le plus élémentaire des principes de base régissant le comportement du groupe : à l'instar des individus, les groupes ou associations sont amenés à éprouver des désirs et des besoins dont certains constituent des buts. Dans leur effort pour atteindre ces buts, ils font le choix de certains moyens. Tels sont les trois éléments primordiaux du groupe : le groupe lui-même, ses buts et ses moyens d'action. »

La dynamique de groupe sera donc, en simplifiant à l'extrême, la prise de conscience par le groupe de ce qu'est le groupe, des buts qu'il recherche et des moyens qu'il utilise pour arriver à ses fins.

Cette prise de conscience se fait à travers l'analyse de situations vécues par le groupe qui, en principe, est laissé à lui-même sous l'œil vigilant d'observateurs psychologues qui ne sont là que pour aider à cette prise de conscience.

Il y a plusieurs aspects dans la dynamique de groupe : expérimentation de faits sociaux, auto-analyse, réduction des tensions interpersonnelles, thérapie.

On rejoint également la notion de *non-directivité*, énoncée par Rogers et devenue la grande tarte à la crème de la psychosociologie à la mode (par le fait même, soulignait Roger Nathan dans un article du *Monde*, que cette notion, elle aussi, a été envahie par la confusion et qu'elle est devenue un n'importe quoi où Rogers ne reconnaît plus son enfant).

La dynamique de groupe a donc des objectifs clairement définis. Elle permet à l'individu de prendre conscience des phénomènes qui se développent dans un groupe, de les analyser, de les quantifier et, dans une certaine mesure de les contrôler.

---

1. Editions Chotard.

Mais, en soi, cette technique n'aboutit pas à développer le potentiel créatif du groupe ni, surtout, de lui permettre de passer de la rêverie à l'idée et de l'idée à l'action.

En simplifiant encore, disons que la dynamique de groupe est un préalable nécessaire à l'introduction de la créativité, dans la mesure où elle permettra aux individus qui constituent le groupe de résoudre leurs problèmes de communication, de statuts, de rôles, d'agressivité, de prise de pouvoir, etc.

Mener une séance de dynamique de groupe exige de l'animateur une maîtrise extrême des problèmes psychologiques, car les réactions au sein du groupe peuvent prendre une violence qu'il est difficile d'imaginer lorsqu'on n'a pas vécu soi-même cette expérience. Il est donc nécessaire d'avoir un spécialiste de cette technique qui, bien que complémentaire de la créativité, a sa spécificité.

Du reste, lorsque cela est possible, un conseil en créativité « sérieux » travaille en liaison étroite avec un psychologue compétent, ayant conscience qu'il est incapable de maîtriser les problèmes psychologiques et les problèmes de création.

La créativité n'est pas une panacée.

Si l'on présente souvent comme étant « de la créativité » un amalgame d'activités incertaines et de techniques psychologiques indécises, il faut également reconnaître que les tenants de la créativité ont une fâcheuse tendance à en faire une superdiscipline qui remplacerait toutes les autres et les rendrait, à la limite, caduques.

« Il n'est pas de problème qui résiste à nos techniques de solution créative, déclare un spécialiste au journaliste de *Paris-Match*. Qu'il s'agisse de pollution, de circulation, de criminalité, de conflits sociaux, donnez-moi l'équipe de responsables et je leur fais trouver la réponse correcte et qui satisfera tout le monde. »

Ce bel enthousiasme laisse un peu rêveur. La créativité conçue comme une potion magique risque fort de rencontrer peu de crédit auprès des personnes qui possèdent encore quelque sens critique.

Reconnaissons-le, la créativité a ses illuminés et ses charlatans (ou ses charlatans illuminés). Elle a aussi ses Madame Soleil : « Confiez-nous n'importe quel problème, annonce à peu près un cabinet spécialisé et, avec la méthode X... vous trouverez à coup sûr la bonne solution... »

Cette tendance, hélas, est encore accentuée par bon nombre d'entreprises toujours à la recherche du remède-miracle. Lorsqu'un groupe de créativité réussit à trouver en une ou deux journées de recherche les réponses à un problème que n'arrivaient pas à résoudre bureaux d'études et groupes de travail depuis un an, il est évident que cette approche est immédiatement entourée d'une aura prestigieuse.

Du groupe ayant réussi ce genre d'exploit (cela n'est pas tellement rare) on se met à attendre tout et exiger de lui des prouesses qu'il n'est aucunement sûr de pouvoir accomplir.

Cela, c'est la rançon de la gloire, mais une rançon très dangereuse dans la mesure où elle pousse à considérer la créativité non comme un moyen parmi d'autres (moyen privilégié, certes) d'aboutir à des solutions, mais comme l'arme absolue qu'il suffit d'introduire dans un groupe pour que celui-ci, par un mystérieux phénomène, devienne soudain génial.

Aucun peintre, aucun musicien, aucun écrivain, aucun chercheur scientifique ne peut prétendre réussir, à chaque fois qu'il se met au travail, une œuvre de qualité. Il sait, au contraire, qu'il devra essuyer des échecs, piétiner pendant de longues périodes, recommencer et recommencer avant d'aboutir à une véritable création.

Il en va de même avec le groupe de créativité.

Je pense qu'il faut lutter avec énergie contre un tel état d'esprit et considérer que le groupe a un droit à l'échec imprescriptible. D'autre part, il est nécessaire d'admettre que les techniques de créativité, si elles sont une aide puissante à la découverte de solutions, ne se suffisent pas à elles-mêmes.

Pour être pleinement efficaces, elles doivent reposer, en amont, sur une très solide analyse du problème et être complétées, en aval, par des techniques d'évaluation et d'application, comme le marketing industriel, l'informatique, la statistique, etc.

Il faut également reconnaître que l'introduction de la créativité dans une structure industrielle ou autre, connaît des échecs.

Cela est dû, d'abord, à un manque de préparation des individus qui, par un mouvement naturel, refusent le changement dans la mesure où celui-ci est porteur de perturbations.

Il est donc nécessaire, ainsi que je l'ai montré dans les pages précédentes, de préparer les individus par des actions de formation utilisant les techniques de la dynamique de groupe, des relations humaines, du travail en groupe, etc.

Cela est dû, ensuite, qu'on envisage trop souvent la créativité comme une simple activité de *productions d'idées*.

Or à quoi sert de produire cent ou cinq cents idées sur un sujet si celles-ci tombent sur un terrain non préparé et s'accumulent dans un rapport qui partira dormir au fond du tiroir d'un P.D.G. ou d'un ministre?

Le groupe de créativité et, par là même la créativité en tant que méthode, après avoir été portés aux nues, apparaissent alors comme des fabricants d'utopies, onéreux et inefficaces.

Il est donc nécessaire de prendre beaucoup de précautions en ce domaine en se gardant d'annoncer à tue tête que la créativité peut tout et en agissant de telle sorte que le groupe, lorsqu'il a émis des idées, puisse poursuivre sa recherche aussi loin que possible dans la mise en œuvre de ces idées.

Et comme on le verra au chapitre 14, ce chemin qui mène des idées à leur acceptation par l'environnement puis à la réalisation est long et pénible à parcourir. Ce n'est certes pas l'affaire d'un week-end...

La créativité n'est pas un ésotérisme.

Tout ce qui touche à la création semble auréolé de mystère et entouré d'ombres inquiétantes.

Celui qui est capable d'imaginer et de créer est considéré comme une sorte de phénomène à la fois admirable et effrayant.

Ce sont là des sentiments hérités du XIXe siècle et encore profondément vivaces dans les esprits.

Il était donc inévitable que la créativité, cette « science » de la découverte, se pare aussitôt d'un halo propre à émerveiller les foules.

Les spécialistes de la créativité, ceux qui apprennent aux autres « à redécouvrir les mondes immenses qui sont en eux » et à « dépasser les interdits que l'éducation impose à l'imagination » (toujours Paris-Match) avaient la partie belle pour jouer les mages et les grands prêtres.

A une époque où les maîtres à penser de tous genres et les gourous de tout poil fleurissent et prospèrent au sein d'un public avide de recevoir « la bonne parole », il est aisé de transformer la créativité en mystère des temps modernes.

Rites des séminaires et de leurs jeux étranges, vocabulaire ésotérique emprunté à Freud, à Krishna, aux thèses les plus avancées des linguistes, tout concourt à faire de notre discipline un nouvel ésotérisme.

Il faut d'ailleurs dire que le public encourage cette attitude et ne demande qu'à se laisser guider dans une voie où la créativité deviendrait une religion de pointe, avec ses chapelles, ses églises et ses papes.

Maintes fois j'ai lu une certaine déception de la part des assistants à mes séminaires lorsqu'ils me voyaient arriver habillé normalement et parlant d'un ton de tous les jours. Ils s'attendaient sans doute à me voir vêtu d'une robe blanche, m'exprimer par paraboles aussi profondes qu'obscures et me livrer à des incantations en leur imposant les mains.

J'exagère à peine, hélas!

Au risque de décevoir certains lecteurs, je pense qu'il faut lutter obstinément contre cette tendance. Sans doute flatte-t-elle l'orgueil des spécialistes. S'entourer de disciples béats d'admiration et prêts à retransmettre la parole du maître peut procurer, à certains, un sentiment de puissance et une grande jouissance intellectuelle.

Mais, à mon sens, cela va tout à fait à l'opposé de ce que doit apporter la créativité à l'individu : une autonomie complète de pensée et d'action, le refus de modèles préétablis auxquels il suffirait de se conformer pour percer le « secret professionnel », la capacité permanente à remettre en cause et les idées, et les maîtres et soi-même.

Il y a donc une nécessité absolue à démystifier la créativité pour lui conserver son pouvoir de libération individuelle et l'empêcher de devenir une nouvelle et séduisante aliénation.

Elle doit conserver un langage simple, compréhensible par tous et refuser les tentations du pseudo-mysticisme, du pseudo-mystère, du pseudo-philosophique.

Sinon, l'on aboutira rapidement à la création d'une nouvelle caste de « technocrates de l'imagination » dont la vocation sera d'imaginer à la place des autres ce que sera leur vie, leur avenir, leurs pensées. Selon des modèles qui, bien sûr, répondent aux aspirations de ces nouveaux surhommes.

On peut voir le reflet de cette conception dans un texte de Gilbert Rapaille paru dans *Les Informations* : « La créativité pourrait intervenir par l'intermédiaire d'hommes que j'appellerai des « sociatres ». Contrairement aux sociologues qui parlent de société mais n'y changent pas grand-chose, les « sociatres » seraient responsables d'une société donnée (l'Occident par exemple). Ils ne chercheraient pas à la « guérir » de ses « maladies » mais ils dégageraient les symptômes, établiraient un diagnostic. Les méthodes de créativité leur permettraient d'inventer une « thérapeutique » adaptée. »

La créativité n'est pas un produit commercial.

Lorsqu'une idée devient à la mode, lorsqu'un marché s'ouvre pour des techniques nouvelles, aux pionniers succèdent les marchands.

Et, malheureusement des marchands qui ont souvent peu de souci du produit qu'ils vendent.

Une telle dégradation est en train de se produire en France avec la créativité. Profitant de l'engouement dont commence à jouir le mot, de nombreux « spécialistes » accourus de secteurs en difficulté — organisation, psychologie, publicité... — se sont reconvertis à la hâte. Ils vendent de la créativité en attendant de vendre autre chose.

Et, lorsqu'on vend un produit, il faut le différencier des autres produits qui existent sur le marché. Pour cela il convient de créer *sa* méthode. On emprunte alors à droite et à gauche des techniques, des idées, des outils et l'on emballe le tout sous un nom impressionnant généralement terminé en *ique*, parce que cela fait plus sérieux.

Enfin, on prétend faire breveter sa méthode, afin que les autres ne puissent pas s'en servir et que les gens qui ont été formés avec, lorsqu'ils l'utiliseront ensuite, payent une redevance.

La « méthode » devient alors chasse gardée et les querelles sordides commencent, chacun prétendant être le créateur de telle ou telle technique.

Ces comédies n'auraient guère d'importance si elles ne risquaient d'égarer les utilisateurs en leur faisant croire qu'une méthode (celle du vendeur) est infaillible alors que toutes les autres ne sont qu'aimables plaisanteries.

En fait, parler de méthode, c'est décrire quelque chose d'organisé et de défini. Donc, de très rapidement figé.

Car peut-on encore parler d'une méthode spécifique si celle-ci est en perpétuelle évolution et ne se ressemble plus d'une année à l'autre? Et quelle valeur commerciale garde-t-elle si chacun est habilité à en modifier les termes dans le sens qui lui convient pour l'enrichir, l'adapter à ses besoins et lui faire subir le traitement même qu'elle implique : une remise en cause fondamentale et permanente?

Cette antinomie entre « méthodes » et créativité aboutit à de plaisantes discussions lorsqu'au cours de séminaires, les participants se mettent à trouver des idées en empruntant des chemins buissonniers. Attention, gronde l'animateur-gardien-de-la-méthode, c'est du mauvais esprit, du déviationnisme, de la fronde. Vous êtes priés de rentrer vite dans le droit chemin, de vous conformer à la Bible et de ne plus recommencer.

Heureusement, la seconde génération des conseils en créativité, dont je fais partie, a une approche beaucoup plus souple et sympathique des choses. Plutôt que de nous barricader derrières les barbelés des « méthodes », nous échangeons, collaborons et imaginons ensemble de nouvelles voies.

Il y a donc une incompatibilité qui me paraît fondamentale entre le rôle du conseil en créativité et la vente d'un « produit créativité » qui enferme vite le conseil dans un système bloqué dont il va faire pâtir tous ceux qui auront recours à ses services.

Et puis, disons-le nettement, il n'existe pas de méthode « permettant de résoudre à coup sûr vos problèmes d'innovation, de changement, de produits et de marchés nouveaux » ainsi que l'annonce une brochure publicitaire.

Le conseil en créativité n'a pas de recettes, de trucs, de tours de mains à vendre. Il peut seulement aider les individus à développer un certain nombre d'aptitudes mentales qui leur permettront de prendre en charge leurs problèmes et d'y apporter des solutions originales. Tout cela avec une incertitude qu'aucune technique, Dieu merci, ne peut supprimer. Car il s'agit toujours, quoiqu'on en prétende, de la mystérieuse alchimie de la création.

5.
ce qu'est (sans doute) la créativité

« Ce qui est beau, c'est l'innocence. »
Brice PARAIN
(Sur la Dialectique)

Créativité » est d'abord un néologisme, venu en droite ligne de l'anglais « creativity ».

En effet, si la langue française possède un large choix de mots pour vanter l'honnêteté, la sociabilité, la capacité, la sobriété, la productivité, la docilité, la régularité d'un individu, elle était fort démunie, jusqu'à cette utilisation du mot anglo-saxon (non reconnu par l'Académie) d'un terme permettant de qualifier l'esprit imaginatif et la faculté de trouver des solutions originales à un problème de ce même individu.

D'aucuns y verront sans doute le signe distinctif d'une société dans laquelle on ne pousse pas les individus à faire preuve d'imagination, mais où on les incite plutôt à se conformer à une ligne préétablie avec consigne implicite de ne pas aller vagabonder hors des limites tracées. Mais, sans aucun doute, ce sont de mauvais esprits...

En fait, dans son utilisation actuelle, le terme « créativité » est un terme *ambigu*, chargé de plusieurs significations.

Tout d'abord c'est un *concept* assez vague, sujet à de multiples définitions. En voici quelques-unes :

« La créativité est la disposition à créer qui existe chez tous les individus et à tous les âges, étroitement dépendante du milieu socio-culturel » (Sillamy).

« La créativité est une faculté de l'esprit de réorganiser les éléments du champ de perception de façon originale et susceptible de donner lieu à des opérations dans un quelconque champ phénoménal » (Moles et Caude).

« Aptitude à créer des idées grâce à l'imagination » (Osborn).

« Capacité à produire des combinaisons d'éléments sans qu'il en résulte obligatoirement une œuvre élaborée et reconnue, sans non plus que l'esprit critique y soit appliqué. Donc, sans jugement de valeur de celui qui les a produites » (Beaudot).

« La capacité et la facilité de produire, de faire ou d'exprimer effectivement quelque chose qui provient, au moins en partie, de soi-même. » (Luthe.)

« La créativité est le processus intellectuel qui a pour résultat la production d'idées à la fois neuves et valables » (Taylor).

C'est également un *ensemble de moyens* (techniques, méthodes) propres à développer cette aptitude chez les individus pris isolément ou en groupe.

Cette confusion ne simplifie pas les choses et explique, pour une part, la raison d'être du chapitre précédent. Lorsqu'un mot devient aussi imprécis il perd toute signification et entretient toutes les confusions.

Compte tenu de cela, les expressions « séminaire de créativité », « conseil en créativité » sont des raccourcis un peu hâtifs. Pour être plus exact, il faudrait dire : « Je vais à un séminaire où me seront présentés des moyens de développer ma créativité, animé par un spécialiste d'heuristique fonctionnelle [1]. »

Plusieurs termes, bien sûr, ont été proposés pour nommer cette nouvelle « science de l'invention » : Inventique, Imaginatique, Idéatique, Créatique, etc.

Acun terme, à ce jour, n'a réussi à s'imposer comme l'Informatique, science de l'information. La raison en est sans doute que chacun émane d'un cabinet spécialisé qui en a également fait la marque commerciale de sa « méthode ».

Ces précisions peuvent sembler un peu byzantines au lecteur non averti. Elles me paraissent néanmoins essentielles dans la mesure où elles visent à lui mettre quelque ordre dans les idées au moment où il commence d'être assailli par des propositions commerciales du genre « La recherchatique est la seule vraie créativité » qui risquent de lui fausser l'esprit.

Dans cet ouvrage il sera donc question de deux sujets :

— *La créativité* envisagée comme une aptitude innée de l'homme à créer de nouvelles combinaisons à partir d'éléments existants (mots, matières, sons, idées, etc.).

— *Les techniques de développement de la créativité* envisagées comme des moyens d'amener les individus à réveiller et à accroître cette aptitude afin d'apporter des solutions aux problèmes qu'ils se posent.

Comme j'ai prévenu le lecteur dans les premières pages, ce livre ne prétend aucunement être un ouvrage de théoricien mais un ouvrage de praticien. C'est dire que la partie consacrée à la créativité et à la création sera succincte.

---

1. L'heuristique étant la science de la découverte, d'où les expressions d'heuristique théorique et d'heuristique appliquée ou fonctionnelle.

En revanche, l'essentiel sera consacré aux moyens de développer la créativité pour aboutir à des résultats quantifiables tels que : création de produits, modification d'organisations (commerciales, de gestion), création de nouvelles structures, adaptation au changement, etc.

C'est une approche expérimentale, fondée sur plusieurs années de pratique et de réflexion sur cette pratique à laquelle je convie le lecteur. J'espère que cette prise de parti lui conviendra. S'il désire s'informer sur les fondements théoriques de ce que j'avance, il pourra toujours lire les ouvrages indiqués en bibliographie et, tout d'abord le remarquable *Cri d'Archimède*, d'Arthur Kœstler qui, sous une forme compréhensible par le non-spécialiste, fournit une analyse magistrale et passionnante du phénomène de la création.

La créativité serait donc, pour reprendre le contenu de la plupart des définitions, une aptitude, une capacité de l'individu à faire quelque chose :
— créer,
— produire des idées,
— produire des idées neuves et réalisables,
— combiner, réorganiser des éléments.

A ce niveau d'énoncé, on discerne déjà plusieurs notions importantes qui constituent les postulats même de toutes les techniques et méthodes visant à développer la créativité :
— chacun de nous possède une aptitude à créer,
— la création implique une notion de combinaison, de réorganisation d'éléments existants,
— la création fait largement appel à l'inconscient,
— la créativité est le préalable à un processus que l'on appelle « création »,
— la création implique une idée de nouveauté et d'originalité.

Chacun de nous possède une aptitude à créer.

En règle générale, on a tendance à penser que le monde est divisé en deux clans :
— celui des « créateurs », c'est-à-dire des privilégiés qui ont reçu un don à leur naissance et que vient visiter, lorsqu'ils la sollicitent, *l'inspiration,*
— et le clan, incomparablement plus fourni, de ceux qui n'ont pas de don créateur, pas d'imagination, qui n'en auront jamais, quoiqu'ils fassent, parce qu'ils n'ont pas hérité, au départ, de cette mystérieuse faculté.

Une telle image, héritée de la légende (les bonnes fées viennent se pencher sur le berceau du bébé) et fortement accentuée à l'époque romantique (le poète est un mage qui entre en communication directe avec le ciel) donne du créateur une vision tout à fait faussée.

« Ici encore, écrit Alain Robbe-Grillet dans *Pour un nouveau roman,* on constate que les mythes du xixe siècle conservent toute leur puissance : le grand romancier, le « génie », est une sorte de monstre inconscient, irresponsable et fatal, voire légèrement imbécile, de qui partent des « messages » que seul le lecteur doit déchiffrer. Tout ce qui risque d'obscurcir le jugement de l'écrivain est plus ou moins admis comme favorisant l'éclosion de son œuvre.

L'alcoolisme, le malheur, la drogue, la passion mystique, la folie, ont tellement encombré les biographies plus ou moins romancées des artistes qu'il semble désormais tout naturel de voir là des nécessités essentielles de leur triste condition, de voir en tout cas une antinomie entre création et conscience. »

Une autre image encombre l'esprit : celle qui assimile création et création artistique, en excluant la plupart des autres activités du domaine de la création.

Lorsqu'on procède à des enquêtes (en utilisant l'approche analogique dont nous parlerons plus loin) on voit combien est forte cette liaison créateur-artiste.

Et, comme chacun sait, on ne devient pas artiste; on l'est ou on ne l'est pas.

Le don, le « knack » ne s'acquièrent pas, ils sont inscrits dans les gênes ou dans les cellules du cerveau.

A cela, rien à faire, c'est une prédisposition naturelle, sans doute perfectible par l'enseignement (mais on sait que *tous* les peintres de talent ont claqué la porte de l'école des Beaux-Arts et que *tous* les écrivains étaient les derniers de la classe en littérature) mais absolument impossible à faire éclore dans un terrain non prédestiné.

Le savant (sauf le savant très célèbre du type Einstein) est déjà moins perçu comme un créateur. Lui, au fond, se contente de trouver ce qui existait déjà. Il ne crée pas, à partir de rien, comme le mathématicien génial qui « invente » des équations que « seules cinq personnes au monde peuvent comprendre ».

En revanche, le petit inventeur a plutôt le préjugé favorable : il « invente » des objets intéressants et utiles qui peuvent « rapporter une fortune » (la moulinette, la fermeture-éclair). Mais, enfin, il n'est pas question de le comparer à Mozart ou à Darwin : son Panthéon, c'est le concours Lépine...

Quant au chef d'entreprise, au militant syndical, au professeur, à l'informaticien, il est rarissime qu'ils soient cités parmi les créateurs. Ils accomplissent une tâche qui, semble-t-il, est totalement coupée de cette source magique où l'on va puiser l'inspiration. Ces individus sont perçus comme des *producteurs* de biens et de services.

Du reste, on estime préférable que ceux qui n'entrent pas dans la catégorie des « créateurs » aient très peu d'imagination. Où irait-on, ai-je souvent entendu dire, si tout le monde se mettait à avoir des idées ?

Que la masse se conforme donc à des modèles établis par les « spécialistes » chargés de modeler notre existence et notre avenir (c'est ce qu'on appelle « l'establishment ») et tout ira pour le mieux.

De cet état d'esprit, encore très solidement ancré dans nos mentalités, il résulte :

— que, dès le plus jeune âge, on forme les individus à se plier à des modèles et non pas à imaginer (on en verra les conséquences dans le chapitre consacré aux freins à l'imagination),

— que l'aptitude à créer, appelée créativité, va s'étioler et disparaître,

— que l'on aura alors tendance à conclure qu'il existe, dans les faits, une minorité de créateurs (ou créatifs) face à une majorité de non-créatifs alors que tout a été mis en œuvre pour rendre les individus, dès le départ, non-créatifs,

— que ce cercle vicieux peut être brisé par l'intervention de techniques adaptées — les techniques de créativité — qui, se fondant sur la conviction que tout individu a un potentiel créatif important, permettent de réveiller ce qu'on croyait absent et qui n'était qu'assoupi,

— enfin, que le domaine de la création ne se limite pas à l'art et à la recherche mais que chaque instant de notre vie fait appel à l'imagination et demande que nous apportions des solutions originales aux problèmes qui se posent à nous.

Or, par manque de créativité, nous avons tendance à donner à ces problèmes des solutions conformistes et routinières. Si bien que la plupart des gens ne vivent pas vraiment, au sens plein du terme, mais végètent dans un univers de conformisme et de routine.

Le but d'une *pédagogie de la créativité* est, au contraire, d'amener les individus à conquérir une dimension essentielle de leur moi : la dimension créatrice.

Comme l'écrit Arthur Kœstler : « L'acte créateur, en reliant des dimensions d'expériences jusque-là étrangères l'une à l'autre, permet à l'homme de s'élever à un niveau supérieur d'évolution mentale. C'est un acte de libération : l'habitude succombe à l'originalité. »

Voici donc un postulat fondamental (une utopie, diront certains) : chacun possède en lui, quel que soit son niveau intellectuel, social, quel que soit son âge, les ressources nécessaires pour accéder à cette dimension créatrice et ce, dans les domaines les plus divers.

Il suffit d'agir de telle sorte que ces ressources soient mises en exploitation. C'est tout le but des techniques de créativité.

En ce sens, la créativité est d'abord une pédagogie de l'invention visant à amener les individus, grâce à des techniques appropriées, à utiliser toutes les possibilités de création qu'ils recèlent en eux. Et, par là même, à conquérir une nouvelle dimension.

La création implique une notion de combinaison, de réorganisation d'éléments existants.

Lorsqu'on parle de création, on pense implicitement à une création *à partir de rien.*

En cela l'artiste semble étonnant : avec des éléments d'une pauvreté désolante — des mots, des notes, des tubes de couleur — il va créer une symphonie, un tableau, un poème qui donnent véritablement l'impression de venir, comme le dit Robbe-Grillet d'une « puissance obscure, un au-delà de l'humanité, un esprit éternel, un dieu... ».

Que l'on considère maintenant un bricoleur qui vient d'acheter des planches, des clous, de la colle, etc., et qui fabrique, d'après ses propres plans un meuble pour installer ses disques et sa chaîne haute-fidélité.

Il ne viendrait pas à l'idée de sa femme de parler (si ce n'est sous une forme ironique) de la « création » de son mari et de considérer celui-ci comme un créateur. Tout au plus se félicitera-t-elle, auprès de ses amies, d'avoir un mari « habile de ses mains ».

Pas plus que son mari, du reste, ne considérera sa femme comme une créatrice parce qu'elle a trouvé une manière originale d'apprendre à ses enfants à lacer leurs chaussures.

Or, entre le peintre qui, pour reprendre l'expression célèbre de Maurice Denis, dispose sur sa toile « des couleurs en un certain ordre assemblées », le bricoleur qui assemble ses planches et la femme qui éduque ses enfants, *il n'y a pas de diférence de nature.*

Tous trois sont entrés dans un processus créatif qui emprunte, bien que cela ne soit pas évident au premier abord, un *cheminement identique.*

Cela constitue un autre postulat : *il y a identité du processus créatif, quelque soit l'objet sur lequel il s'applique.* En ce sens, création artistique, création technique, création scientifique, création pédagogique, etc., reposent, au départ, sur le même cheminement mental.

Ce cheminement, dont on verra plus loin un essai d'approche systématique intitulé *Chemin d'invention,* est caractérisé par deux grandes constantes :

— la mise en contact d'idées, d'approches, de faits, de techniques, etc... provenant de champs de pensée ou de perception différentes. Cette rencontre « insolite » est ce que Kœstler appelle *la bi-sociation,*

— toute création fait recours à *l'inconscient* alors même que le cheminement de pensée apparaît parfaitement logique et contrôlé.

« Ainsi, écrit Kœstler, plus une découverte est originale, plus elle paraît simple ensuite. L'acte créateur n'est pas une création au sens de l'Ancien Testament. Il (l'inventeur) ne crée pas à partir de rien; il découvre, mélange, combine, synthétise des faits, des idées, des facultés, des techniques qui existaient déjà. Le tout inventé sera d'autant plus étonnant que les parties sont plus familières. L'homme connaît depuis fort longtemps les phases de la lune, et il a toujours su aussi que les fruits mûrs tombent sur le sol. Mais en combinant ces données et d'autres non moins banales pour en faire la théorie de la gravitation, Newton changera toute la conception que l'homme se faisait du monde. »

C'est en ce sens que l'écrivain Jean Ricardou propose de remplacer le terme « création » par le terme « production » et de ne plus parler de créativité mais « d'aptitude à produire ».

« On ne crée pas à partir de rien, on produit à partir de quelque chose. Produire, c'est transformer quelque chose : d'une part le matériau, d'autre part les produits déjà obtenus avec ce matériau... Pour un écrivain, c'est transformer le langage en texte, en transformant les précédentes règles de transformation... A partir d'un élément de langage qui sert de matériau de base, il est possible d'assister, par l'effet d'une règle (ou opération génératrice) à sa transformation en divers produits qui formeront toute une partie du réservoir des éléments de la fiction. Comme cette règle transforme les règles généralement utilisées à cet effet, on assiste bien à une production : transformation d'un matériau et transformation des transformateurs [1]. »

Pour illustrer, un peu naïvement, cette idée qu'il est impossible de créer à partir de rien et que toute création est association et transformation d'éléments existants, j'emprunterai un exemple à la peinture.

De tout temps, les peintres ont cherché à représenter des *monstres,* c'est-à-dire des créatures imaginaires inspirant l'effroi.

Or, jamais un peintre n'a réussi à véritablement créer un monstre, une créature de l'imagination, car toujours le monstre ressemblait à quelque chose, combinaison d'un corps de bouc, d'une tête de porc, de pattes d'âne, etc.

On touche là, de façon évidente, l'impossibilité d'une création *ex-nihilo.* Ce que Lovecraft exprime lorsqu'il parle de « l'indicible », de « l'innommable », panique s'emparant de l'homme et le faisant trembler d'effroi qu'aucun mot, qu'aucun signe ne pourra jamais cerner.

Faire se rencontrer des univers mentaux qui, jusque-là, n'étaient pas en contact constitue donc la base même de l'acte créateur.

---

1. *De la créativité* (colloque de Cerisy-la-Salle).

Mais s'il s'agit là d'une explication, elle ne permet que d'éclairer d'une faible lueur le processus de la création. Comment se fait-il, en effet, que de telles rencontres fassent jaillir l'inspiration à certains moments et non à d'autres?

Comment se fait-il qu'Archimède qui prenait souvent des bains n'ait découvert son principe qu'un certain jour dans un certain bain?

Et Newton regarda tomber des centaines de pommes avant de relier une pomme particulière et la gravitation universelle. Et Fleming lutta longtemps, comme beaucoup d'autres chercheurs, contre les moisissures qui envahissaient ses cultures avant d'en tirer l'invention de la pénicilline.

Par quelle secrète alchimie parvient-on à réunir ce que Kœstler appelle des « matrices » et dont l'entrechoquement va produire l'étincelle qui provoquera l'apparition de l'idée novatrice?

Voici un exemple qui aidera peut-être à mieux saisir le phénomène : un missionnaire, par ailleurs homme de science passionné de génétique, remarque en célébrant la messe que ses paroissiens ont des largeurs de nez différentes et que cette largeur varie selon le sexe.

Dès l'*ite missa est* il réfléchit au problème, procède à des observations et à des expériences. Il aboutit à cette conclusion que la largeur du nez est une caractéristique héréditaire et qu'elle n'est pas la même chez un homme et chez une femme. De cette découverte il tire une application intéressante pour déterminer, durant la grossesse, le sexe du bébé à naître.

Il est évident qu'un chimiste ou un plombier ayant fait une telle constatation, n'en auraient tiré aucune idée particulière. Car elle ne serait rentrée en contact avec rien dans leur champ de réflexion et d'interrogation.

Pour que l'étincelle jaillisse, il est donc nécessaire que l'esprit soit déjà *en état de recherche.*

On ne trouve jamais par hasard mais parce que, de façon consciente ou inconsciente, on cherche quelque chose.

Dans cet état, dont chaque lecteur a pu faire l'expérience, la préoccupation du problème posé nous pousse à tout rapporter à notre sujet. C'est-à-dire que, de façon spontanée, nous cherchons à faire des bi-sociations.

Bi-sociations amenées par la recherche organisée et lucide ou, bi-sociations élaborées, sans que nous ne nous en apercevions, dans le secret de notre inconscient.

La création fait largement appel à l'inconscient.

C'est une banalité, depuis Freud, de dire que l'être humain a une vie consciente et une vie inconsciente. On a pourtant l'impression, dans l'éducation puis dans la vie professionnelle, que tous les phénomènes inconscients sont rejetés, inexploités, traités avec honte et suspicion. Sans doute parce qu'on les associe de façon indissoluble au sexe et à la pathologie. D'où une antinomie profonde entre raison et logique et tout ce qui relève du rêve, de l'imagination, du non-formulé.

Lorsqu'on entame une recherche, la raison, la connaissance, la logique, ces austères gardiennes de notre pensée, veillent attentivement. Elles interdisent l'accès à notre conscience de tout ce bouillonnement confus, véritable chaudron de sorcières, qui se produit en nous de façon inconsciente.

Bouillonnement dont nous avons un aperçu par nos rêves. Les gardiennes se sont assoupies. Alors, des associations se créent sans contraintes ni censures.

Nous bi-socions souvenirs et désirs, pensées secrètes et pensées organisées dans un tourbillon étrange dont, au réveil, nous nous hâtons de nous débarrasser.

Or, c'est dans cet état où les barrières sont levées que notre moi utilise toutes ses richesses, fait appel à toutes ses ressources.

La pensée, libérée des contraintes que lui impose la « raison raisonnante », vagabonde, croise et décroise avec émerveillement ce qu'elle n'aurait jamais envisagé d'associer à l'état de veille.

Elle se nourrit de ce formidable entassement d'images, de souvenirs, de mythes accumulés sans même que nous en ayons eu conscience durant notre veille.

Le « créateur » est sans doute celui qui exploite, mieux qu'un autre, cette mine qu'il possède en lui en réussissant à supprimer les barrières qu'opposent les conformismes intellectuels, sociaux, scientifiques, etc. du moment où il vit. Il découvre de nouvelles relations jusqu'alors invisibles à tous.

« L'insistance (des chercheurs), écrit Kœstler, virtuellement unanime, sur les intuitions spontanées, les orientations inconscientes, les brusques sauts d'imagination qu'ils ne savent expliquer, suggère que, dans la découverte scientifique, le rôle des processus intellectuels strictement rationnels a été nettement surestimé depuis le siècle des Lumières; et que, contrairement à nos préjugés cartésiens, la « pleine conscience » comme dit Einstein, « est un cas limite ».

Partant de cette analyse, les techniques de créativité vont donc s'efforcer d'amener l'individu à quitter son attitude mentale rationnelle pour aller chercher dans son inconscient les matériaux qui lui permettront de réaliser des associations nouvelles.

L'utilisation des analogies et des métaphores, en particulier, par leurs recours au mythique et au fantastique, sera particulièrement fructueuse dans la mesure où elle amène le sujet et le groupe à s'évader de leur univers logique pour pénétrer dans le monde fascinant de l'irrationnel.

La création est un processus.

L'idée de la spontanéité de la création (« ça vient ou ça ne vient pas ») est encore une de ces légendes à la vie dure dont il est maintenant urgent de se débarrasser.

Elle est née du fait que certains créateurs, en effet, semblent avoir des « éclairs de génie » qui les font ressembler à des générateurs subits d'idées ou d'œuvres.

C'est le cas, par exemple, de Henri Poincaré découvrant les fonctions fuchiennes en mettant le pied sur un marchepied de tramway, de Mathieu peignant un de ses gigantesques tableaux d'un seul mouvement la veille du vernissage de l'exposition, de Mozart rédigeant d'un trait une merveilleuse sonate, etc.

Or, lorsque le créateur s'interroge sur la manière dont lui vient son « inspiration », il s'aperçoit que l'idée qui, à première vue paraît jaillir du néant est, en fait, le résultat d'un processus, en grande partie inconscient qui, soudain se cristallise en quelque chose de nouveau et de surprenant.

Tous les créateurs qui ont réfléchi sur leur création ont mis en évidence le déroulement d'un tel processus comportant une période, souvent fort longue, de recherche du problème, d'élaboration de solutions non valables, de mises en relation aboutissant à des impasses — bref, d'un travail de recherche consciente et inconsciente que l'on pourrait qualifier, en prenant le terme de Kœstler, *de période d'incubation.*

« Il suffit, en réalité, écrit Alain Robbe-Grillet, de lire le journal de Kafka, par exemple, ou la correspondance de Flaubert, pour se rendre compte aussitôt de la part primordiale prise, déjà dans les grandes œuvres du passé, par la conscience créatrice, par la volonté, par la rigueur. Le travail patient, la construction méthodique, l'architecture longuement méditée de chaque phrase comme de l'ensemble du livre, cela a de tout temps joué son rôle... »

Dans un entretien avec Christian Zervos, Picasso, dont on a tant vanté la facilité spontanée, explique : « Quand on commence un tableau, on trouve souvent de jolies choses. On doit s'en méfier, détruire le tableau et le recréer de nombreuses fois. A chaque destruction d'une belle trouvaille, l'artiste ne la supprime pas, à dire vrai; il la transforme plutôt, la condense, la rend plus essentielle. L'aboutissement est le résultat des inventions rejetées... [1] »

1. Cité dans *The creative process.*

Nous reviendrons en détail sur ce processus, envisagé dans sa forme opérationnelle, au cours du chapitre consacré au *Chemin d'invention*.

Pour l'instant, disons simplement que l'apport fondamental des « inventeurs » des méthodes de créativité a été :
- de mettre en évidence un tel processus,
- de montrer qu'il était identique, quel que soit l'objet de la recherche (artistique, scientifique, technique, etc.),
- de prouver qu'on peut reconstituer à volonté ce processus afin de permettre à un groupe de réaliser des créations,
- de réaliser, grâce à l'utilisation de techniques appropriées, une accélération des phases de ce processus en agissant, en particulier, sur les capacités associatives et en amenant les individus à explorer les richesses de leur inconscient.

La création implique une notion de nouveauté et d'originalité.

Créer, dans le langage courant, c'est produire « quelque chose » qui n'existait pas encore. Quelque chose qui va donc surprendre, étonner ou choquer.

Sinon, l'on parlera de copie, d'imitation ou de plagiat.

Mais on sent déjà à la lecture de cet énoncé combien la notion d'originalité est vague, relative et ambiguë.

En ce qui concerne les produits industriels, les choses sont relativement claires. Un produit est « nouveau » lorsqu'il n'existe pas encore sous une forme déposée se traduisant par un brevet. Un produit « original » sera donc celui auquel personne n'avait pensé de façon suffisamment claire et constructive pour en élaborer la forme, en définir les caractéristiques et les utilisations et en déposer le brevet.

Mais il s'agit là d'une définition juridique et fonctionnelle (encore qu'il y aurait beaucoup à dire sur ce système et les produits prétendus « nouveaux ») qui ne nous éclaire guère.

Car dès que l'on entre dans le domaine de la pensée, tout devient beaucoup plus flou et la notion d'originalité se révèle extrêmement difficile à définir.

Sans doute peut-on dire sans trop de peine ce qui n'est pas création parce que manquant de façon évidente de cette caractéristique de nouveauté.

La gentille lectrice des magazines féminins qui achète un canevas de tapisserie sur lequel est reproduit *La dame à la licorne* ou *La Joconde* et qui s'applique, en suivant point à point le mode d'emploi, à réaliser une tapisserie qui « fera l'admiration de son mari et de ses amis », ne fait pas œuvre de créatrice mais d'imitatrice.

Mais qu'un jour, lassée de ce travail machinal, elle ajoute une paire de lunettes à *La Joconde,* voici l'originalité qui apparaît. Elle est passée au stade de la création [1].

Dans une de ses conférences, Georges Rona, cite une anecdote de la vie de Churchill qui, pour lui (c'est aussi mon avis), caractérise l'originalité :

« Lors de son premier discours parlementaire, M. Anthony Eden s'est hasardé à lui demander ce qu'il pensait du discours qu'il venait de prononcer. Churchill, entre deux bouffées de son célèbre cigare, lâcha tout de go : « Vous avez employé dans votre discours, my boy, tous les clichés de la langue anglaise sauf deux : vous n'avez pas dit « Dieu est amour » et vous n'avez pas dit non plus « On est prié de laisser cet endroit aussi propre que vous l'avez trouvé en entrant ». »

On peut déjà discerner dans cette merveilleuse réponse les deux traits principaux de l'originalité définis par Guilford :

— L'originalité se définit *par rapport à une norme.* Est original ce qui sort de l'ordinaire, ce qui est inhabituel, ce qui surprend par rapport à la réponse qu'on attendait.

Définition qui pose elle-même le problème de la norme et de l'habituel. Ce qui paraîtra original dans un groupe de cadres coulés dans le même moule semblera d'une affligeante banalité dans un groupe de créativité, par exemple. En revanche, celui qui prônera l'amour de la famille, du travail bien fait, l'amour de la patrie dans un milieu «évolué» apparaîtra comme un dangereux contestataire (on dira qu'il est « réactionnaire ») .

Pour avoir quand même un outil de mesure, on qualifiera alors d'originale une réponse dont la fréquence d'apparition est statistiquement faible dans un groupe de référence donné (dans l'exemple ci-dessus, il est fort à parier que seul Churchill a produit ce type de réponse) .

— Mais la faible fréquence d'apparition ne suffit pas à caractériser l'originalité. Encore faut-il que cette réponse constitue une *réaction adaptée* à l'événement ou au problème.

Si Churchill avait répondu « beau temps pour la pêche » ou « aimez-vous les petits-pois à la crème? », sa répartie ne serait certainement pas passée à la postérité car alors elle n'aurait constitué qu'une réponse insolite ou une réponse *à côté* (c'est le cas du professeur Tournesol que la surdité fait constamment répondre à côté de la question. Mais ici l'originalité consiste à utiliser cette infirmité comme moteur de gags) .

Le deuxième instrument de mesure de l'originalité sera donc le degré d'adéquation de la réponse à la question posée.

Dans un article intitulé *Disposition pour l'originalité* [2], F. Barron fait remarquer que l'aptitude à produire des idées originales est directe-

---

1. Ce que prouva Marcel Duchamp en affublant cette Joconde d'une paire de moustaches.
2. Traduit par Alain Beaudot dans *La Créativité.*

ment liée au degré de liberté dont jouit l'individu. C'est-à-dire, finalement, à la forme des structures à l'intérieur desquelles évolue celui-ci.

Il est certain que les structures répressives, qu'elles soient scolaires, familiales, administratives, industrielles, politiques, etc. tendent à décourager par différents moyens (qui vont de la mauvaise note au Goulag) l'apparition d'idées originales, c'est-à-dire d'idées ne rentrant pas dans les normes généralement acceptées. L'émetteur de ces idées apparaîtra alors comme un *déviant* qu'il faut redresser, punir ou emprisonner.

En ce sens, l'idée originale n'apparaît pas comme un bienfait capable de faire évoluer la structure où elle apparaît mais est ressentie comme une menace pour celle-ci. Il faut donc l'étouffer afin que la structure assure sa pérennité. On retrouvera ce problème fondamental à propos de l'école, de l'entreprise, des structures politiques et religieuses, etc.

On voit que la capacité à produire des idées originales est intimement liée au courage d'apparaître comme *différent* et à la volonté d'être soi-même dans sa spécificité la plus totale.

A ce point de notre itinéraire, on peut donc préciser le terme de *créativité* en indiquant qu'il contient d'abord une notion d'*aptitude de l'individu à produire des idées.*

— Qu'il s'agit d'un *processus* comportant une phase d'analyse, une phase d'incubation et une phase de production (c'est « l'illumination », « l'inspiration », « le coup de génie »).

Ce processus fait appel à des données conscientes et à des données inconscientes.

— Qu'il s'agit également d'une *pédagogie* visant à développer chez les individus la faculté de *bi-socier* des éléments empruntés aux univers les plus variés et la faculté d'aller *explorer l'inconscient* pour y trouver des matériaux que la logique, les censures diverses, les barrières mentales et sociales nous interdisent d'utiliser et de mettre en contact.

— Qu'il s'agit enfin d'une *action formatrice* cherchant à donner aux individus, en particulier grâce à l'action du groupe, une nouvelle dimension qu'on peut appeler *dimension créative.*

L'acquisition de cette dimension entraîne et implique un changement profond de l'individu tant dans sa manière de penser que dans son comportement psycho-social dans la mesure où elle l'amène à considérer le monde et lui-même dans une perspective multi-dimensionnelle.

Ce qui amène à considérer l'introduction de la créativité dans une organisation quelconque comme un puissant facteur de changement et, pourquoi avoir peur du mot, de révolution [1].

---

1. Révolution étant pris ici dans son sens constructif de transformation profonde et irréversible de structures mentales, sociales, etc. C'est ainsi qu'on a pu parler de « révolution industrielle » ou de « révolution culturelle ».

Page extraite de l'album de Franquin (*Bes Gasses et Bes Begâts*. Editions Dupuis).

6.
portrait
d'un inventeur-innovateur :
Gaston Lagaffe

« Les gens graves ne sont jamais sérieux. »
CHRISTOPHE.

Plutôt que d'écrire un chapitre austère et abstrait sur les caractéristiques de l'individu créatif, j'ai préféré me livrer à une analyse d'un personnage que beaucoup de lecteurs connaissent et apprécient : Gaston Lagaffe.

J'ai essayé de montrer comment on trouve chez ce sympathique ahuri les critères que Gordon propose pour sélectionner les individus formant les groupes de créativité et de mettre en évidence la manière dont Gaston applique les processus créatifs décrits dans le chapitre 5.

Gaston Lagaffe a été créé en 1957 par Franquin, le génial inventeur de Zorglub et du marsupilami.

Ses exploits sont relatés chaque semaine dans *Spirou*. Les plus saisissants sont publiés en albums dont je recommande vivement une lecture attentive.

Professionnellement, Gaston est garçon de bureau aux éditions Dupuis (éditeur de *Spirou*).

Physiquement, c'est un garçon d'un âge incertain (entre vingt et trente ans), aisément reconnaissable à sa tignasse hirsute, à son gros nez qui a nettement tendance à rougir dès les premiers froids et à son air oscillant entre la béatitude et l'ahurissement le plus complet.

Il est invariablement vêtu d'un tee-shirt et d'un chandail vert à col roulé dont la longueur insuffisante met en valeur son nombril.

Hiver comme été, il porte un blue-jean rétréci et des espadrilles éculées. Lorsque le froid est trop vif, il enfile un duffle-coat, une écharpe assortie d'un cache-nez (au sens propre), tricotés par sa tante Hortense.

Cette description donne une première indication intéressante sur la personnalité de Gaston : *il n'attribue qu'une très faible importance à la position sociale et aux signes extérieurs de réussite.*

Ce trait de caractère se manifeste de plusieurs autres façons. D'abord Gaston tutoie tous les membres de la rédaction, alors que les secrétaires de rédaction successifs (Fantasio, puis Prunelle), eux, le vouvoient.

Aucun des personnages terribles ni M. Dupuis (directeur), ni l'austère M. Boulier (comptable), ni le terrorisant M. Demesmaeker (homme d'affaires apoplectique toujours sur le point de signer de mirobolants contrats et finissant toujours par détruire ces contrats à la suite d'une bévue de Lagaffe), ni l'irrascible agent Longtarin (dont la principale activité semble être de pourchasser la voiture de Gaston), pas plus que les athlétiques voisins Ducran et Lapoigne (dont Gaston abat régulièrement le mur à la suite d'expériences un peu trop bien réussies) ne l'impressionnent.

Pour lui, les notions de situation hiérarchique, d'ordre établi, de respect dû au rang où à la position sociales, sont lettres mortes.

On pourrait dire que derrière les innombrables façades sociales, il ne voit que l'homme. Et, au contact de Gaston, dans la mesure où il crée des situations insolites, l'homme se dévoile dans sa pauvreté imaginative ou, au contraire, dans sa richesse d'accueil aux idées nouvelles.

Gaston, indéniablement, est *serviable* : il présente de manière spontanée des comportements coopératifs, essentiels pour l'harmonie du groupe.

Sans cesse il cherche à faire plaisir, à aider, à apporter des améliorations ou des innovations qui faciliteront la vie et le travail à l'intérieur du bureau.

Par exemple, il monte un guignol pour distraire ses collègues, il offre un trio de singes savants à Fantasio pour son anniversaire, il passe son temps à repeindre les bureaux (pipes et machines à écrire comprises) pour que ses collègues vivent dans une ambiance plus agréable, il établit une piste de ski dans les escaliers, il installe des systèmes pneumatiques pour que le courrier circule plus vite entre les bureaux, il confectionne des plats aussi variés qu'insolites dont il fait profiter la rédaction, etc.

Tout cela partant d'un véritable besoin d'apporter sans cesse aux autres le meilleur de lui-même.

En général, ses initiatives créatrices se transforment en catastrophes — soit par incompréhension du personnel de la rédaction [1] qui refuse de suivre Gaston jusqu'au bout de sa démarche, soit par réaction violente de l'administration (incarnée par M. Boulier, définitivement

---

1. Heureusement, Gaston possède une inconditionnelle : 'Moiselle Jeanne, secrétaire aux Editions Dupuis qui, quoiqu'il arrive, se pâme devant ses inventions.
C'est là un soutien inappréciable pour le créateur.

imperméable à toute idée nouvelle) soit, tout simplement, parce que sa recherche dévie et donne des résultats très différents de ce qu'il en escomptait : le dispositif pour supprimer les gaz d'échappement asphyxie toute la ville, sa fusée à faire tomber la pluie détruit l'avion de M. Demesmaeker au moment où celui-ci allait enfin signer les contrats ou son superbe instrument de musique révolutionnaire, le Gaffophone, dont il comptait faire profiter ses collègues, se révèle être un redoutable générateur d'infra-sons.

C'est ici qu'apparaît un autre trait fondamental de la personnalité de Gaston : *il accepte volontiers de prendre des risques.*

Chacune de ses entreprises comporte des risques : risques physiques, risques moraux, risques d'échec.

Sans hésiter, Gaston assume la responsabilité de ses créations. Sa voiture (dans laquelle personne n'ose plus monter, sauf cas de force majeure) et un bon exemple de cette intrépidité. Le nombre de perfectionnements qu'il a apportés à sa structure et au carburant qu'elle utilise formerait une longue liste. Le nombre des résultats malheureux entraînés par ces innovations donnerait une liste aussi longue. Et pourtant, jamais Gaston n'hésite à se lancer dans l'aventure.

On l'a vu accroché un cerf-volant, suspendu par une corde à la façade des éditions pour remonter la pendule publicitaire qu'il avait installée, sombrer dans un lac gelé à la suite d'essais malheureux de patins à moteur, à moitié carbonisé par l'explosion de divers engins de chauffage inventés ou perfectionnés par lui, asphyxié par ses expériences chimiques, dégringolant à travers les étages lorsque son encaustique miracle se révéla être un redoutable décapant, on l'a vu assommé par ses différentes machines à trier, à classer, à boucher, on l'a même vu renvoyé à la suite des dégâts occasionnés dans la rédaction par une vache qu'il avait gagnée à un concours — mais on ne l'a jamais vu renoncer à tenter une nouvelle expérience par crainte du risque ou peur des conséquences.

Autrement dit, Gaston *n'hésite pas à s'engager à fond dans une entreprise* même si cela doit lui attirer les pires ennuis (et, très régulièrement, ces ennuis arrivent aussitôt).

Un des traits caractéristiques de Gaston est également sa *curiosité à l'égard des phénomènes qu'il rencontre et sa capacité de s'enthousiasmer pour tout ce qu'il fait* (avec une réserve importante : la seule chose qu'il ne peut supporter, c'est de trier le courrier et de classer la documentation — tâches répétitives dans lesquelles on voudrait le cantonner).

Sa curiosité est inlassable, dévorante. Dès qu'il rencontre quelque chose de nouveau, il cherche immédiatement à en examiner le fonctionnement et se demande quelles nouvelles utilisations il pourrait en tirer.

Il est avide de percer le secret des objets et de la matière. « C'est bien simple, professe-t-il, si on veut comprendre un machin, on le monte et on le démonte. »

Parfois, cela donne de curieux résultats : le réfrigérateur, remonté à l'envers, se transforme en marmite à pression, la moto révisée par ses soins ne peut plus rouler qu'en marche arrière. Mais qu'importe! L'erreur, due au hasard et dont tout autre se plaindrait, permet à Lagaffe de découvrir de nouvelles propriétés du système. *Gaston sait utiliser les hasards.* Par exemple, le réfrigérateur inversé lui permet d'expérimenter un nouveau mode de cuisson du poulet et de déguster du coca-cola bouillant.

Si les phénomènes techniques le passionnent, les phénomènes naturels le fascinent. Gaston adore les animaux. Son bureau, aux meilleurs moments, renferme un chat un peu fou, une mouette rieuse, un poisson rouge, un hérisson et un élevage de souris.

Il ne les adore pas seulement, ils lui fournissent des sujets d'étude du plus haut intérêt. Leurs capacités naturelles lui apportent des idées d'innovations que ne renieraient pas les *bioniciens.*

Il utilise, par exemple, un homard pour trier le courrier, la mouette rieuse pour ouvrir les boîtes de conserve ou traîner des banderolles publicitaires, un ver luisant pour réparer un feu rouge en panne.

Lui-même, d'ailleurs, s'assimile au monde animal en couvant des œufs, en se métamorphosant en paresseux, en égayant les pensionnaires d'un zoo en jouant avec eux. C'est-à-dire que Gaston pratique de façon spontanée ce que Gordon appelle l'*analogie personnelle* (cf. chapitre 13).

Gaston Lagaffe aborde tous les domaines avec un égal appétit d'innover et un enthousiasme qu'aucun échec ne parvient à entamer.

La mécanique, la physique, la chimie, la botanique, la biologie, la circulation, l'organisation, la musique, la cuisine, la publicité, les sports autant de domaines où Gaston exerce son esprit créatif.

Il est un exemple plus que parfait du *chercheur multidimensionnel* capable d'adapter les découvertes effectuées dans un univers à un univers totalement différent.

En fait, Gaston est un bi-sociateur né. C'est ainsi qu'en cherchant une nouvelle cire il découvre un savon aux propriétés curieuses : les bulles faites avec celui-ci absorbent les sons et les rendent lorsqu'elles éclatent.

Aussitôt Gaston fait une bi-sociation avec l'orchestre qu'il a monté avec ses complices Jules-de-chez-Smith-en-face et Gontran Labévue. Utilisant les cuivres de l'orchestre comme de gigantesques pipes à bulles ils montent le premier « orchestre à retardement ».

Le sujet créatif, indique Gordon, doit posséder *une bonne aptitude à utiliser les analogies et les métaphores*.

Gaston vit dans un monde d'analogies et de métaphores. Sans cesse, il transpose, jouant avec bonheur sur les mots et les concepts. Du terme « douche téléphone » il extrait un téléphone qui permet de se doucher au bureau. D'un gant de boxe il tire un fauteuil, main géante qui « cueille » véritablement celui qui s'asseoit dedans.

Avec une agilité mentale digne d'un maître en créativité, Gaston s'identifie, fait appel au symbolique, au merveilleux, croise et décroise les mots, les idées, les systèmes.

Son *aptitude à généraliser* est évidente. Au lieu de penser en terme d'objets ou de produits, Gaston pense en termes de *fonctions*. Par exemple, il posera un problème donné sous la forme « comment se déplacer » et non pas « comment se procurer une voiture » — ce qui l'amènera à emprunter un bulldozer pour emmener 'Moiselle Jeanne au cinéma.

Enfin, *sa coordination kinesthésique* est indiscutablement excellente. Du reste, Gaston l'entretient en pratiquant une gamme de sports très étendue : le jeu de fléchettes, le bilboquet, la bicyclette, le patinage artistique, la plongée (il s'exerce dans un lavabo et finit par s'endormir, la tête sous l'eau, battant ainsi tous les records d'endurance), la préparation des crêpes, le saut à la perche (pour aller serrer dans ses bras une girafe), le tir à l'arc, le karaté, l'haltérophilie et le yoga (sous la direction du maître Rhavikan Tiroupi).

J'ajouterai, et cela ne rentre pas dans les critères de Gordon, que Gaston possède un *sens de l'humour* qui, pour n'être pas toujours apprécié par les autres, est néanmoins très poussé.

Gaston Lagaffe possède donc toutes les qualités, à un point rarement rencontré, de l'individu créatif.

Mais une question se pose : comment trouve-t-il ses idées?

Une de ses histoires nous révèle le principal secret de son processus créateur. A Prunelle, qui lui reproche de ne pas trier le courrier et de toujours dormir (Gaston s'est confectionné une boîte insonorisée dans laquelle il s'enferme la tête, de telle sorte qu'on n'entend plus ses ronflements), Lagaffe fait cette réponse magnifique : « Ici, à Spirou, vous ne m'avez jamais compris. On dit que je dors, d'accord. Mais c'est pour me concentrer... Ça continue à travailler, ici dedans... Et quand je me réveille je suis dans une forme du tonnerre!... Toutes mes inventions et mes idées pour le bureau sont venues comme ça!... Suffit que je dorme dix minutes... J'ouvre l'œil, et BOUF, J'AI UNE IDEE!... »

On trouvera, au chapitre suivant, un essai d'explication de ce phénomène, dont les exemples abondent dans l'histoire de la création. C'est ainsi que le chimiste Kekule, cherchant la structure du benzène et n'y parvenant pas, s'endormit devant un feu et rêva d'un serpent qui se mordait la queue. Au réveil, loin de rejeter son rêve, il tenta de le rapporter à son problème et découvrit ainsi l'existence de mollécules cycliques.

A cette faculté d'utiliser le sommeil, Gaston joint la faculté d'avoir constamment l'esprit en état de curiosité. Toujours, il observe et se *pose des questions* contrairement à l'individu non créatif qui attend qu'on lui pose des questions et cherche seulement à y répondre. Il est perpétuellement en état d'éveil.

Et, devant les constats de son investigation, il se met à bi-socier, à relier des phénomènes en apparence fort éloignés en utilisant, pour cela, l'approche analogique.

On pourra rétorquer que la plupart de ses inventions sont malheureuses ou inutiles (telle cette machine à faire des ronds de fumée, destiné à égayer les loisirs des non-fumeurs). En fait, elles sont surtout mal exploitées.

Gaston se trouve dans un milieu qui s'évertue à le cantonner dans une certaine fonction (garçon de bureau) et refuse de le considérer comme un chercheur (qui est aussi un trouveur).

On retrouve là le problème de l'introduction de l'innovation dans une structure qui sera étudié au chapitre 8.

Si l'on considère, au contraire, les inventions de Gaston comme des points de départ d'une recherche prometteuse et non comme de premières tentatives porteuses de catastrophes, la plupart pourraient donner lieu à des innovations étonnantes (M. Demesmaeker ne s'y est pas trompé qui a déjà signé à Gaston plusieurs contrats pour des soupes en boîte et des farces et attrapes).

Mal compris, mais bénéficiant quand même de la part de ses collègues et de celle de M. Dupuis d'une indulgence souvent héroïque, Gaston Lagaffe n'a pas encore rencontré le terrain propice à l'éclosion de son génie.

Il fait partie de ces chercheurs, admirables d'opiniâtreté, qui constituent un exemple. Beaucoup de créateurs, j'en suis sûr, se reconnaîtront en lui [1].

---

1. La lecture de ce chapitre a beaucoup ému Gaston Lagaffe. Il m'a envoyé un dessin sur lequel on le voit tenant mon livre d'une main et écrasant une larme de l'autre.
« Snnirrf! renifle-t-il, excuse-moi, Bernard Demory, c'est l'émotion. Enfin quelqu'un qui me comprend... »
Si d'aucuns en doutaient encore, voici une preuve irréfutable de l'existence de Gaston.

7.

ce qui nous empêche d'inventer : les freins à l'imagination

« *Tout se passe comme si l'homme avait peur de lui-même et s'il n'osait exprimer ouvertement ce qu'il sait être.* »

Henri LABORIT (*L'homme imaginant*)

Si l'on part du postulat, sans cesse renforcé par l'expérience, que la quasi-totalité des individus possède un « potentiel créatif », c'est-à-dire une aptitude à imaginer des solutions originales aux problèmes qui se posent, on peut s'étonner que si peu de gens se servent de cette aptitude dans leur vie personnelle comme dans leur vie professionnelle.

Entre l'enfant curieux, inventif, passionné et l'adulte gourmé, traditionnel, incapable de s'évader de son cadre de pensée, de ses préjugés et de ses interdits, il a dû se produire quelque chose de grave.

Une dégradation profonde et, à première vue, irrémédiable est intervenue qui a complètement étouffé les « appétits créatifs » de l'individu.

En simplifiant beaucoup, on peut dire que la grande responsable de cette dégradation est le système social dans lequel nous vivons et qui, dès le plus jeune âge, met tout en œuvre pour brider notre imagination et nous inciter à nous conformer à un certain modèle hérité, dans une large mesure, du XVIIᵉ siècle. Descartes, Pascal (« *Imagination.* C'est cette partie dominante dans l'homme, cette maîtresse d'erreur et de fausseté, et d'autant plus fourbe qu'elle ne l'est pas toujours, car elle serait règle infaillible de vérité, si elle l'était infaillible du mensonge... Cette superbe puissance ennemie de la raison, qui se plaît à la contrôler et à la dominer, pour montrer combien elle peut en toutes choses, a établi dans l'homme une seconde nature... »), puis les philosophes rationnalistes ont imposé une certaine vision de l'homme et du monde, largement reflétée dans notre société et dont nous commençons seulement à nous débarrasser.

Tout ce qui n'est pas raisonnable, logique, fondé sur un raisonnement rigoureux et cohérent (dans le cadre d'une logique admise) est impitoyablement rejeté — et cela depuis la toute tendre enfance.

L'imagination, prête à s'épanouir, rencontre une impressionnante série de *freins* qu'elle aura le plus grand mal à surmonter.

Sans prétendre être exhaustif, voici quelques-uns des freins les plus caractéristiques qui entravent l'imagination et, à force, l'amènent à se terrer si profondément dans l'individu qu'elle en paraît complètement absente.

L'éducation.

« Comment se fait-il que les enfants soient si intelligents et les adultes si bêtes? s'interrogeait Alexandre Dumas; il a dû se passer quelque chose entre les deux : c'est l'éducation. »

Il faut reconnaître que l'éducation que nous avons reçue et que les jeunes générations, dans une large mesure, reçoivent encore (le véritable « renouveau pédagogique » dont on parle tant est peut-être pour après-demain) a tout fait pour tuer en nous cette « folle du logis » dont parle Pascal.

En effet, que nous a-t-on appris durant la scolarité [1]? Essentiellement à intégrer un *savoir* préexistant à nous et à nous conformer à un *modèle* (de discours, d'éducation, d'approche des problèmes, etc.). Un moule tout prêt nous attendait : il s'agissait de nous y adapter.

Moule de la forme, d'abord — la fameuse dissertation avec introduction, trois parties et conclusion —, moule de l'esprit surtout : il n'était pas question d'inventer et de poser des problèmes mais d'absorber un certain type de savoir et un certain type de pensée jugés par les instances supérieures comme étant les seuls valables.

Le bon élève, celui qui « irait loin » était celui qui savait le mieux (par ruse ou par tempérament) se couler dans le moule qu'on lui proposait; celui qui ne posait que des questions *intelligentes* [2] et apportait aux problèmes les réponses qu'on attendait de lui.

Cette notion de bon élève, on la retrouve partout : dans la famille, dans l'entreprise, dans les églises, dans les syndicats, dans les partis politiques. On aime le bon élève, il rassure car il ne vient pas déranger l'ordre établi et ne pose pas les questions qui ennuient tout le monde.

Alors que l'élève créatif (le cadre, l'ouvrier, le chef d'entreprise, le prêtre, le fonctionnaire créatif) est, comme le dit Alain Beaudot « une menace d'abord pour la discipline et l'ordre. L'élève poseur de

---

1. Après la merveilleuse époque de l'école maternelle où s'épanouit la créativité des enfants avec l'aide d'enseignants qui ne sont pas des professeurs mais des « éveilleurs ».

2. On raconte qu'Albert Einstein s'était fait renvoyer de son lycée parce qu'il posait des questions auxquelles personne ne savait répondre. Ce qui est, bien sûr, inadmissible.

questions... apparaît et est perçu du maître comme un perturbateur, un turbulent. Les questions que pose un élève créatif apparaissent comme saugrenues, à la fois aux yeux des professeurs et à ceux de ses condisciples. La question fait rire, désorganise la classe... Une menace ensuite pour le cours du maître. En effet, les questions du créatif peuvent remettre en cause le cours patiemment mis au point par le maître ».

Par exemple (je l'emprunte encore à Alain Beaudot), on pose un test à cet élève : il s'agit de trouver le mot qui n'appartient pas au groupe dans la série suivante : pomme, rose, papillon, feuille, gazon.

Le « bon élève » répond aussitôt papillon, car dans la suite seul papillon appartient au règne des êtres animés.

Mais la caractéristique commune peut être également la couleur verte. En ce cas, la rose est l'intruse.

En allant plus loin, il n'y a pas d'intrus. Le papillon se pose ordinairement sur la pomme, la rose, la feuille, le gazon. Ils sont tous en relation et font partie du même univers.

Si l'élève utilise des relations analogiques, la pomme fait penser au papillon lorsqu'elle est nantie de deux feuilles, la feuille vole comme le papillon, la rose a les couleurs et la légèreté de l'aile de papillon, les brins de gazon font penser à ses antennes, etc.

Devant de telles réponses, le maître « traditionnel » mettra en marge « soyez sérieux, on ne vous en demande pas tant » ou sanctionnera simplement cet effort par une mauvaise note. *Parce que ces réponses ne rentrent pas dans le cadre établi au départ.* Elles le font craquer de toutes parts (prouvant par là, du reste, la vanité des tests auxquels certains croient encore) et désorientent complètement celui qui est chargé d'inculquer à l'élève le respect de ce cadre.

Si l'élève est tant soit peu habile, il comprendra vite ce qu'on attend de lui : non pas une imagination en mouvement mais une conformité à des standards préétablis. Et, avec plus ou moins de brio il s'adaptera à cet état de choses. Si l'adaptation est bien faite, il parcourra avec succès le long chemin qui le mènera jusqu'aux grandes écoles ou aux diplômes de l'enseignement supérieur. Il *arrivera* mais, comme disait Alfred Capus « en quel état! ». C'est-à-dire qu'il aura étouffé en lui toute capacité d'imagination et d'innovation pour devenir un adaptateur de solutions toutes faites à des situations nouvelles qui exigeraient, précisément, un grand apport d'imagination.

En ce sens l'éducation (avec quelques réserves majeures constituées par un certain nombre de recherches pédagogiques visant à développer la créativité) met l'individu, dès l'enfance, non pas en position de découvreur émerveillé mais en position de reproducteur d'un savoir préétabli qu'il retransmettra, plus tard, à d'autres, etc. Jusqu'au jour où il s'apercevra que les problèmes de l'existence n'ont pas, comme ceux de l'école, une solution préparée à laquelle il suffit de parvenir par une suite de raisonnements et de déductions mais qu'ils exigent qu'on leur invente des solutions nouvelles.

En ce sens, on citera particulièrement *la pédagogie Freinet* fondée sur le « tâtonnement expérimental ». Après plus de quarante ans d'expérimentations et de succès incontestables, la « méthode naturelle » de Freinet compte toujours de nombreux et farouches opposants au sein du monde éducatif. Ne parlons pas d'expériences comme celles effectuées au lycée d'Oslo, elles sont insupportables à entendre pour la plupart des pédagogues. Peut-on s'étonner alors qu'Ivan Illitch s'écrie : « J'espère que vos petits-enfants vivront dans une île où il ne sera pas plus nécessaire d'aller en classe qu'aujourd'hui d'aller à la messe. »

La connaissance et l'expérience.

Les connaissances et l'expérience ont, dans un contexte non créatif, un effet stérilisant sur l'imagination. Connaître, savoir, c'est le plus souvent, refuser de reconnaître que la situation qui se présente est sans doute profondément différente des situations que l'on a connues jusqu'ici et qu'elle exige la recherche d'une solution adaptée, donc la mise en œuvre d'un processus de découverte et de création.

Il est très symptomatique, par exemple, de voir les réactions de maints coopérants arrivant en Afrique, tout chargés de leur science et de leur culture occidentale. Face à un monde profondément différent, loin de se laisser aller à une découverte sans préjugés, c'est-à-dire d'abandonner les schémas tout faits qu'ils ont importés avec eux pour tenter d'imaginer de nouvelles manières d'aborder et de résoudre les problèmes, ils s'efforcent, au contraire, d'appliquer de force ces schémas à une réalité qui, forcément, n'arrive pas à rentrer dedans. D'où les agacements et les échecs si souvent rencontrés.

Ce frein, on le trouve partout, à tous les niveaux. Je sais, je connais ce problème donc j'applique une solution qui, jusqu'ici, a donné de bons résultats. Mais si le problème, sous des apparences identiques, était entièrement nouveau ? Et si, malgré son identité, il pouvait être mieux résolu par des solutions qui ne sont pas encore trouvées ?

Une telle attitude de remise en question se heurte, évidemment, à l'inertie du savoir. Combien de gens sont capables de penser par eux-mêmes, avec un cerveau neuf, sans faire constamment référence à des savoirs appris, sans se rattacher à un passé, sans appliquer un modèle théorique figé à une réalité par essence mouvante ?

Dans la pratique, cela se traduit par la phrase-couperet « c'est impossible ». Quelqu'un propose une solution « originale » à un problème (entendons par là une solution qui ne rentre pas dans le cadre de pensée du moment ou du groupe) et il entend immédiatement la réponse : c'est impossible!

Pourquoi impossible? Eh bien! parce que cela n'a jamais été fait ainsi, parce que cela n'a pas encore été expérimenté, parce que son idée va contre les théories des gens en place, parce que sa proposition implique qu'on remette en question le savoir péniblement acquis, les connaissances chèrement accumulées. Il ne peut en être question...

En ce sens, l'*expert,* le ponte, le mandarin sont des personnages redoutables. Ils défendent avec vigueur le savoir dont ils ont la possession en interdisant toute recherche qui ne va pas dans le sens de leurs connaissances et de leurs théories élaborées autour de ce savoir [1].

Avec tout le poids que leur confère leur titre, ils imposent des directions et jettent l'anathème sur ceux qui empruntent des chemins buissonniers. Avec une belle assurance, ils tranchent. Et il n'est pas question de mettre en doute leurs discours : ils l'appuient de tant de références, de tant de données, de tant de chiffres, de tant d'autorité que l'interlocuteur, vaincu, se range à leurs raisons — pourquoi tenterait-il même d'imaginer une autre solution alors qu'on vient de lui prouver, de péremptoire façon, que seule la solution de l'expert était possible? Ou alors, il se révolte et l'aventure commence...

C'est ce qui arrive lorsqu'un expert vient en consultation dans un groupe de créativité. Je me souviendrai longtemps de cette journée houleuse où des experts, appelés pour donner leur point de vue en prévision d'une importante étude prospective, progressivement acculés à avouer leurs ignorances (alors qu'ils s'attendaient à une écoute admirative) sont partis en claquant les portes pour proclamer ensuite que la créativité et ceux qui la pratiquaient n'étaient que poudre aux yeux et minables rêveurs.

Lorsque je parle d'expert, j'entends, bien sûr, ces sommités scientifiques, militaires, politiques, économiques, etc. qui ont assuré que les microbes n'existaient pas, qu'une guerre mondiale ne pouvait durer plus de trois mois, que Freud était un fou, Marx un débile, que les Allemands ne franchiraient jamais la ligne Maginot et que les prévisions d'un manque de matières premières n'étaient que billevesées. Ces grands cerveaux, bourrés de savoir imperturbable dont Alvin Toffler, dans *Le choc du futur,* cite quelques prises de position pour le moins réjouissantes : « En 1865, un directeur de journal affirmait péremptoirement à ses lecteurs qu'il est impossible de transmettre la voix par fils électriques et que, même si la chose était possible, elle n'aurait aucun intérêt pratique. Dix ans plus tard, à peine, le téléphone surgit du laboratoire de M. Bell et transforma le monde.

« Le grand Rutherford lui-même, l'homme qui avait découvert l'atome, soutenait sur un ton nonchalant en 1933 que l'on ne pourrait

1. On en trouvera une illustration éclatante dans *Le mandarin aux pieds nus.*

jamais libérer l'énergie du noyau de l'atome. Neuf ans après, on procédait à la première réaction en chaîne. »

Mais je parle aussi de chacun d'entre nous dans la mesure où nous sommes toujours l'expert de quelqu'un et tentons de lui interdire les voies d'imagination qui l'amèneraient à faire des découvertes qui ne ressembleraient pas à notre savoir.

C'est le père qui explique à son fils qu'il est impossible d'interdire la circulation dans les villes pour laisser marcher paisiblement les piétons. C'est l'artisan qui démontre au profane qu'on ne peut pas poser une canalisation de cette façon-là « parce que ça ne s'est jamais fait ».

C'est l'architecte prouvant à son client qu'une maison est forcément inhabitable à moins d'y mettre un prix extravagant. Ce sont les techniciens de cinéma qui, voyant Jean Cocteau ne pas agir comme les autres metteurs en scène, ricanaient et balayaient le studio pendant le tournage de *Le sang d'un poète* (mais les poètes ont toutes les chances : la poussière dans le faisceau des projecteurs conféra aux lumières une irrisation surnaturelle).

Bref, personne n'est à l'abri du risque d'interdire à l'imagination d'apparaître en l'écrasant sous le bloc de son savoir.

C'est encore, à un autre niveau, la lutte du bon et du mauvais élève — le mauvais élève étant, en l'occurrence, celui qui est capable d'oublier pendant un temps tout ce qu'il sait, de mettre entre parenthèses sa science et son expérience, pour regarder le monde d'un œil neuf et poser les questions que posent les enfants. Autrement dit, capable de redevenir un *naïf* vis-à-vis du monde et vis-à-vis de soi-même.

On lui dit « cela est ainsi, cela ne peut être autrement, il faut suivre cette règle, utiliser cette théorie » et il répond qu'il va voir, justement, si cela ne pourrait pas être autrement, si l'on ne pourrait pas établir d'autres règles, bouleverser les théories.

Mais attention! Si la connaissance, prise en un sens de barrage à toute autre connaissance qui la remettrait en question, est un puissant frein à l'imagination, la richesse des connaissances, des expériences, de la culture, envisagées dans une optique de fluidité, de bi-sociation, d'ouverture est un puissant facteur de créativité.

Il faut se méfier d'une certaine mode qui consiste à prétendre qu'un esprit vierge est le plus apte à produire des idées neuves dans la mesure où il n'est pas « perverti » par les apports « orientés » de la société. Ce mythe de l'imbécile (au sens latin du terme) donne des résultats assez navrants.

Il est remarquable, au contraire, que les plus grands novateurs sont également des individus de grande culture qui ont su mettre en relation des informations et des expériences acquises dans des domaines très divers et qui ont été capables de remettre en cause leur acquis à partir du moment où ils ont senti qu'il bloquait leur imagination créatrice.

En pratique, on retrouvera ce phénomène au niveau du groupe de créativité : si les participants ont de faibles connaissances et de faibles intérêts, les résultats de la recherche seront médiocres. Au contraire, si les participants peuvent mettre en commun un grand nombre d'expériences, de connaissances, de réflexions en admettant qu'un savoir (pratique ou intellectuel) n'est pas un aboutissement mais un départ, alors la production du groupe sera remarquable en quantité et en qualité.

Animant des groupes de chercheurs experts en différentes spécialités qui ont réussi à dépasser l'orgueilleuse assurance de l'expert pour participer ensemble à des recherches, j'ai pu constater la richesse de cette mise en commun de savoirs importants.

Autrement dit, une des caractéristiques de l'état d'esprit créatif sera *l'humilité*. Admettre qu'un non-spécialiste puisse apporter au spécialiste des idées nouvelles et des pistes de réponse aux problèmes qu'il se pose sans parvenir à les résoudre. Accepter aussi que le non-expert critique l'expert et l'amène à regarder les choses d'une manière totalement différente.

Cela signifie, par exemple, que des ingénieurs travaillent avec des commerciaux et admettent que ceux-ci puissent avoir des idées intéressantes sur les problèmes techniques. Et réciproquement.

Dans notre société, fondée sur la spécialisation croissante, ce genre d'approche rencontre, on s'en doute, de violentes oppositions.

L'esprit de critique.

Voici une réunion de travail, un groupe de réflexion, une équipe de recherche. Prenons, par exemple un groupe de travail formé de cadres, dans une entreprise. Il a été réuni par un directeur pour apporter des idées qui permettront de résoudre un problème.

Le sujet est défini et les participants sont invités à émettre leurs idées. Après un moment d'hésitation, l'un d'eux lance une suggestion. Gageons avec une quasi-certitude que cette idée, si elle présente quelque originalité, va immédiatement subir le feu croisé de la critique. A peine née, elle va devoir affronter des assauts auxquels sa fragilité ne lui permettra pas de résister.

Le groupe, ayant prouvé que cette idée n'était pas valable, se mettra à la recherche d'une autre idée qui subira le même sort, etc. A moins qu'un participant, plus acharné ou plus fort que les autres (par sa position hiérarchique, par exemple) défende *son* idée contre vents et marées. En ce cas, il interdira à toute nouvelle idée de prendre son essor, parce qu'elle risquerait, si elle est bonne, d'annuler la sienne.

Devant cette situation, que feront les membres du groupe susceptibles d'avoir des idées? Eh bien! après quelques tentatives aboutissant à des rejets, ils se tairont ou se vengeront en attaquant toutes les idées émises, surtout si elles leur paraissent intéressantes.

Cela, c'est la réunion classique, dont chacun a une triste expérience. Après des heures de discussion, de tension, d'inutilité, elle se termine par un vague rapport et une nouvelle discussion pour fixer la date de la réunion suivante...

A quoi tient une telle inefficacité? Essentiellement au fait que les participants, loin d'avoir une attitude d'accueil et d'ouverture à la nouveauté, font montre d'un esprit de critique systématique (sans en prendre conscience, la plupart du temps).

Cet état d'esprit, particulièrement développé en France, est dû, je pense, au système éducatif qui nous a formés.

La véritable intelligence, nous a-t-on appris, est celle qui est capable de juger le plus rapidement possible ce qui est bon et ce qui est mauvais; la faculté de discerner le vrai du faux, le réaliste du farfelu, etc. En un mot, de classer immédiatement et de rejeter.

Lorsqu'on entend vanter quelqu'un, on entend essentiellement parler de sa grande capacité de jugement, très rarement de ses aptitudes à imaginer. En termes familiers, l'homme intelligent est « celui à qui on ne la fait pas » et qui, devant une idée ou un projet, trouve immédiatement *la faille.*

Comme nous prétendons tous être intelligents, nous passons notre temps à chercher les failles dans ce que nous propose autrui.

Toute suggestion, toute expérimentation, toute œuvre présentant un caractère de nouveauté est accueillie avec scepticisme ou ironie. Et se montrer brillant consistera à « démolir » le plus complètement possible ce qui nous est présenté et nous surprend parce que cela ne rentre pas dans notre cadre de pensée habituel [1].

Du reste, cette démolition sera d'autant plus aisée que l'idée est moins élaborée. Or, au départ, lorsqu'elle jaillit, une idée est une sorte de nébuleuse, aux contours flous que les mots sont malhabiles à cerner. Il va falloir, par une succession d'opérations la préciser, l'améliorer, la rendre solide.

Si cette nébuleuse, au lieu d'être enrichie par l'apport d'autres idées est disloquée par la critique, elle retournera au néant et celui qui

---

1. Cette attitude de critique immédiate est particulièrement frappante en ce qui concerne la peinture. N'importe qui, s'arroge le droit de déterminer ce qui est « valable » ou non et d'affirmer que l'artiste « se moque du monde ».

avait fait preuve d'imagination, voyant son œuvre si promptement massacrée, rentrera rapidement dans le rang et renoncera, puisque c'est cela qu'implicitement on lui demande, à faire preuve de la moindre créativité.

Examinant plus en détail ce phénomène et les moyens de le combattre dans le chapitre 13, je me contenterai pour le moment de souligner :

— que l'état d'esprit consistant à systématiquement critiquer les idées qui naissent avant même d'avoir cherché à considérer ce qu'elles pouvaient contenir d'intéressant est très largement répandu et constitue un frein puissant à l'imagination.

— que cet état d'esprit est entretenu par l'éducation [1] et qu'il conduit l'individu à faire preuve d'un manque d'accueil aux idées nouvelles et, plus profondément, à ses propres idées. Je veux dire par là qu'il en arrive à opérer une censure de sa propre imagination, étant à peu près certain que ce qu'il pourra dire sera réduit en pièces. Alors, il se tait et se fait taire. Jusqu'au moment où son imagination devient complètement muette.

Le refus de remettre en cause.

L'attitude de critique systématique est intimement liée au refus de remettre en cause ses idées, ses productions, ses schémas de pensée, ses modèles culturels, etc. Autrement dit, de se remettre en cause soi-même [2].

Or, l'idée nouvelle introduit dans notre univers mental une *perturbation*. Cette perturbation peut être légère ou violente mais, quelle que soit son intensité, elle nous laisse présager que si nous laissons pénétrer cette idée il faudra, tôt ou tard, réviser un certain nombre de conceptions — peut-être celles auxquelles nous sommes le plus attaché — et, par un processus dont on ne peut prévoir l'ampleur, remettre en cause les fondements de notre action, de notre situation vis-à-vis d'un problème ou de notre manière de penser. Ce qui, à proprement parler, est intolérable.

---

1. Et par la famille, ajoutent les auteurs de *L'activité créatrice chez l'enfant*. « Et voilà comment la chape de plomb commence à s'appesantir sur l'enfant, comment il apprend à se méfier de la spontanéité et de tout ce qui sort des normes imposées, comment il apprend à penser par les autres, à ne jamais faire ce qui est défendu et à attendre d'être autorisé à faire ce qui est permis, à craindre les initiatives de peur de les voir mal interprétées, et qu'il se met à jouer un personnage qui ne lui permet ni de se connaître ni de se reconnaître, pour la vie. »
2. Remettre en cause est un terme du jargon. Cela signifie, bien sûr, mettre en question.

En voici un exemple significatif : au cours d'un séminaire composé de cadres d'entreprises, lors d'un exercice, un petit groupe propose à l'ensemble des participants de travailler sur l'idée suivante : comment pourrait-on concevoir une entreprise dans laquelle personne n'aurait de fonction déterminée mais circulerait d'un poste à l'autre. Par exemple chacun serait successivement chauffeur-livreur, monteur, directeur commercial, etc.

La réaction du groupe fut alors violente, absolue. Certains participants quittèrent la salle en déclarant qu'ils n'étaient pas là pour entendre de telles sornettes.

Imaginer sur ce sujet apparaissait donc comme impossible, choquant, dangereux. Il n'était pas même question de considérer l'idée durant un moment. Il fallait la rejeter immédiatement, comme on rejette un malade contagieux. Pourquoi?

On touche ici un des freins les plus puissants à l'imagination. En effet, trouver des idées sur un problème qui ne concerne pas les individus de façon vitale, cela se fait relativement facilement. On a tendance à critiquer, au début, mais on se laisse rapidement prendre au jeu, un jeu qui n'engage à rien et permet de découvrir, non sans volupté, qu'on est capable de créer.

Mais devant une telle proposition, tous les systèmes d'alarme conscients et inconscients se déclenchent. De manière quasi-instinctive, les cadres de ce séminaire ont senti que s'ils laissaient s'instaurer le débat, ils risquaient d'être « empoisonnés » à leur insu et de voir se fissurer une pensée à grand-peine élaborée et consolidée reposant, en partie, sur la certitude qu'un ordre hiérarchique est nécessaire et la fonction de cadre essentielle. Apparaît alors une réaction de rejet brutale : l'idée même est jugée irrecevable dans la mesure où elle risque de remettre en cause la conception que l'individu se fait de lui-même.

Il y a là ce qu'on pourrait appeler un « point noir ». Nous avons tous des points noirs qui nous interdisent l'accès à toute idée nouvelle sur tel ou tel sujet. Certaines personnes ou certains groupes se présentent comme de véritables constellations de points noirs : leurs schémas sont déterminés une fois pour toutes et il n'est pas question de laisser passer des idées qui risqueraient d'altérer ces schémas. On peut parler alors de *dogmes*.

La force des dogmes, c'est leur côté rassurant, solide. Avec eux, on est tranquille. On sait sur quoi s'appuyer et se reposer. C'est la belle sécurité. Interdiction donc de toucher à ces robustes colonnes de notre existence.

L'ennui c'est qu'alentour le monde bouge, les choses, les êtres changent. Les dogmes, qu'on croyait de marbre dur, sont minés par des évolutions qu'on refuse de voir. Un jour, ils s'écroulent. On est bien forcé, alors, d'opérer la remise en cause nécessaire.

Les patrons de diligence vivaient sur des dogmes (jamais le chemin de fer ne sera concurrentiel), les petits commerçants, pour une large part, vivaient sur des dogmes (jamais notre fidèle clientèle ne nous quittera pour aller dans ces horribles usines de distribution). Alors, quand on possède de telles assurances, pourquoi imaginer autre chose, remettre en question de si belles certitudes. Plus encore : celui qui ose contester l'infaillibilité du dogme est perçu comme un ennemi, un trublion, un gauchiste.

L'attitude créative, au contraire (on reviendra plus longuement sur ce point au chapitre 13 (consiste essentiellement à *être apte, en permanence, à effectuer cette remise en cause* des certitudes sur lesquelles nous vivons.

Ce qui ne signifie pas qu'on va tomber dans une espèce de confusion mentale et d'agitation permanente.

J'ai parlé d'aptitude — et non pas de systématique — entendant par là que l'individu (ou le groupe) créatif sera capable, de considérer que ce à quoi il croit le plus fermement n'est jamais définitif mais susceptible d'être modifié, transformé, perfectionné en fonction d'idées nouvelles apparues soit en lui-même soit à l'extérieur.

« Appuyez-vous sur les principes, disait Braque, ils finiront bien par céder. » En ce sens, l'imagination est cette force qui nous amène à modifier nos principes (on les nommera plus tard « règles du jeu ») pour en créer d'autres qui permettront de produire de nouvelles structures (techniques, sociales, etc.).

Faire passer avant tout les principes, cette ossature mentale que nous avons eu tant de peine à secréter, c'est se condamner à l'immobilisme et perdre les précieux apports de l'imagination.

La crainte du ridicule. La peur d'être jugé.

Chacun de nous, consciemment ou non, s'est créé une image. Il y a le jeune cadre dynamique, le fonctionnaire compétent et mesuré, le commercial accrocheur, le professeur sympathique, le formateur à l'écoute des autres, etc. Et cette image, nous la chérissons, nous la polissons, nous la voyons avec joie se refléter dans le regard d'autrui.

C'est un reflet mais aussi une prison : à chaque instant, nous nous efforçons de nous conformer à cette image que nous voulons donner aux autres. Il y aura donc des choses que nous nous interdirons de faire, des mots que nous nous interdirons de prononcer. Ayant établi notre propre norme, nous lutterons avec acharnement pour nous maintenir dans ses limites.

Qu'il s'agisse d'habillement, de comportement, de manière de vivre, de façon de parler et de penser, nous vivons constamment avec l'appréhension de ce que l'autre pense de nous. Ai-je plu? Ai-je été dans le ton? Ai-je persuadé? N'ai-je pas semblé ridicule?

Cet empesage permanent de l'individu ne facilite pas, on s'en doute, son développement créatif — puisque la créativité est précisément fondée sur la différence et l'évasion de l'habituel.

C'est le sens de la phrase de Henri Laborit placée en tête de ce chapitre : « Tout se passe comme si l'homme avait peur de lui-même... » Alors on se réfugie, on se dissimule dans des habits coupés d'avance. En particulier, on supprime tout ce qui est affectif pour se limiter au strict « rationnel ». Que penserait-on de moi, cadre supérieur d'une importante société multinationale, si je disais que je me raconte des histoires avant de m'endormir dans lesquelles j'enlève une jeune héroïne des griffes d'un infâme séducteur, ou que je pleure au cinéma, ou que je suis le papa de mon petit chat siamois? Personne ne me prendrait plus au sérieux, j'aurais l'air ridicule!

Je regarde ici le problème par le petit bout de la lorgnette, bien sûr. Mais c'est exactement le même phénomène qui joue lorsqu'il s'agit de produire des idées nouvelles. Chacun reste dans un conformisme de bon aloi par crainte de paraître ridicule, mal informé, incompétent, débile, original vis-à-vis des autres. Et, tranquillement les idées banales s'échangent dans un doux ronronnement de la pensée...

La crainte de la nouveauté.

Imaginer, c'est concevoir ce qui n'est pas. Or, ce qui n'existe pas, dans la mesure où il est impossible de le cerner, de le représenter, de le rendre familier, effraye. La nouveauté a toujours quelque chose de monstrueux. Et qui n'a peur des monstres?

La nouveauté dérange : on ne sait trop jusqu'où elle risque d'aller. Elle peut nous entraîner, on vient de le voir, à devenir **nouveaux** nous-mêmes.

Et, avec plus ou moins de force, plus ou moins de conscience, nous avons tendance à lutter contre la nouveauté.

Il semble bien préférable de se rattacher à ce qui existe déjà, quitte, bien sûr, à le perfectionner. Là, du moins, sait-on où l'on va.

Laisser parler son imagination c'est au contraire, se laisser aller à l'aventure, partir en exploration. Et peu de gens (il suffit, pour s'en rendre compte, de regarder la façon dont la multitude passe ses vacances) ont le goût de l'aventure, physique ou intellectuelle.

Développer la créativité, ce sera aussi développer le goût pour la nouveauté et transformer les individus en explorateurs de l'imaginaire.

La peur de se tromper.

Cette peur est intimement liée à cette crainte de la nouveauté. Imaginer, créer, c'est toujours prendre le risque de commettre une erreur. Il est beaucoup plus facile d'imiter (bien des entreprises se contentent de cela), d'appliquer des routines et de se laisser aller à l'habitude que de mettre en œuvre des innovations.

Pour plus de sécurité, on s'entoure de garanties de toutes sortes : études préalables et *a posteriori*. Si l'on n'obtient pas de grands succès, on évitera au moins de sévères échecs.

En ce domaine, l'attitude des agences de publicité (qui se disent pourtant « créatives ») est significative : à force de vouloir contenter le plus grand nombre, c'est-à-dire de ne pas choquer les habitudes des fabricants et des clients, elles ont fini par perdre toute imagination et ne produire que des campagnes grisâtres dont les professionnels eux-mêmes commencent à s'inquiéter.

Il faut préciser qu'on nous a inculqué, depuis l'école primaire, cette idée que nous n'avons pas le droit à l'erreur. L'élève qui cherche à innover en présentant, par exemple, sa dissertation française sous forme de bande dessinée [1], se verra sanctionné. Après quelques mauvaises notes, il comprendra qu'il faut rentrer dans le rang et faire comme le professeur, ancré dans ses habitudes, le lui demande.

Ce refus du droit à l'erreur, on le retrouve dans l'entreprise. Celui qui tente d'apporter des idées neuves et de les mettre en pratique et obtient un échec verra sa situation compromise ou sa carrière brisée. Très rapidement il comprendra qu'il ne va pas de son intérêt de faire preuve d'imagination. Il refusera alors de prendre des risques et cherchera, avant d'énoncer une idée neuve, toutes les protections hiérarchiques nécessaires. C'est ce qu'on appelle le « système du parapluie ».

Comment s'étonner, dans ces conditions, que les membres des entreprises aient si peu d'idées?

L'esprit de compétition.

Il accroît encore cette peur de se tromper en mettant en œuvre les produits de l'imagination. Commettre une erreur en cherchant à innover, c'est rater la première place, le prix ou la promotion; c'est mettre en danger sa carrière.

---

1. Je ne parle pas, bien sûr, des écoles pilotes où ce genre d'innovation est fortement encouragé.

A l'école, dans l'entreprise et, plus généralement, au sein d'une structure, on agit moins pour apporter une amélioration ou réaliser une innovation que pour se montrer meilleur que les autres, les mettre en faute, les dominer.

Comme me disait un jour un cadre d'une grande entreprise : « Si nous consacrions seulement la moitié du temps que nous employons à glisser des peaux de banane sous les pieds des autres, à faire preuve d'imagination, la marche et l'avenir de l'entreprise seraient complètement transformés. »

Mais, nous a-t-on appris, « diviser c'est régner », « la vie est une lutte perpétuelle », une « jungle » dans laquelle il faut se frayer son chemin en écrasant les autres, etc., toutes conceptions qui renforcent l'état d'esprit individualiste dans son plus mauvais sens : celui qui nous pousse à considérer l'autre comme un ennemi et non pas comme un partenaire pour nous aider à créer, celui qui nous incite à cacher nos idées de peur qu'on s'en empare et nous interdit d'apporter à la communauté (service, groupe, entreprise, etc.) nos capacités imaginatives pour une création commune parce qu'on a peur qu'elles profitent plus aux autres qu'à nous-mêmes.

La créativité, qui est considérablement aidée par le travail en groupe, se heurte d'abord à cette glorification stérilisante de la compétition, à cette mentalité « chacun pour soi », à ce refus de communiquer ses idées aux autres. Il faut d'ailleurs reconnaître que la plupart des entreprises françaises, sous des formes parfois subtiles, entretiennent systématiquement cet esprit de compétition acharnée.

Il est lié, en effet, à toutes une conception hiérarchique de la société, à cette « pyramide sociale » cruellement décrite par Vance Packard à l'assaut de laquelle chaque individu s'élance dès sa naissance (avec des chances d'ailleurs fort inégales).

« Si les cadres se mettent à travailler en groupe, me confiait un chef d'entreprise, s'ils se mettent à avoir des idées ensemble, il ne sera plus possible de les *noter* individuellement. On ne note pas un groupe! Comment se fera l'avancement? Sur quoi je les jugerai? Et puis, ce sera la révolution, il n'y aura plus d'autorité hiérarchique; quand le chef aura imposé une décision, ils se mettront à imaginer d'autres solutions. Ce sera le soviet, l'anarchie... Il faut qu'il y ait une rivalité continuelle entre les gens, qu'ils aient peur qu'un autre prenne leur place. Sinon, il n'est plus possible de les diriger [1]. »

---

1. Depuis cette déclaration, ce chef d'entreprise a complètement transformé ses schémas mentaux, grâce à la créativité. Lui et son entreprise s'en trouvent fort bien...

La hiérarchie et la rigidité des structures.

Ce sont des freins puissants à l'imagination dans la mesure où l'idée même de hiérarchie implique qu'il y ait un petit nombre de personnes qui imaginent et un grand nombre qui exécutent.

D'autre part, le développement de la créativité dans une organisation hiérarchisée, entraîne cette organisation à remettre ses structures hiérarchiques en question. Ce qui, *a priori*, effraye.

On pourra lire, à ce sujet, le remarquable ouvrage de Michel Crozier : *La société bloquée*. Je me propose d'ailleurs d'étudier en détail ces freins dans *La créativité en action* t. 2.

Le goût de la logique et le refus du rêve.

Ces tendances dont nous sommes si fortement imprégnés, sont parmi les freins les plus puissants à l'imagination.

Nous appartenons à une civilisation concrète, efficace, soumise à la rentabilité.

Les rêveurs, nous dit-on, n'y ont pas leur place. Ils perdent leur temps et font perdre de l'argent aux autres.

Et pourtant, la création ne se fait pas en partant d'un point (le problème) pour aller vers un autre (la solution) par une ligne droite faite d'une suite de raisonnements. L'imagination ne suit pas de routes rectilignes; elle cherche ses matériaux dans l'illogique et l'insolite.

Créer, c'est faire des détours, accumuler des « pertes de temps » qui, en fin de compte, se révéleront infiniment plus productrices que l'activité en apparence « efficace ».

A cette démarche buissonnière, notre esprit se refuse. Un des buts de la créativité sera donc d'amener les individus à accepter et à provoquer ces excursions de la pensée.

La difficulté à généraliser et à penser par abstractions.

Dans la mesure où elle nous enferme dans l'existant et l'anecdotique, cette difficulté freine également l'imagination qui a besoin, de quitter ce qui est et qui pèse pour s'envoler aussi lointainement que possible vers ce qui n'est pas encore.

Heureux celui qui peut d'une aile vigoureuse
S'élancer vers les champs lumineux et sereins
Celui dont les pensers, comme des alouettes

73

Vers les cieux du matin prennent un libre essor
Qui plane sur la vie, et comprend sans effort
Le langage des fleurs et des choses muettes!

Baudelaire : *Les fleurs du Mal.*

Cet exposé rapide, et qui ne prétend pas être complet (loin de là!), des freins qui nous empêchent d'imaginer, indique clairement quel sera le but premier des diverses techniques de créativité : amener les individus, avec l'aide essentielle du groupe, à faire sauter ces différents freins pour se libérer de l'espèce de carcan mental qu'ils constituent.

A partir de là, seulement, ils seront en mesure de développer leur dimension créative.

On conçoit aisément qu'il s'agit là d'un travail difficile et de longue haleine. C'est en ce sens que je me suis insurgé contre les spécialistes qui prétendent réaliser cette mutation en un week-end.

En fait, il s'agit d'une quête, d'une exploration à la recherche de soi-même en tant que producteur de richesses imaginatives. Les techniques de créativité sont des aides, des moyens d'éveil, en aucun cas des divertissements ou des recettes.

Encore moins des magies ou des pierres philosophales qu'il suffirait à l'individu de s'approprier pour voir aussitôt son imagination se transformer de maigre ruisselet en torrent impétueux.

TESTEZ VOS FREINS A L'IMAGINATION

Le test ci-après ne prétend aucunement avoir une rigueur scientifique. Il vous permettra seulement, si vous le faites avec sincérité, de prendre conscience de vos points faibles par rapport aux principales attitudes favorables au développement de la créativité.

Remplissez les cases en utilisant les coefficient suivants :
— Très bon = 3.
— Bon = 2.
— Moyen = 1.
— Mauvais = 0.

Lorsque vous aurez fait ce test, demandez à quelqu'un qui vous connaît bien (parent, collègue de travail, ami, etc.) de remplir la même grille en vous notant, *vous*. Pendant ce temps, vous pourrez le noter, lui. Ensuite, comparez les notes que vous vous êtes attribuées et celles que l'autre vous a données. Vous aurez peut-être des surprises...

	Très bon	Bon	Moyen	Mauvais
— Mon aptitude à écouter les autres.				
— Mon aptitude à accueillir les idées des autres.				
— Mon aptitude à travailler en groupe.				
— Mon aptitude à m'efforcer de comprendre ce qui est nouveau.				
— Mon aptitude à sortir des sentiers battus.				
— Mon aptitude à dire tout ce que j'ai envie de dire.				
— Mon aptitude à ne pas continuellement mettre en avant mon expérience, mes connaissances.				
— Mon aptitude à inventer des histoires pour les enfants.				
— Mon aptitude à exposer clairement un problème à des gens qui ne connaissent rien à la question.				
— Mon aptitude à ne jamais m'ennuyer.				
— Mon aptitude à ne pas me décourager quand « ça ne vient pas ».				
— Mon aptitude à me passionner pour des activités nouvelles.				
— Mon aptitude à prendre les choses avec humour.				
— Mon aptitude à m'exprimer corporellement (mime).				
— Mon aptitude à m'exprimer graphiquement (dessin).				
TOTAL				

8.

ce qui nous empêche de mettre en pratique nos idées : les freins à l'innovation

> « Ce qu'un homme est capable de concevoir, d'autres sont capables de le réaliser. »
>
> Jules VERNE

Développer l'imagination des individus afin qu'ils puissent produire des idées nombreuses et originales est une part importante de la créativité. Mais si l'on se contente d'avoir « des idées » sans jamais transformer celles-ci en *réponses* utilisables à des problèmes, on restera toujours au stade de la rêverie.

Combien de gens ont constamment une idée extraordinaire pour écrire un livre, réaliser un film, monter une entreprise, créer un produit nouveau, etc. sans que jamais leur idée se traduise dans les faits. Ils n'ont pas su (pas pu, pas osé) franchir ce pas difficile qui sépare l'idée de la réalisation. Ce qu'on a coutume d'appeler « innovation ».

J'ai tenté, dans ce chapitre, de décrire quelques-uns des freins qui empêchent le plus couramment de réaliser ce passage. J'invite le lecteur à se servir de ces brèves réflexions pour s'interroger sur les blocages qu'il rencontre lorsqu'il veut mettre en œuvre ses propres idées.

La difficulté à creuser les idées.

Les idées, lorsqu'elles surgissent ont le plus souvent une forme extrêmement floue.

Le premier traitement qu'on leur fera subir consistera à les *décoder*. On peut dire, en effet, qu'une idée n'est jamais exprimée, au cours de la recherche, sous sa forme définitive ou opérationnelle.

L'idée, au départ, prend des allures bizarres; elle s'affuble d'images, se déguise de symboles et de métaphores. Sous cette apparence, elle est terriblement fragile; un rien, la moindre critique, peut la renvoyer aux limbes d'où l'imagination l'avait tirée.

Cette fragilité de l'idée sous sa forme brute lui fait courir un danger redoutable : celui d'être considérée comme non valable et d'être rejetée aussitôt.

Lorsqu'un groupe de créativité poursuit une recherche, il va produire un grand nombre d'idées. S'il a la naïveté de les proposer telles quelles au demandeur (par exemple, au chef d'entreprise qui a soumis un problème au groupe), il a toutes les chances de les voir refusées.

A moins que le demandeur, bien sûr, soit lui-même formé aux techniques de créativité et se trouve en mesure de déceler, sous la gangue des mots, les trésors qui se dissimulent. Mais cela est rare.

Les producteurs des idées ont eux-mêmes tendance à rejeter une grande part de leur production en prétextant qu'il n'y a rien à en tirer. Et ce, avant d'avoir seulement tenté le travail de décodage qui s'impose.

J'insiste sur ce point dans la mesure où le problème *du décodage des idées* apparaît dans tous les groupes de créativité. Avant que l'habitude soit prise, le groupe est vite tenté de se décourager : il a travaillé intensément, en prenant garde de ne pas se laisser bloquer par les freins décrits au chapitre précédent et, au bout du compte, il se trouve devant une masse d'idées dont la qualité lui semble douteuse et la possibilité d'applications des plus incertaines. Il ressemble, si l'on veut, à un profane qui se lancerait dans la recherche de l'or et serait incapable de trouver les pépites dans les tonnes de sable qu'il extrait de la rivière. Alors que le prospecteur expérimenté sait, lui, repérer du premier coup d'œil si le sable est chargé de pépites ou, au contraire, totalement stérile.

A ce point de la recherche il faut donc se garder encore d'émettre tout jugement et demeurer dans l'attitude d'accueil qui présida au déroulement de la recherche. Sinon, le groupe risque de rejeter l'or et le sable qui le dissimule.

Il s'agit maintenant de « solidifier » les idées — c'est-à-dire de les faire passer de l'état nébuleux où elles se trouvent à un état plus « consistant » qui permette de les manier, de les combiner, de les adapter plus aisément.

Cette nouvelle étape de la recherche est capitale dans la mesure où elle va permettre de dégager les *pistes de découverte* sur lesquelles il conviendra ensuite de s'engager afin de mener cette recherche à son terme.

Elle est aussi plus austère, plus contraignante. C'est pour cela que les groupes ont tendance à la négliger.

Enfin, lorsque les idées brutes auront été creusées et mises en forme, il faudra entamer une nouvelle démarche pour trouver quels sont les *moyens* (techniques, commerciaux, psychologiques, financiers, etc.) de les mettre en œuvre. C'est-à-dire quels sont les meilleurs moyens d'introduire l'idée dans la réalité, de passer au stade de *l'innovation*.

Pour résumer, disons qu'entre le moment où l'idée naît et le moment où cette idée se transforme en *possibilité de réalisation* se déroule une succession d'étapes, plus ou moins longues et plus ou moins pénibles qui exigent du groupe un effort très important.

Je pense, pour en avoir fait maintes fois l'expérience, que le premier frein à la mise en œuvre des idées réside dans cette longue progression qui correspond, si l'on veut, aux 90 % de transpiration traditionnellement opposés aux 10 % d'inspiration.

L'absence de motivation.

Pour que le groupe accepte d'entrer dans ce nouveau processus, il faut qu'il soit *fortement motivé*, c'est-à-dire qu'il ait le sentiment que cette aventure débouchera sur quelque chose d'effectif et ne se terminera pas par un beau rapport qui finira, comme tant d'autres, dans un dossier oublieux.

Je me place ici dans la perspective d'un groupe de créativité œuvrant au sein d'une organisation. Ce qui est vrai du groupe l'est aussi de l'individu : combien d'idées de roman, de scénarios, de produits nouveaux, sont restées au stade de la pensée qu'on caresse avec délectation mais qu'on ne s'efforce pas de mettre en forme parce qu'on estime que le travail exigé par le passage de l'idée à la création (sans même préjuger de l'utilisation de cette création) demande trop d'efforts et comporte trop d'incertitudes.

Toute transmutation d'une idée première en réponse élaborée à un problème qui permettra de réaliser, concrètement, la solution de ce problème en introduisant quelque chose de nouveau exige que l'individu ou le groupe aient véritablement conscience de répondre à une *attente*.

Cette attente peut se situer au niveau personnel — c'est le cas de l'artiste qui cherche à combler sa propre attente en élaborant une œuvre — ou au niveau collectif — c'est l'inventeur cherchant à apporter au monde une réponse à l'un de ses problèmes non résolus (cette distinction étant très arbitraire dans la mesure où toute création est d'abord occasion de se dépasser soi-même et espoir de transformer le monde).

Le groupe de créativité se trouve souvent dans un état ambigu : on lui passe commande en lui laissant entendre que cette commande a toutes les chances de rester inutile dans la mesure où le demandeur n'a aucunement l'intention de la mettre en œuvre.

Ou du moins, et c'est ici que les choses se compliquent, le groupe se donne le sentiment qu'il est inutile de pousser ses recherches parce que, prétend-il, il n'y a aucune chance que la structure adopte ses résolutions. Il se réfugie alors dans l'imaginaire, cette espèce d'état incertain où l'on refuse toute idée ne présentant pas un certain degré de non-faisabilité et ne risquant donc pas, ainsi, de devoir être travaillée en vue d'une éventuelle application.

Cette reculade devant l'effort de création, cette *crainte de s'engager dans la matérialisation des idées* constitue un frein important à l'innovation.

Engagé dans ce phénomène de *fuite en avant* qui s'accompagne généralement d'un net penchant au narcissisme et à la lamentation sur ses propres incapacités à créer, le groupe semble atteint de paralysie mentale.

Il se perd dans un monde flou, sans contact avec la réalité. Ses productions deviennent de plus en plus éthérées. Il s'enferme dans un système de remise en cause perpétuelle des autres et de lui-même qui l'amène au découragement, à la stérilité puis, enfin, à l'éclatement.

Pour éviter d'en arriver là, j'estime qu'il faut absolument définir, avant tout lancement d'une opération de créativité, une politique précise. Quels seront les objectifs du groupe? Que lui demandera-t-on? Quels moyens lui donnera-t-on? Quelle sera sa part dans les décisions d'application des solutions qu'il aura proposées? Jusqu'où veut-on que le groupe pousse ses idées? Comment sera-t-il informé des applications faites à partir de ses propositions? etc. [1].

Cette mise au point, faite avec les « clients » (les demandeurs), amène le groupe à cerner avec une certaine précision ce qu'on attend de lui et lui donne le sentiment qu'il doit répondre à une attente d'où naîtront des innovations.

Autrement dit, on lui passe commande d'idées en lui indiquant jusqu'à quel degré il doit pousser ses idées — par exemple, jusqu'à des maquettes de prototypes.

Cette accumulation de contraintes peut sembler un frein à la création. Je pense, au contraire qu'il y a là un moteur puissant pour inciter le groupe à produire des idées et à pousser le plus loin possible leur élaboration.

J'aimerais, à ce propos, citer Jean Cocteau et la manière dont il

---

1. On trouvera au chapitre 14 la description d'une *fiche d'idées,* aboutissement normal des travaux d'un groupe de créativité.

a écrit L'*aigle à deux têtes* : « Jean Marais m'avait demandé, il m'avait pour ainsi dire posé des colles; il m'avait dit : « Je voudrais une pièce où je me taise au premier acte, où je pleure de joie au second acte et où je tombe d'un escalier à la renverse au troisième acte. »

« Moi j'aime beaucoup qu'on me donne des... qu'on me commande, parce qu'alors le mécanisme se met beaucoup mieux en marche, le mécanisme qui nous permet de sortir de nous des choses inconnues. »

La peur de s'engager et de prendre des risques.

La peur de s'engager et de prendre des risques est un frein puissant à l'innovation.

Voici, par exemple, un groupe de recherche qui se forme, dans une administration et qui s'attache d'abord à traiter les problèmes du département (formation, gestion du personnel) où il a été composé.

Au cours de la recherche, un certain nombre de solutions sont élaborées. Beaucoup d'entre elles s'appliquent à des problèmes concrets et immédiats. Elles peuvent donc être rendues immédiatement opérationnelles.

Mais, loin de se réjouir d'avoir trouvé des idées facilement applicables, le groupe les traite avec dédain et se met à disserter longuement sur la nécessité de remettre en cause les structures administratives en prétextant qu'aucune amélioration n'est possible avant cette totale mutation.

Le phénomène de fuite en avant n'a pas ici pour cause l'incertitude du groupe quant à la mise en application des idées qu'il produit mais bien la certitude que ses idées sont bonnes, qu'elles sont réalisables et que, par conséquent, cela va devenir une obligation pour lui de les mettre en pratique.

Et l'idée de passer à l'innovation (qui portait ici sur les procédures et les méthodes), avec tous les risques que comporte l'introduction du changement dans une organisation, fait peur.

Tant qu'on reste au stade des idées, surtout si celles-ci sont franchement audacieuses, tout va très bien. On frissonne délicieusement à la pensée des bouleversements qu'on est en train d'introduire dans la société, on se sent supérieur et supérieurement intelligent.

Mais lorsqu'on s'aperçoit qu'on va devoir se lancer dans l'action et que cela risque d'entraîner des ennuis ou, tout au moins, causer des difficultés, alors on tente (et c'est souvent inconscient) de détourner le problème en le plaçant dans un contexte tellement large qu'on n'a plus aucune chance de pouvoir entrer en action [1].

---

1. Sinon au niveau politique. Mais il s'agit d'autre chose.

On voit, à travers ces deux cas, dans quelle ambiguïté se débat le groupe de créativité : d'un côté, si l'on n'exige de lui des résultats précis et une « rentabilité » immédiate, il risque de perdre son enthousiasme et de se réfugier dans des arguties stérilisantes.

De l'autre, si on lui demande de trouver des idées et de s'engager dans leur mise en application, il cherche à fuir ses responsabilités et se donne tous les prétextes pour éviter de s'affronter à la réalité qu'il a dessein de changer.

Très pragmatiquement, je dirai qu'un des rôles essentiels de l'animateur du groupe est de l'amener à prendre conscience de cette ambiguïté puis de le pousser à imaginer les moyens (qui varieront selon les cas) de surmonter cette reculade devant les contraintes de sa création. Il s'agit donc de lui donner confiance en lui-même et de l'inciter à réaliser quelque chose. A partir de là, le groupe conforté dans sa capacité à agir, quitte son état morose et narcissique pour conquérir sa dynamique créative.

La difficulté de faire comprendre la démarche créative.

Ces freins, dont l'origine se trouve à l'intérieur du groupe (ou de l'individu) pourraient être qualifiés de *psychologiques*.

Il existe également des freins extérieurs au groupe, on pourrait les qualifier de *sociologiques*. Ils sont, sans aucun doute, beaucoup plus difficiles à lever.

Voici un exemple : un organisme, regroupant un certain nombre de chefs d'entreprises, me demande d'animer un groupe de recherche, formé de permanents et d'adhérents, dont l'objectif est clairement déterminé. Il s'agit d'apporter des idées pour améliorer l'organisation du congrès national de cet organisme qui doit se dérouler quelques mois plus tard.

Le groupe se met au travail avec enthousiasme; il est fortement motivé car il sait que l'on attend réellement des idées dont la mise en application ne doit rencontrer, en principe, aucune résistance de la part de l'organisme.

Arrivés à un certain point de leur recherche, les membres du groupe décident de limiter celle-ci à un certain cadre. En effet, estiment-ils, il est inutile de se lancer dans une remise en cause fondamentale du congrès et des structures de l'organisme car ce type d'approche n'a pour, l'instant, aucune chance d'être accepté.

Ils se cantonnent donc très sagement (leur semble-t-il) dans une recherche de toutes les améliorations qu'on peut apporter au prochain congrès après avoir procédé, auprès d'anciens congressistes, à ce qu'on appelle *une étude de défectuologie* (on verra de quoi il s'agit au chapitre 14). Sans cesse ils insistent sur l'aspect réaliste et pragmatique des idées qu'ils produisent.

Au terme de la recherche, un catalogue ordonné des améliorations à apporter au congrès est établi. Les idées proposées sur ce catalogue ont été travaillées de telle sorte qu'elles sont directement applicables.

Le groupe les juge parfaitement raisonnables et extrêmement prudentes. Rien de ce qui est proposé, estime-t-il, ne peut choquer les membres de l'organisme.

Le document est alors remis aux instances supérieures de l'organisme. Mais, à la stupéfaction du groupe, la réaction de ces instances aux idées proposées, est très violente. Les propositions sont jugées dans leur ensemble révolutionnaires, inapplicables, inacceptables, etc.

Que s'était-il passé?

En fait, le groupe avait suivi une certaine démarche complètement étrangère à ceux qui ne travaillaient pas avec lui et posé des questions qui n'effleuraient pas même les demandeurs. En poursuivant sa recherche créative le groupe avait modifié sa manière de penser, de saisir le problème, etc., alors que les demandeurs étaient toujours restés au point de départ.

Cette transformation s'étant faite de manière insensible et inconsciente, il était normal que les solutions proposées paraissent, au premier abord, complètement inacceptables à ceux qui n'avaient pas suivi le même chemin.

Comme il s'agissait de gens ouverts, une fois le mouvement de rejet passé, ils s'efforcèrent de parcourir le cheminement du groupe et de se couler dans sa manière de penser. A partir de ce moment, le problème de communication et de langage s'estompa et beaucoup de propositions furent acceptées et mises en œuvre.

Un tel *écart* entre deux approches — celle du groupe de créativité et celle du demandeur (dans le cas le plus fréquent, la hiérarchie) est classique. Dans un contexte où la discussion est impossible et les individus réfractaires à l'idée même de reconsidérer leur façon de penser, il aboutit au rejet pur et simple des solutions proposées.

Le groupe de créativité, dans sa démarche, croit demeurer au stade des petites réformes alors que ces réformes, parce qu'elles sont situées dans un autre contexte mental, apparaissent comme de véritables révolutions à ceux qui sont restés étrangers à cette démarche.

Pour éviter cela, il suffit souvent de faire participer à la recherche ceux qui prennent les décisions d'application ou *décideurs*. A ce moment, le processus de pensée devient commun et les idées émises se trouvent être aussi *leurs idées*.

Lorsque cette collaboration est impossible, le groupe a tout intérêt à rédiger de fréquents rapports expliquant qu'elle est la démarche suivie et comment et pourquoi il propose telle solution.

En généralisant, le groupe de créativité doit appliquer sa créativité à faire passer les idées qu'il a produites. C'est ce qu'on pourrait appeler *le marketing de l'imagination.*

La résistance au changement.

On dit souvent qu'il ne suffit pas d'avoir des idées mais qu'*il faut savoir les vendre.*

Et plus l'idée est nouvelle, insolite donc dérangeante, plus il va falloir faire preuve d'imagination pour la vendre à des gens qui, *a priori, n'en veulent pas.*

Ils n'en veulent pas parce qu'il existe un frein extrêmement puissant à l'introduction d'une idée nouvelle dans un organisme quelconque : c'est *la tendance naturelle d'un groupe à refuser le changement, à rejeter l'innovation.*

Je ne ferai qu'effleurer ce problème comptant l'aborder de façon beaucoup plus détaillée dans *La créativité en action,* t. 2.

Disons, pour l'instant que toute organisation repose sur un certain nombre de *règles du jeu.* J'entends par là un système de relations, de lois, d'habitudes, de croyances — explicites ou implicites — qui sont considérées comme invariables et qui définissent l'organisation d'une structure à un moment donné.

Le code civil, par exemple, est la règle du jeu de notre société. Le principe que toute décision provenant d'un supérieur doit être appliquée sans discussion est la règle du jeu de l'armée. La proposition, « le professeur transmet un savoir aux élèves » est encore, pour une large part, la règle du jeu de notre enseignement. (On verra, au chapitre 13 que le changement des règles du jeu est une opération fondamentale de la créativité.)

Or, l'introduction d'une innovation, si minime soit-elle (par exemple un nouveau mode de commercialisation) risque de mettre ces règles du jeu en question et d'imprimer à cet ensemble qui paraissait avoir trouvé son état d'équilibre un mouvement dont on est incapable, au départ, de prévoir l'amplitude.

Une organisation, même lorsqu'elle prétend être favorable à l'innovation, va chercher les moyens de l'enterrer ou, du moins, de l'édulcorer de telle sorte qu'elle ne cause aucun trouble dans la belle ordonnance actuelle.

C'est ainsi que les propositions du groupe de créativité risquent

de ne jamais se transformer en innovations. Pour justifier ce rejet, on invoquera les prétextes suivants :
— il n'y a pas de financement suffisant pour mettre en œuvre ces idées nouvelles,
— le marché n'est pas prêt à les accueillir,
— il va d'abord falloir faire des études de marché, de motivations, etc. (qui, si elles sont réalisées, justifieront toujours le rejet de l'idée),
— les syndicats n'accepteront jamais,
— la direction générale n'acceptera jamais,
— le conseil d'administration n'acceptera jamais,
— les concurrents doivent y avoir déjà pensé.

On retrouve ainsi, au niveau de l'organisation, les freins rencontrés au niveau de l'individu.

Ces *blocages*, engendrés par la peur du changement, la crainte du risque, le goût du conformisme et de la routine (« ce que nous avons fait jusqu'ici nous a bien réussi. Alors à quoi bon changer? »), caractérisent, en particulier la société française que Michel Crozier a pu qualifier de *société bloquée*.

La nécessité économique, sociale, politique, peut jouer un rôle déterminant dans la suppression de ces blocages. De brusques transformations comme celles que nous vivons en ce moment, dans la mesure où elles remettent en cause des règles du jeu que l'on croyait éternelles (les pays pauvres seront toujours exploités par les pays développés, l'homme est fait pour la voiture, etc.) entraînent l'introduction d'innovations bénéfiques, en particulier dans le domaine social.

L'action d'individus qui refusent de maintenir les règles du jeu établies et en instaurent d'autres, est un moteur puissant de changement.

Pour terminer, je citerai deux exemples d'entreprises où la créativité est passée à l'action.

Le premier se situe au Japon; il montre comment une entreprise peut motiver son personnel pour produire des idées et les mettre en œuvre.

Le second est allemand et va beaucoup plus loin, dans la mesure où il implique une nouvelle définition des *règles du jeu de l'entreprise*.

Chez Matsushita Electric, au Japon, pendant les seuls dix premiers mois de 1976, une moyenne de 50 idées nouvelles a été émise par chacun des 1 500 ouvriers de l'usine de téléviseurs d'Ibaraki[1].

En 1975, la main-d'œuvre totale de la société (63 000 personnes)

---

1. Extrait tiré de *Argus Manpower*.

avait fourni 663 475 suggestions dont 61 299 (soit près de 10 %) avaient été acceptées. Des récompenses d'un montant total de 300 000 dollars avaient été octroyées.

Ces résultats étonnants s'expliquent peut-être par les originalités du système mis en place :

— sont récompensées même les suggestions dont on aurait pu considérer qu'elles faisaient en réalité partie des obligations normales de travail de l'intéressé;

— on encourage l'inventeur à mettre lui-même son idée en pratique au lieu de la confier à un service technique destiné à en tester les qualités;

— les idées des différents travailleurs individuels sont reprises et développées en travail de groupe;

— lorsque les suggestions deviennent ainsi pratiquement l'œuvre d'un groupe, la récompense va au groupe entier;

— bien que les deux programmes soient indépendants, on note que de nombreuses suggestions sont émises à la suite de réunions de contrôle de qualité qui réunissent, chacune, une quinzaine de travailleurs, 10 à 20 minutes tous les soirs, après les heures de travail, pour discuter des problèmes rencontrés et chercher des solutions.

Le patron d'une firme allemande de 1 400 employés, Hannsheinz Porst, a introduit des innovations capitales dans son entreprise [1].

Au départ, il décide de changer la règle du jeu du capitalisme et rompt le lien entre capital et pouvoir.

Pour cela, il crée une nouvelle structure juridique :

— une assemblée plénière composée de tous les membres de l'entreprise,

— un directoire de trois gérants qui mène l'entreprise,

— un conseil de tutelle, élu par l'assemblée qui contrôle les gérants et peut les renvoyer,

— des comités, élus par l'assemblée, qui contrôlent les points essentiels de la vie de l'entreprise (salaires, horaires, vacances, etc.), et contrôlent les gérants.

Toutes les grandes décisions concernant les choix de l'entreprise sont tranchées en dernier ressort par le conseil de tutelle.

La quasi-totalité des bénéfices est distribuée au personnel et forme une société financière dont les collaborateurs sont actionnaires. Cette société est destinée à remplacer le capital actuellement détenu par H. Porst. Mais, là aussi, la détention du capital ne donnera aucun droit sur la marche de l'affaire.

---

1. J'emprunte cet exemple à l'excellent article de Jean Bothorel paru dans *La Vie*.

Cette « révolution » juridique et financière s'accompagne d'une révolution des relations dans l'entreprise.

Chaque collaborateur a la possibilité de discuter et de contester toute décision. En cas de litige sérieux, un vote intervient. La hiérarchie nominale est transformée en hiérarchie des compétences, l'information est largement diffusée (dont l'affichage des salaires), etc.

Enfin, la généralisation de la créativité dans les organisations, parce qu'elle amène les individus à quitter leur pensée routinière pour rechercher systématiquement à introduire et à vivre le changement, contribue de façon évidente au développement de la dimension innovatrice de notre société.

9.
quels sont les moyens pour développer sa créativité ?

« L'imagination est plus importante que la connaissance. »

EINSTEIN.

A la question que pose ce chapitre, je pourrais répondre que tous les moyens sont bons et passer au chapitre suivant. Mais on m'accuserait de manier un peu trop facilement le paradoxe et de me moquer du lecteur.

En fait, il ne s'agit pas d'un paradoxe car chacun doit trouver ses propres voies pour faire sauter les freins dont on a parlé au chapitre 7, ces freins qui empêchent l'individu de laisser parler son imagination et étouffent, peu à peu, sa capacité à produire des idées nouvelles.

Je m'adresse, dans ce livre, au lecteur adulte. Les actions que mènent les spécialistes de créativité s'adressent, pour une très large part, aux adultes. C'est-à-dire que nous faisons un travail de recyclage et de rattrapage : il s'agit de tirer de l'engourdissement une faculté depuis de nombreuses années assoupie.

Maintenir éveillé son potentiel créatif.

Pour éviter que les jeunes générations ne tombent dans une semblable léthargie, il est absolument nécessaire d'introduire la *créativité à l'école* et d'empêcher que les enfants et les adolescents ne subissent le même sort que leurs parents.

Comment opérer cette transformation radicale d'un enseignement essentiellement tourné vers l'acquisition d'un savoir pour l'orienter vers une pédagogie qui soit un éveil et une aide à l'appréhension d'un monde en perpétuel changement?

D'autres sont beaucoup plus qualifiés que moi pour répondre à cette interrogation. Le lecteur trouvera en bibliographie plusieurs livres qui procèdent à d'excellentes analyses de ce sujet et décrivent des expériences éducatives fort passionnantes.

Mais je tiens à citer un texte d'Alain Beaudot, tiré de *Vers une pédagogie de la créativité,* qui a le mérite de bien situer le problème dans toute son ampleur, celle d'une révolution psychologique chez les enseignants :

« Le maître dans sa classe peut considérer l'ensemble de ses élèves comme une masse comparable à de la terre sur laquelle il faut jeter des graines. Tout dépendra alors de la qualité des graines choisies par le maître et du soin qu'il apportera à les faire se développer. En cas d'échec, il aura toujours une excellente excuse à fournir : la terre n'était pas bonne, elle n'était pas fertile et les graines n'y ont pas porté de fruits. Au mieux, il se posera la question : les graines étaient-elles de bonne qualité et encore capables de se développer en plantes et en fruits? C'est une pédagogie de la terre.

Le maître peut avoir une toute autre attitude et considérer ses élèves comme des graines auxquelles il faut fournir le bon terreau et la bonne terre pour qu'elles se développent. Il n'y a plus alors à critiquer ou à s'en prendre à la qualité de la terre puisque ce sera le rôle du maître de la donner; il n'y a pas non plus à critiquer la qualité des graines qui sont ce qu'elles sont et qui ont toutes des potentialités, si médiocres soient-elles. C'est une pédagogie de la graine.

Il doit y avoir une adéquation de la graine à la terre et comme il est plus facile de changer la terre que de changer les graines, considérons les élèves comme des graines et non comme de la terre.

La graine est un projet; la terre n'est que son matériau. »

Ce qui est vrai pour l'enseignant l'est encore plus pour les *parents.* De leur attitude vis-à-vis de l'enfant dépendra l'avenir créatif de celui-ci. « L'éducation familiale, écrivent R. Gloton et C. Clero, c'est l'acte premier, capital, car non seulement la nature des relations entre adultes et enfants dans la famille influence profondément tout le devenir des jeunes, mais encore la forme donnée à ces relations et reconnue par l'ensemble de la collectivité influence également la forme même des rapports sociaux. »

On peut dire qu'aujourd'hui l'éducation est certainement un des domaines où le besoin de créativité se fait le plus cruellement sentir. Il y a donc là un terrain de réflexions et d'expériences très riche pour les adultes. Développez votre créativité en regardant vivre vos enfants avec un œil qui ne soit plus celui d'un juge. Essayez de vous couler dans leur univers, de les comprendre avant de les critiquer, d'adopter leur point de vue lorsqu'ils l'expriment au lieu de couper court à toute discussion en imposant le vôtre de façon impérative. Vous serez surpris des découvertes que vous ferez...

Ce que j'exprime là ne signifie aucunement démagogie, soumission, démission mais aptitude à écouter et à accepter une forme de pensée très éloignée de la sienne dans une perspective de dialogue et d'élaboration d'une relation créatrice (cela vaut tout autant pour le couple).

J'ai mené, il y a quelques années, une expérience de « découverte de l'économie » dans une école-pilote avec un groupe comprenant des élèves, des parents et des professeurs et en utilisant ce qu'on pourrait appeler une « pédagogie de la découverte ». Après un temps de gêne et de tensions, les jeunes et les adultes ont entrepris un travail commun qui était aussi une découverte réciproque. De nouveaux rapports se sont établis, non plus rapports de force (les adultes savent et les enfants apprennent) mais recherche d'un langage et échange de points de vue qui a, sans aucun doute, profondément modifié les relations entre les membres du groupe.

Apprendre à écouter.

L'aptitude à écouter, qui est intimement liée au problème de l'éducation et de la pédagogie, peut être considérée comme une des bases essentielles de l'esprit créatif.

Ecouter, cela ne veut pas dire porter une attention polie à ce que dit l'autre en attendant qu'il se taise pour placer *son* idée.

Non, cela signifie être profondément attentif au discours et à la pensée d'autrui en s'efforçant de les saisir sans aucun *a priori,* sans aucun esprit de critique préalable.

Comme l'écrit le célèbre psychologue Carl Rogers, cette aptitude vous entraîne à pénétrer dans l'univers intime de l'autre et à chercher à saisir ses pensées et ses sentiments *sans porter de jugement évaluatif.* Et une telle attitude, souligne-t-il, comporte un risque qui effraye la plupart d'entre nous : le risque de nous voir changer dans nos comportements et notre personnalité.

« Si nous devions écouter un discours du sénateur McCarty ou de Mao-Tsé Toung, écrit Rogers, combien d'entre nous oseraient essayer de considérer l'univers d'où provient chacun de ces points de vue? La grande majorité d'entre nous ne pourrait écouter. Nous nous sentirions obligés de porter des jugements parce qu'écouter nous paraîtrait trop dangereux. Ainsi, la première condition est le courage et nous ne l'avons pas toujours. »

Cette aptitude à se mettre à l'écoute d'autrui, à considérer les idées de l'autre, même si elles nous paraissent choquantes, farfelues, sans intérêt, d'un esprit accueillant avant de porter tout jugement sur elles, c'est ce que s'efforcent de développer les techniques de créativité.

Vous pouvez vous entraîner de manière très simple : lorsque quelqu'un prend la parole dans une réunion, vous l'écoutez jusqu'au bout en essayant de suivre le cheminement de sa pensée.

Lorsqu'il a terminé, résumez ce qu'il vient de dire en lui demandant s'il est d'accord avec cette formulation. Sinon, laissez-lui apporter les précisions qu'il souhaite.

Evitez les phrases telles que « je vois ce que vous voulez dire » en interrompant votre interlocuteur; elles lui interdisent de préciser sa pensée, souvent confuse au départ, et le forcent à rentrer dans votre propre schéma au lieu de se développer dans le sien.

Lorsque vous écoutez quelqu'un, cherchez ce que vous aimeriez développer et approfondir dans ce qu'il dit plutôt que ce que vous aimeriez critiquer ou démolir.

Ces réflexions peuvent paraître fort banales. Tous ceux qui ont quelque expérience du travail en groupe savent combien il est difficile d'amener les individus à se mettre véritablement à l'écoute d'autrui et à le demeurer tout au long d'une recherche commune.

On rejoint là ce qui a déjà été dit à propos de *l'expert*. L'expert est celui qui n'a pas besoin d'écouter les autres, *puisqu'il sait*. Aux autres donc de l'écouter dans un silence admiratif et quasi religieux.

L'état d'esprit créatif implique, au contraire, que l'on écoute avec la plus grande attention le non-expert, le « naïf », c'est-à-dire celui qui, ne vivant pas dans le sujet traité, pose des questions « idiotes » (les questions embarrassantes, celles que les experts ne s'étaient jamais posées).

Et qu'on ne l'écoute pas avec indulgence ou condescendance [1], mais avec la conviction que les interrogations du naïf peuvent apporter des informations essentielles pour la mise en œuvre de la solution au problème posé.

On connaît cette histoire fameuse : une usine de pneumatiques avait une machine qui emballait les pneus dans une sorte de papier crépon. La machine étant usée, on demanda à des ingénieurs de concevoir une machine plus perfectionnée et d'un rendement supérieur.

Les ingénieurs se mirent au travail et dressèrent les plans d'une nouvelle machine.

C'est alors qu'un « naïf » posa la question que personne ne s'était posée : « Pourquoi emballe-t-on les pneus dans du papier crépon? »

Aucun des experts ne put répondre à cette question. On fit des recherches et on s'aperçut qu'il s'agissait d'une habitude remontant à la guerre, période durant laquelle la mauvaise qualité des gommes exigeait qu'on protégeât les pneus des attaques de la lumière.

---

1. Comment un adulte écoute un enfant qui, pense-t-il avec assurance, ne peut rien lui faire découvrir.

Précaution que ne justifiait absolument plus la qualité des gommes actuelles.

On ne construisit pas la machine, on cessa d'emballer les pneus et l'on évita ainsi, grâce à la question bête d'un naïf, de dépenser du temps et de l'argent en pure perte.

Accepter les idées d'autrui.

La lutte contre l'esprit de critique systématique fait partie intégrante du développement de l'esprit créatif.

Efforcez-vous de réserver votre jugement, de considérer d'abord ce qui est valable dans une idée. Si l'idée émise vous paraît inintéressante, c'est peut-être qu'elle est émise sous une forme inadéquate. Aidez l'émetteur à la préciser, à la rendre plus opérationnelle. Il sera toujours temps, ensuite de la rejeter.

Il existe, pour développer cette aptitude, d'excellents exercices comme, par exemple, le jeu de *l'avocat du diable* qui consiste à prendre une idée avec quoi on se sent en complet désaccord et à la défendre avec la même fougue qu'une idée à laquelle on tient. On s'aperçoit souvent que les critiques qu'on émettait *a priori* tombent lorsqu'on considère cette idée avec sympathie.

Se mettre en cause.

Apprenez-vous à mettre en cause les idées, les concepts, les produits, votre propre personne.

Ce n'est pas facile car nous sommes habitués à vivre emprisonnés dans un ensemble de schémas mentaux dont la cohérence apparente nous rassure. Les passer au feu de la critique nous paraît une opération dangereuse et traumatisante qui risque de faire s'effondrer un certain nombre de nos chères certitudes.

En effectuant systématiquement cette mise en cause, on s'aperçoit que l'on vit en grande partie sur ce que Michel Fustier appelle joliment « des poutres vermoulues » qui tiennent seulement grâce à nos efforts pour les maintenir en place afin d'éviter de nous aventurer dans le changement.

Je vous conseille un exercice simple et très stimulant : efforcez-vous de trouver dans votre intérieur tout ce qui peut être modifié ou supprimé — disposition des pièces, emplacement des meubles, existence même de ces meubles, etc. Puis étendez cette critique à la façon dont vous vivez chez vous, à la manière dont vous occupez vos soirées et vos loisirs. Puis essayez de tirer de cette réflexion des idées de changement. Enfin, mettez-les en application...

Etre curieux de nouveauté.

Recherchez la nouveauté au lieu de la fuir. Visitez des expositions d'art contemporain en vous efforçant de considérer que les artistes ne sont pas tous des plaisantins qui se moquent du monde mais des êtres qui cherchent à créer un langage différent. Là aussi, faites l'effort de vous mettre à l'écoute de ce nouveau langage plutôt que de vous esclaffer parce que vous ne le comprenez pas.

Devant toute nouveauté technique ou sociale, imposez-vous d'en chercher les aspects positifs en vous interrogeant sur les raisons qui vous poussent, dans un premier mouvement, à rejeter cette nouveauté.

Développez votre curiosité, cherchez à connaître, à comprendre. Etendez votre culture dans les directions les plus variées.

Culture intellectuelle, certes, organisée autour de la lecture, des arts plastiques, du cinéma, de la télévision mais aussi culture pratique. En ce sens on peut estimer que le bricolage ou l'artisanat, avec tout ce qu'ils comportent d'appel à l'imagination et à la mise en œuvre de cette imagination constituent une remarquable approche de la créativité.

Culture sociale encore : il est frappant de constater à quel point les individus s'enferment dans un cadre social restreint. Sans doute est-ce là un moyen de se sécuriser en communiant avec des groupes qui adhèrent aux mêmes normes et emploient le même langage. Mais aussi quelle façon de s'enfermer et de se stériliser!

Ne fréquenter que des gens « du même milieu » (en changeant de relations lorsqu'on grimpe dans « l'échelle sociale ») c'est se condamner à une vision du monde rétrécie et terriblement unidimensionnelle.

Là aussi, essayez de bi-socier au maximum. Prenez le risque, en échangeant avec des gens « d'autres mondes » de voir vos idées et vos principes les plus chers — ceux sur lesquels vous aviez établi votre ordre intérieur — remis en cause.

Ce qui vaut pour les milieux sociaux vaut autant pour les milieux « démographiques » dont le cloisonnement par tranches d'âges est très significatif d'une société figée dans ses *a priori.* La créativité a tout à gagner d'un mélange entre jeunes, adultes et vieillards. De ces confrontations surgissent d'étonnantes richesses.

Faire avec les autres.

Apprenez à travailler en groupe. Ce n'est pas une mode mais une possibilité pour les individus de développer et d'exalter leurs facultés imaginatives.

Le travail en groupe amène chacun à accepter les autres dans leur singularité et leur richesse. Le groupe aide les individus à mieux s'exprimer, à surmonter leurs tensions et leurs craintes. C'est un moteur, un stimulant, le lieu privilégié où chacun va pouvoir se réaliser et s'épanouir.

Toute action de créativité va commencer par un apprentissage du travail en groupe. Ce qui signifie, entre autres, qu'il y aura un effort important à faire pour abolir l'esprit de compétition stérile (opposé à l'esprit d'émulation qui, lui, est très fécond) et surmonter les difficultés de communication.

Développer son sens de l'humour.

Comme l'écrit Arthur Kœstler : « L'humour est le seul domaine de l'activité créatrice dans lequel un stimulus d'un niveau de complexité très élevé produit une réaction massive et bien définie au niveau des réflexes physiologiques », démontrant longuement au cours de son ouvrage [1] que l'humour fondé sur la bi-sociation, repose sur les mêmes bases (croisement de matrices) que tout processus de création.

Développer son sens de l'humour c'est donc d'entraîner, de manière agréable, à une créativité plus « sérieuse », tout en se prenant moins au sérieux.

Un lecteur de la première édition m'écrivit : « Sur un plan personnel, je me suis aperçu depuis quelques années, que je n'étais pas toujours un « marrant ». Lorsque j'ai lu que vous apportiez au sens de l'humour une certaine importance dans les moyens de développer sa créativité, je souhaiterais non pas connaître des recettes (j'en connais déjà) mais vous voir développer votre opinion sur cette partie très réduite de votre argumentation (et cela dit sans vouloir vous offenser). »

En réfléchissant à cette demande, j'ai été bien embarrassé. En effet, comment peut-on acquérir le sens de l'humour lorsqu'on ne l'a pas?

Si l'on prend la définition du Robert, on lit que « l'humour est une forme d'esprit qui consiste à présenter la réalité de manière à en dégager les aspects plaisants et insolites ».

On retrouve ici l'approche de Gordon, « rendre le familier insolite » (voir la démarche analogique au chapitre 13) donc, déjà, une démarche fondamentale de l'esprit créatif.

En ce sens, il me paraît difficile de détacher l'humour de toute une façon d'être et de penser. Les exercices de concassage que l'on verra plus loin sont aussi des exercices d'humour; du reste, on y retrouve les principaux moyens de faire rire ou sourire employés par les humoristes.

Le fait de regarder la réalité non plus sous un seul angle mais de façon multidimensionnelle ainsi qu'y entraînent les techniques de créativité, est également une très bonne approche de l'humour.

---

1. *Le cri d'Archimède.*

En vous y exerçant, vous verrez que peu à peu votre esprit se délie, que votre regard se diversifie et que la vie commence à paraître plaisante.

Etre à l'aise avec son corps.

Améliorez votre coordination corporelle : apprenez à vous servir de votre corps tout entier. Faites de la danse, du yoga, du judo, de la boxe française. Beaucoup de choses ne s'expriment pas par les mots mais par les gestes. Celui qui est empoté, malhabile se prive d'une part importante de ses possibilités de créer.

Jouer, rire, rêver.

La plupart des techniques de créativité dont on parle dans ce livre prennent, au moment de la formation, la forme de jeux. C'est ce qui fait dire aux gens « sérieux » que la créativité est une aimable plaisanterie, un désengagement, une nouvelle forme d'aliénation, que sais-je encore?

En fait, rien n'est plus sérieux que le jeu (sérieux, au bon sens du terme cette fois-ci) mais très peu de gens osent encore jouer. Ou, du moins, jouent-ils dans certaines circonstances (avec des amis, en vacances). Mêler le jeu et le travail semble proprement scandaleux. Aussi mènent-ils une vie séquentielle, morose et non créative.

Je reverrai longtemps la tête des hauts fonctionnaires dont j'animais un groupe de travail lorsque, après une demi-journée de palabres solennelles et improductives, je leur proposai, comme détente, d'inventer un conte pour enfants.

Il fallut user de tout mon prestige pour qu'ils consentissent à se livrer à cet exercice. Malheureusement, *ils ne savaient plus jouer*. Péniblement, ils réussirent à construire une histoire qui n'aurait pas réussi à faire tenir sage un enfant pendant plus de trente secondes. C'était triste, terre à terre, sans une once de fantaisie et de rêve.

Et cette incapacité à sortir des sentiers battus était l'exact reflet de l'inaptitude, qu'ils voilaient sous de beaux discours, à imaginer des solutions originales au problème qui était posé à leur groupe.

Surtout, apprenez à rêver. Laisser aller votre imagination, inventez des histoires pour vos enfants ou vos amis. Servez-vous des innombrables supports qui sont maintenant à votre disposition pour fixer les images nées de votre imagination : peinture, photo, cinéma, etc.

Ne pensez pas sans cesse à être utile, efficace, logique, rationnel. Jouez avec les idées, avec les choses, avec les mots. Quittez votre sérieux et votre gravité pour vous plonger, avec volupté, dans le monde enchanté des enfants, des fous et des poètes.

Vous verrez que vous ne le regretterez pas...

Développez votre créativité.

Voici quelques jeux à pratiquer en famille ou entre amis qui vous prépareront utilement aux techniques de créativité.

Jouer avec les mots.

Vous prenez un mot, le bi-sociez avec un autre et en tirez une définition-devinette que vous proposez au groupe.

Par exemple, vous partez d'un poisson (*le mérou,* dans votre idée) et vous interrogez :

Quel est le poisson fabriqué par S.K.F.?

Réponse : le mérou, parce que le « mérou-lement à billes ».

Quel est le poisson préféré de Clovis?

Réponse : le mérou, parce que le « mérou-vingien ».

On notera dans ce dernier exemple que le jeu devient plus subtil avec déformation phonétique introduisant un calembour au deuxième degré.

Le jeu des calembours.

Ce jeu, qui se pratique à plusieurs, est fondé sur l'étirement sémantique maximum des mots.

Au départ, on donne un mot au groupe, par exemple, « cuisine ». On doit alors chercher à quel autre mot celui-ci fait penser en cherchant une explication fondée sur un calembour.

Par exemple : cuisine me fait penser à Allemagne, parce que « ma cuisine germaine ».

On introduit alors le mot « Allemagne » dans le groupe et le jeu continue jusqu'à épuisement des esprits.

Les prénoms de rêve.

Pour solliciter l'imagination, voici un exercice qui peut donner lieu à des rêveries sans fin.

Chaque membre du groupe prend son prénom et le met à l'envers. Sur ce nouveau prénom, il lui faut imaginer quel est le nouveau personnage ainsi créé, comment il se verrait s'il s'appelait ainsi, etc.

Par exemple, à partir de Bernard, Nathalie et Robert, on obtient :

— Dranreb.
— Eilathan.
— Trebor.

Il s'agit maintenant de raconter la vie, l'aspect, la psychologie, etc. de Eilathan. On peut rendre le jeu plus riche en imaginant ensuite une histoire où apparaissent tous ces personnages insolites.

10.
comment se déroule
un séminaire de créativité

— *Alors, tu t'es bien amusée?*
— *Comme ça.*
— *T'as vu le métro?*
— *Non.*
— *Alors, qu'est-ce que tu as fait?*
— *J'ai vieilli.*

Raymond Queneau (*Zazie dans le métro*)

Tenter de décrire un séminaire de créativité est une tâche périlleuse. En effet, l'essentiel de ce qui s'y passe se situe au niveau de l'expérience vécue, de l'évolution des mentalités des participants et de la transformation de leurs relations interpersonnelles.

Ce type de séminaire n'apporte pas de réponses, il pose des questions.

Il ne transmet pas de certitudes mais introduit des doutes, parfois profonds, dans l'esprit des participants.

Il ne fournit pas de recettes pour obtenir des idées et résoudre des problèmes, il met en cause la manière dont, jusqu'ici, les participants posaient leurs problèmes et y apportaient des réponses.

Bien compris, ce séminaire n'est pas un divertissement de quelques jours mais le départ d'une aventure dont il est impossible de prévoir les péripéties.

Cette imprécision explique l'angoisse qui saisit les participants de ce genre de séminaire quand une instance supérieure leur demande de rédiger un rapport sur la manière dont ils ont occupé leur semaine de créativité et sur les résultats *concrets* de cette expérience.

Ils sont alors tentés de dire, en paraphasant Zazie : « J'ai vécu. »

La solution de facilité consisterait à prévenir le lecteur qu'il est impossible de raconter ce type d'activité et à l'inciter à se faire sa propre conviction en participant à l'un ou l'autre de mes séminaires.

Mais, refusant cette facilité, je vais néanmoins essayer de donner un reflet point trop infidèle de ce qu'il est convenu d'appeler « séminaire de créativité ».

Dans la première édition de ce livre, je décrivais un séminaire inter-entreprises, c'est-à-dire composé de gens appartenant à des entreprises ou organismes divers venus là « pour voir ce qu'est la créativité » et si cette approche serait éventuellement utilisable par eux dans leurs activités professionnelles.

Depuis, l'image de la créativité a évolué ainsi que ma propre conception des séminaires.

En effet, si un tel séminaire présente une incontestable utilité, il n'en demeure pas moins un « séminaire-bulle ».

J'entends par là que ces individus, pris hors de leur contexte professionnel, sans passé et sans avenir commun, vont vivre une expérience peut-être exaltante mais une *expérience en dehors.*

C'est le reproche qu'adresse le sociologue Alain Touraine aux groupes de créativité de ce type : « Plus vous enlevez un individu ou un groupe de sa situation et de ses rapports sociaux réels, plus vous allez l'incorporer à un ordre prétendu aseptisé, impersonnel, qui sera en fait l'ordre dominant. Je pense qu'il ne peut y avoir de créativité que si l'on replace l'individu ou le groupe dans des situations, des rapports et des conflits sociaux réels. »

Sans m'étendre sur cette déclaration qui mériterait un long développement critique (on peut aussi se demander si Alain Touraine, comme beaucoup de gens de *l'establishment intellectuel* qui parlent de créativité, ne s'est pas contenté de participer à un séminaire *en touriste* ou, simplement d'en entendre parler), j'en accepterai l'essentiel : hors de son contexte affectif, social, relationnel, hors des conflits de pouvoir et des rapports de force qui caractérisent n'importe quelle structure, l'individu va baigner dans une sorte « d'angélisme » qui lui fera apparaître la créativité comme une chose légère, facile et grisante.

L'ennui, c'est qu'il retrouvera toutes ces contraintes et ces tensions lorsqu'il tentera de mettre en pratique, *dans la réalité,* ce qu'il a découvert durant le séminaire.

Et alors, toute la belle imagination qui s'était épanouie sous ses yeux émerveillés durant ces jours privilégiés, refusera obstinément d'éclore à nouveau. Déçu ou furieux, il décrétera que la créativité est un leurre, une duperie, une manipulation visant à renforcer le pouvoir et l'ordre établi — que sais-je encore? — et, quoiqu'il en soit, inapplicable dans la réalité concrète.

Pour éviter ce désenchantement, il me paraît maintenant bien préférable d'introduire la créativité dans des structures existantes avec des individus ayant un vécu commun et décidés à mettre en application les pratiques découvertes lors des journées d'initiation.

En ce sens, le séminaire de créativité n'est plus un phénomène à part mais le début indispensable d'une aventure qui va se dérouler dans le temps et dans un univers de contraintes et de luttes, contraintes et luttes qui constituent elles-mêmes le ferment des idées nouvelles.

Sans doute cette approche est-elle beaucoup plus difficile, parfois même périlleuse. Mais aussi est-elle infiniment plus riche et plus profonde. En effet, il ne s'agit plus de divertir et de faire rêver (on se divertit et on rêve cependant...) mais de modifier des comportements relationnels, affectifs, sociaux et mentaux afin d'introduire une nouvelle dimension dans les individus pour leur permettre de modifier les structures à l'intérieur desquelles ils se situent.

Voici donc une tentative de description d'un séminaire de cinq jours. Je précise qu'il ne s'agit pas d'un modèle-type car chaque séminaire, selon les individus qui le composent, prend une tournure différente. Il est bien évident qu'il en ira autrement avec des personnes qui ont déjà l'habitude de travailler ensemble qu'avec des individus qui se parlent pour la première fois. A l'animateur donc de sentir, dès l'entrée de jeu, comment prendre le groupe pour l'amener le plus rapidement possible à un état de création collective efficace.

Etre et communiquer.

C'est le matin du premier jour. Les participants arrivent dans le château ou l'hôtel isolé dans lequel va se dérouler le séminaire.

Pourquoi sont-ils là? Je pense qu'aucun d'entre eux n'est encore vraiment capable de répondre à cette question. La curiosité? Le sentiment qu'il y a quelque chose d'intéressant à prendre dans ces nouvelles pratiques dont on commence à beaucoup parler? Le goût de la découverte? L'envie de passer quelques jours de détente? Tout cela sans doute, mais confusément et difficile à traduire par les mots.

En tout cas, dans un état d'attente, d'excitation et de vague angoisse.

Ils sont une dizaine; des hommes en majorité lorsqu'il s'agit d'une entreprise de production où les femmes ne doivent pas encore être considérées comme assez mûres pour emprunter les chemins de la création.

Dans les meilleurs cas, des hommes et des femmes, des gens jeunes et des gens moins jeunes.

Tous bien sages et le regard fixé sur l'animateur qui, selon les cas, les déçoit ou les rassure par sa tenue (on leur avait dit qu'un animateur de créativité se reconnaît aussitôt à son étrange apparence. Dans l'imagerie conventionnelle, il ressemble au Bernard Haller de *Le Diable dans la boîte* : cheveux longs, chemise-tunique, ceinture large à grosse boucle, pantalon de velours délavé, sabots, poncho argentin et sac d'épaule grand comme un carnier de chasseur. Celui-ci paraît « normal ». Bon ou mauvais signe?).

Eux sont bien habillés. Très « cadres » d'apparence même lorsqu'ils ont revêtu leur tenue de week-end (pantalon de velours brun, chemise à carreaux, blouson de daim). On sent des gens sérieux, responsables, soucieux de donner aux autres une image d'eux-mêmes aussi flatteuse que possible (si l'on veut, des anti-Gaston Lagaffe...).

Ils se sont installés autour de la table ronde sur laquelle des cartons indiquent le nom et la provenance des participants.

De l'animateur, en position devant sa batterie de « paper-boards », ils attendent un exposé d'introduction comme cela se pratique dans les séminaires auxquels ils ont assisté.

Déjà ils ont sorti leurs stylos et leurs blocs. Ils ont inscrit, en tête de la première page : « Stage de créativité. »

Ils s'apprêtent à prendre des notes qu'ils ne reliront jamais, du reste, mais dont l'abondance leur prouvera la densité de l'enseignement reçu.

Mais déjà la mécanique se dérègle et c'est la première surprise. Loin de leur tenir le long discours auquel ils s'attendaient, l'animateur (décidément je n'aime pas ce nom. Il évoque des clubs de vacances, des petits jeux sur une plage tunisienne, des rires forcés) propose aux participants *d'occuper l'espace* dans lequel ils se trouvent. C'est-à-dire de l'aménager de telle sorte que chacun s'y sente bien et puisse aisément communiquer avec tous les autres (verbalement, visuellement, tactilement).

Ce premier exercice se fait en silence.

Un peu interloqués, les stagiaires se mettent à l'œuvre, souvent de manière gauche. (Que faire lorsqu'on vous a privé du langage dans une société où le mot est roi?)

Lorsque la pièce est installée selon la volonté du groupe et que l'on a commenté l'exercice (chacun donne ses impressions. C'est ce qu'on appelle en France le *feed back*), l'animateur demande à chacun de se présenter aux autres *en utilisant seulement le dessin*.

Deuxième panique : comment parler de soi sans les mots? Ce qui suppose d'abord qu'on sache qui l'on est. Puis que l'on traduise cela avec un moyen pour la plupart inhabituel.

Lorsque chacun, non sans peine, a terminé son portrait, le groupe se réunit autour de la planche où sont exposées les œuvres et tente de décrypter les messages qui lui sont ainsi adressés.

L'animateur note sur un tableau les diverses interprétations énoncées par le groupe.

Une fois les dessins décodés, chaque auteur s'explique : est-il d'accord avec ce qui a été dit? A-t-on bien perçu son message? Que n'a-t-il pas réussi à transmettre par ce biais inusité? etc.

Le but de ce premier exercice est, bien sûr, de favoriser la prise de contact et de dégeler le groupe mais aussi la mise en évidence d'un certain nombre de freins :

— difficulté de trouver des solutions originales à un problème donné,
— difficulté de mettre en application les solutions trouvées,
— difficulté de s'exprimer en groupe,
— difficulté de s'exprimer graphiquement,
— difficulté de sortir d'un certain cadre conventionnel.

Il est frappant de constater par exemple, qu'un individu se définit toujours par son nom, son âge, sa profession, sa situation de famille et ses loisirs. Jamais il ne parle de ses goûts profonds, de ses convictions religieuses et politiques, de ses attirances sexuelles, etc.

Au cours du séminaire on reviendra à maintes reprises sur cette difficulté à nous évader des rapports économiques et juridiques pour entrer dans les *rapports d'affectivité,* seuls rapports qui engendrent la chaleur, l'originalité et la créativité entre individus.

Lorsque le séminaire se déroule bien, les barrières que les individus, par pudeur, par crainte, par habitude dressent entre eux et les autres, vont peu à peu tomber.

A l'attitude guindée du premier jour va succéder un comportement plus naturel, plus délié. Ce qui se passe hors du séminaire proprement dit — repas, soirées, jeux durant les pauses — jouera dans ce sens un rôle primordial mais tellement *informel* (autre terme du jargon) qu'il est impossible de le décrire.

Cette évolution se traduira par des détails significatifs : l'habillement change, les cravates disparaissent, les membres du groupe s'appellent par leurs prénoms et finissent pas se tutoyer.

Le langage aussi se détend : les formules de politesse et les précautions verbales disparaissent. Les jeux de mots, les plaisanteries, les mauvais calembours fleurissent.

Le comportement physique se transforme : les participants n'hésitent plus à se rendre au tableau, à organiser des mimes, à s'exprimer corporellement. Rivés derrière leur table protectrice du début, ils vont décider de la supprimer. Si le temps s'y prête, ils partiront travailler sur les pelouses.

Mais attention! Ce que je décris là, ce sont les conséquences du séminaire et non ses objectifs. Ces transformations doivent venir de façon naturelle et spontanée. En aucun cas, à mon sens, l'animateur ne doit les imposer. Décider, au départ, que les membres du groupe doivent enlever leurs chaussures et leurs cravates, se tutoyer et danser ensemble en s'affublant de pseudonymes « amusants » sous prétexte que l'imagination ne peut se développer que dans une ambiance de libération physique me semble relever d'une conception extrêmement oiseuse de la créativité.

Si Picasso peignait en short et torse nu, Mondrian travaillait dans une ambiance de salle d'opération, Bonnard en complet veston et en col dur et Fautrier dans une salle à manger très conventionnelle. Quelles conclusions en tirer?

Ce que j'estime important, c'est de laisser le groupe prendre seul ses orientations et ses décisions en l'aidant, éventuellement, à analyser certains phénomènes de blocage dus au conformisme social.

Mais, de grâce, qu'on évite ce psychologisme de quatre sous qui satisfait surtout l'animateur et lui évite de s'attaquer aux problèmes de fond.

Il est assez drôle, du reste, de constater qu'en milieu étudiant l'absence de contraintes vestimentaires, sociales, physiques, etc., n'améliore en aucune façon la décontraction mentale réelle.

Après cette première prise de contact, le groupe va s'entraîner à utiliser des moyens de communication non traditionnels à travers un certain nombre d'exercices dont je ne puis donner ici qu'un bref aperçu.

— *le langage gestuel* : chacun doit mimer devant les autres des notions (la peur, l'imagination, le vice, etc.), des objets (un tapis moelleux, une fleur odorante, etc.) ou des animaux (un poisson rouge ambitieux, une girafe qui a mal à la gorge, etc.) afin de leur faire trouver ce qu'il représente.

— *le langage tactile* : nous vivons dans un monde où l'on ne se touche pas sinon dans des rapports très précis (amour, violence). Pour dépasser ce stade d'interdit, chaque membre du groupe devient tour à tour un sculpteur qui doit réaliser une statue avec, comme matériau, les corps des stagiaires.

— *les jeux avec les mots* : la création est acte de jeu : avec les mots, les formes, les concepts (cf. dans *Le cri d'Archimède,* les chapitres sur les jeux de mots et les jeux d'esprit). Toute une série d'exercices vise à acquérir cette agilité mentale : jeux sémantiques, calembours, etc.

Une fois cette phase d'assouplissement accomplie (et l'on devine déjà à quelles réticences de la part des stagiaires l'animateur doit faire face. Car il s'agit d'amener les individus à se comporter *naturellement* en oubliant leur position sociale. Or, particulièrement en France, on craint par-dessus tout de ne pas avoir l'air sérieux et de paraître ridicule. Surtout si l'on détient une parcelle d'autorité car on confond autorité et signes du pouvoir), le groupe va se livrer à une série d'exercices mettant en œuvre les techniques de créativité décrites au chapitre 13 : brainstorming et concassage.

Ces exercices ont pour but de développer chez les individus la fluidité verbale et idéationnelle, la flexibilité (émettre des idées très différentes les unes des autres) et l'originalité (émettre des idées sortant des cadres habituels de pensée).

Ils vont également leur apprendre à travailler en groupe en respectant les consignes d'Osborn : ne pas critiquer, reporter son jugement, faire preuve d'imagination débridée, utiliser les idées des autres, etc.

Ces exercices sont complétés par des jeux visant à illustrer les problèmes de communication propres à un groupe.

Chaque exercice donne lieu à un commentaire sur la technique employée et sur les mécanismes mentaux qu'elle met en œuvre : pensée divergente, pensée latérale, etc., ainsi qu'à une discussion du groupe sur les freins à l'imagination rencontrés.

C'est volontairement que ces exercices, de par les sujets abordés, ont une apparence de jeu et de gratuité. Cela, en général, choque et déroute les participants qui n'ont guère l'occasion, dans leurs entreprises, de se livrer à des activités sans « rentabilité » immédiate.

Au terme de cette première journée, le groupe évalue ce qui a été fait. En général, les participants sont déroutés et inquiets.

Ceux qui osent s'exprimer contestent l'efficacité des techniques exposées. Ils attendaient des recettes, des trucs, et on leur propose des stimulants pour réveiller une imagination endormie.

Personne ne voit où l'animateur veut conduire le groupe; on a l'impression qu'il l'entraîne dans une aventure dont il est incapable de contrôler le déroulement. Certains lui en veulent et l'agressent.

En fait, on pourrait comparer cette entrée en matière à une première séance de sport après des années d'inactivité. Chacun compte ses courbatures et mesure, non sans aigreur, le chemin qui lui reste à parcourir pour réaliser d'honorables performances.

Imaginer.

La deuxième journée, après une mise en train à base d'exercices physiques (quoi de meilleur qu'une course dans l'air du matin suivie de quelques mouvements de gymnastique?) est entièrement consacrée au développement de l'imagination.

Pour commencer, l'animateur propose au groupe, divisé en sous-groupe de trois ou quatre personnes, de réaliser un *roman-photo*.

Cet exercice bien connu a pour objectifs :

— d'entraîner les groupes à produire des idées aussi originales que possible en tenant compte des contraintes précises de temps et de forme, entre autres. Il ne s'agit pas de faire un pastiche de roman-photo mais de respecter les règles du genre) ;

— de les amener à sélectionner parmi la floraison d'idées afin de construire un ensemble qui « fonctionne ».

— de les amener à trouver des modes de présentation originaux.

Comme matériaux de base, chaque groupe dispose de quatre personnages communs à tous les groupes (le Patron, la Fille du Patron, la Secrétaire du Patron, le Jeune Cadre) et de six cartes tirées au hasard. Trois d'entre elles indiquent des lieux qui doivent obligatoirement figurer dans le scénario (par exemple : une crypte d'église, une salle de boxe, un village africain), les trois autres donnent des événements qui devront se produire dans le récit (par exemple : une guerre civile, une chasse en Sologne, une pêche au requin).

Ces cartes représentent de nouvelles contraintes qu'il conviendra de relier entre elles pour faire surgir des idées neuves. Ainsi les groupes s'habituent-ils déjà aux techniques associatives.

Avec ces données, les participants se mettent au travail.

On remarquera que déjà l'animateur commence à s'effacer pour donner au groupe la possibilité d'affronter seul ses problèmes, d'établir ses cheminements et, éventuellement, d'assumer ses échecs.

Ce parti pris d'accorder le plus rapidement possible son autonomie au groupe ne va pas sans inconvénients.

Toute création se faisant à travers une série d'échecs, de renoncements, de ratures, le groupe a tendance à penser, au départ, que les techniques de créativité sont une espèce de baume miraculeux qui va lui permettre de surmonter sans douleur les pièges de cette création.

Et il est très facile à un animateur expérimenté de donner l'illusion, au moins durant un séminaire, que la créativité est effectivement ce produit miracle qu'imaginait le groupe.

Il suffit pour cela qu'il soit habilement orientateur (« manipulateur » en jargon) tout en laissant au groupe l'illusion que les idées naissent en son sein. En fait, les idées lui sont habilement soufflées par l'animateur, les voies de recherche sont indiquées et discrètement déblayées. Le groupe a ainsi le sentiment tout à fait illusoire d'avancer par ses propres moyens sur une voie royale alors qu'à son insu il est guidé fermement sur des chemins tout préparés.

Personnellement, je me refuse systématiquement à ce genre de manipulation. Elle procure, sans aucun doute, une grande satisfaction aux participants. Tout semble facile, les idées surgissent en grand nombre, les solutions en découlent avec une surprenante aisance. Le groupe vit dans un climat permanent de haute tension créative. Il se trouve génial et pense que l'animateur est extraordinaire. Mais après?

Eh bien! les participants du séminaire, exaltés par leur expérience, rentrent dans leurs entreprises. Sans tarder, ils constituent un groupe de créativité et entreprennent une recherche. Hélas! le charme est rompu. Les idées viennent mal, personne ne sait comment en tirer quelque chose de réalisable. Les techniques, qui semblaient si faciles à manier, on ne sait plus par quel bout les prendre. Tout s'emmêle, les couleurs coulent, les pinceaux qui paraissaient si agiles s'effilochent et bavent de partout. Le chef-d'œuvre escompté devient barbouillage...

L'illusion de facilité, qu'entretiennent trop de spécialistes par souci de démontrer la qualité de leurs méthodes, se retourne alors contre la créativité.

Les anciens participants de tels séminaires proclament alors que la créativité ne vaut que par l'habileté de l'expert qui la manie. Sans lui, elle ne sert plus à rien.

C'est pourquoi j'insiste sur la nécessité de faire très rapidement éprouver au groupe les difficultés que rencontre toute création. Il lui faut passer par des moments de détresse et de découragement. Alors il devra surmonter ses angoisses en imaginant ses propres solutions. Mais il sera ensuite capable d'affronter de telles situations lorsque ses membres se retrouveront sans animateur-guide confrontés à des problèmes « réels ».

Après deux ou trois heures de travail, les groupes reviennent pour présenter le résultat de leurs cogitations.

C'est un moment dont je ne me lasse pas bien que l'ayant vécu des dizaines de fois. Car il réserve toujours des surprises.

Un groupe a monté un théâtre de marionnettes, un autre a composé une pièce à grand spectacle, un troisième présente un roman-photo entièrement écrit et dessiné.

On est parfois confondu de la richesse d'invention de quatre individus beaucoup plus habitués à manier l'ordinateur ou les comptes de pertes et profits que la plume du scénariste...

Ce qui permet de montrer aux participants :
— qu'ils sont capables d'avoir des idées complètement en dehors de leur univers habituel (le plus souvent, ils en sont les premiers surpris) ;
— qu'il est possible de créer en groupe et d'aboutir à un résultat tangible;
— que la création peut se faire à travers un réseau de contraintes pour peu qu'on sache utiliser celles-ci (alors que l'idée communément admise est qu'il faut une liberté totale pour créer) ;
— que l'état d'esprit de jeu est indiscutablement favorable à la production d'idées.

A la suite de cet exercice, tous les points qui viennent d'être énoncés seront développés à partir de multiples exercices mettant en œuvre les techniques combinatoires (mots inducteurs aléatoires, matrices de découverte, etc.) dont on trouvera des exemples au chapitre 13. Ces exercices peuvent être verbaux, graphiques, musicaux selon l'imagination de l'animateur.

Les réactions des participants, au terme de cette journée, sont soit d'allégresse : on se sent mieux, on commence d'abandonner ses habitudes mentales et l'on entrevoit les immenses possibilités de l'imagination — soit de rejet.

Car certaines personnes, parce qu'elles devinent tout ce que la créativité risque de bouleverser dans leurs conceptions les plus chères, s'insurgent, par réaction, contre la matière et contre l'animateur.

Cette réaction est parfois violente : lors d'un récent séminaire, une dame m'a avoué (le dernier jour) qu'au soir de la deuxième journée elle éprouvait pour moi une véritable haine. Elle pensait que j'étais fou et que si elle continuait de travailler dans le groupe elle deviendrait folle à son tour. Heureusement elle eut le courage de poursuivre le séminaire et s'en trouva finalement fort bien.

C'est là un cas extrême, heureusement. Mais il est certain que la plupart des participants, à des degrés divers, éprouvent un semblable sentiment. Ils ont conscience de faire leurs premiers pas dans un univers fondamentalement différent de celui où ils ont l'habitude de se mouvoir et leur raison, de toutes ses forces, les incite à faire demi-tour.

Pourtant, il est très rare qu'un participant abandonne (cela arrive parfois : il prétexte alors que tout cela n'est pas sérieux et qu'il perd son temps) car chacun commence à sentir que cet univers, s'il est inquiétant est également porteur de très riches promesses.

Penser ailleurs.

La troisième journée va être entièrement consacrée à *l'approche analogique.*

On entre ici dans le royaume magnifique et secret de la création (voir au chapitre 13). Aussi est-il très difficile de faire une description de ce qui se passe ce jour-là.

Partant d'une description théorique du processus d'éloignement et de croisement, le groupe, peu à peu, va s'enfoncer dans des terres jusqu'ici inconnues. Utilisant les ressources accumulées lors des jours précédents, les participants opéreront leur « décollage ».

Maintenant, ayant franchi le barrage de la timidité et de la crainte du ridicule ils pourront, avec émerveillement, aller puiser des richesses inventives dans des zones d'eux-mêmes qu'ils ne soupçonnaient pas.

Jeux de mots, jeux de gestes, identification corporelle, rêve éveillé, poésie collective, c'est le grand bonheur.

Et de ce bonheur, de ces jeux, surgissent comme par enchantement des idées nouvelles.

Chacun se sent dans une sorte d'état de grâce. C'est l'exaltation et l'exultation. Mais le danger aussi...

Tout paraît simple, évident. Chacun se sent créatif et pense avoir des ressources d'imagination inépuisables.

L'animateur, s'il veut profiter de ce moment de liesse, apparaît alors comme une sorte d'Aladin capable de faire surgir, quand bon lui semble, les génies de l'invention.

Le fort climat affectif qui règne dans ces séances vient encore renforcer cette impression euphorique. On se sent bien ensemble, on échafaude de grands projets, on reconstruit le monde...

Analyser.

La quatrième journée vient jeter comme une douche froide sur ce bel enthousiasme.

En effet, c'est à ce moment qu'on aborde les *problèmes d'analyse.*

Après trois jours passés à faire fonctionner son imagination dans les directions les plus diverses et les plus insolites c'est, en quelque sorte, le retour sur terre.

Le but de cette nouvelle étape et d'entraîner le groupe à *appréhender la réalité* dans son aspect multidimensionnel afin de repérer, avec la plus grande précision possible, ce qu'il convient de modifier, en faisant appel à l'imagination, dans cette réalité présente.

Cette analyse, dont on reparlera au chapitre 14, comporte un certain nombre d'opérations dont les plus importantes sont celles qui consistent à rassembler les *données qualitatives* d'un problème, c'est-à-dire tout ce qui n'est pas mesurable (les aspects psychologiques, effectifs, sociologiques du problème) et qu'on a tendance, par conséquent, à oublier.

Cette phase d'analyse des problèmes est infiniment moins réjouissante que la phase de production d'idées. Mais elle est indispensable si l'on veut pratiquer sérieusement la créativité.

En général, les membres du groupe, même lorsqu'ils sont analystes professionnels, s'aperçoivent qu'ils ont beaucoup de mal à définir les problèmes, à en percevoir toutes les données et à saisir comment ils se posent en relation avec un environnement. Beaucoup de mal également à généraliser et à manier les abstractions.

A partir de cette analyse (pour le début on a choisi un problème simple) le groupe s'entraîne à parcourir le *chemin d'invention,* sorte d'approche méthodologique d'une recherche en créativité qu'on retrouvera détaillée au chapitre 14.

Le groupe possède maintenant suffisamment de techniques et d'éléments méthodologiques pour tenter d'entreprendre une recherche à partir d'un cas réel soumis par un participant.

L'animateur devient alors observateur et laisse le groupe choisir le problème qu'il veut résoudre, établir son cheminement, décider de son animation, etc.

C'est ici que se place, en général, le moment pénible du séminaire. Confronté à la réalité et se retrouvant sans guide, le groupe a une fâcheuse tendance à retomber dans les défauts de la réunion de travail traditionnelle : discussions stériles, critique systématique des idées émises, refuge dans l'anecdote et les cas personnels, absence de méthode, etc.

Cette période où le groupe pateauge, peine et s'enlise constitue, à mon avis, le point central du séminaire. C'est à ce moment que le groupe se forme véritablement, prend conscience des difficultés qui se posent pour la résolution d'un problème et découvre, de façon vécue, la nécessité de faire appel à la créativité.

L'animateur analyse alors avec le groupe quelles ont été les difficultés rencontrées, quels phénomènes de blocage se sont produits, pourquoi les résultats obtenus n'ont pas été à la hauteur des espérances et lui apporte les compléments méthodologiques nécessaires qui l'aideront à surmonter ces écueils.

Construire.

La cinquième journée sera consacrée à la mise en pratique des différentes techniques d'analyse et de recherche d'idées découvertes au cours des jours précédents.

A ce moment le groupe s'est constitué. Il s'est éprouvé dans l'adversité, il *veut* maintenant réaliser quelque chose. Il se fixe des objectifs, trouve son rythme. Il découvre également l'enthousiasme qu'on peut éprouver en réalisant une création commune.

Il attaque les problèmes posés par les participants avec la ferme détermination de leur apporter des solutions. J'ai souvent vu, au cours de séminaires de ce type, des participants repartir avec la réponse à des problèmes (techniques, commerciaux, de relations humaines) dont ils cherchaient vainement la solution depuis des mois.

Parfois le groupe entier s'acharne sur un problème jusqu'à ce qu'il en soit arrivé à bout. Parfois un petit groupe se forme et travaille sur un sujet que l'ensemble des participants avait abandonné.

L'impression générale qui se dégage à ce moment-là est une impression de bonheur — le mot n'est pas trop fort. Une atmosphère assez semblable, en somme, à celle qui règne dans un lieu où des musiciens de jazz se sont réunis pour faire un « bœuf » (improvisation collective).

Un étranger qui aurait vu le groupe au premier matin et reviendrait au cours de la dernière journée, aurait le sentiment de rencontrer de nouveaux individus. Plus rien ne subsiste de la gourme et de la réserve des participants. Ils bougent, ils crient, ils éclatent dans des fous-rires mystérieux. De toute évidence les rapports ne sont plus les mêmes : infiniment plus détendus et oserais-je dire, plus profonds. Les idées fusent, les gens s'organisent, s'animent, oublient le temps qui passe. Ils se retrouvent après le dîner pour continuer une recherche interrompue. On sent qu'il s'est réveillé en eux quelque chose de presque miraculeux.

Mais le rideau se referme. Chacun repart vers son entreprise et vers sa vie. La question se pose alors : était-ce seulement un entracte heureux, un moment privilégié dont on gardera un souvenir ébloui et quelque peu mélancolique? Autrement dit, à quoi peuvent servir de tels séminaires?

A divertir les gens et à leur faire oublier leurs véritables problèmes, répondent certains. Si cela était, je ferais un autre métier. Je suis convaincu, au contraire, que ce type d'intervention peut avoir une répercussion profonde sur les individus tant dans leur vie personnelle que dans leur vie professionnelle.

Bien sûr, et c'est le problème de toute formation, beaucoup vont rentrer dans leur vie quotidienne comme on rentre dans de vieux habits et se laisseront de nouveau absorber par la routine en se convainquant que tout ce qui a été montré au cours du séminaire ne peut pas s'appliquer à leur cas particulier [1].

Pour d'autres, au contraire, un tel séminaire servira de détonateur. Ayant eu la révélation de ce que pouvait apporter la créativité à l'individu, ils repartiront avec de nouvelles armes. Et ils lutteront pour s'en servir, c'est-à-dire pour introduire le changement dans leur vie, leur entreprise, etc.

Au fond, ce que je tente au cours de ces journées de travail et de découverte, c'est de faire naître au cœur des individus le désir de transformer quelque chose en eux-mêmes et dans le monde qui les entoure. J'essaye d'être, comme le disait un stagiaire, « un éveilleur ».

Je pense que le rôle du conseil en créativité, dans ses actions de formation, ne peut guère aller au-delà de cette incitation.

C'est une ambition à la fois immense et un peu dérisoire. Mais le nombre de personnes en qui j'ai réussi à réveiller cette fonction créative et dont je vois les réalisations m'incite à persévérer. Inlassablement.

---

1. Avec cette importante différence, que je soulignais au début de ce chapitre, qu'un séminaire de ce type mené à l'intérieur d'une structure se poursuit normalement par la constitution d'un groupe de créativité opérationnel destiné à durer et à s'élargir (voir au chapitre 15).
D'autre part, les participants ne vont pas se retrouver seuls puisque d'autres membres de la structure où ils agissent ont suivi le même séminaire. Il y aura donc déjà un petit noyau pour affronter les inévitables résistances de cette structure à l'introduction de la créativité en son sein.

11.
petite histoire de la créativité

Ecrire une histoire de la créativité ce serait, en fait, brosser une vaste fresque de l'histoire de l'humanité depuis le moment où un homme établit une relation entre le frottement de deux silex, les étincelles qui en jaillissent et une poignée d'herbe sèche pour en faire naître le feu — et le moment où un savant découvre que le bore 11 ou l'azote 15 peuvent subir des fissions lorsqu'ils sont bombardés par des protons.

Ce serait aussi écrire une histoire de l'art, partant des grottes où les hommes préhistoriques traçaient sur les parois de fantastiques animaux pour arriver aux détritus figés par Arman dans le polyester.

Ce serait encore écrire une histoire de la pensée, en insistant particulièrement sur les philosophes et les savants qui ont cherché des « méthodes » pour discerner le vrai du faux, résoudre des problèmes, mener des analyses dynamiques.

Y figureraient en vedette : Socrate, Aristote, Descartes, Claude Bernard, Hegel, Marx, Freud...

Ce serait parfois emprunter les chemins détournés de l'alchimie des choses et de l'alchimie du verbe. Ce serait parler des recherches des sociologues, des psychologues, des linguistes. Ce serait, enfin, tâche insensée, répertorier tous les instants où, depuis le début de l'humanité, l'homme a mis des idées en mouvement pour en tirer des créations.

Le propos de ce chapitre, on s'en doute, est infiniment plus modeste. Il prétend seulement fournir au lecteur quelques points de repères sur les recherches effectuées à propos de la créativité depuis trois ou quatre décennies et le familiariser avec quelques figures marquantes de cette discipline.

En schématisant beaucoup, on peut distinguer deux types de recherches menées parallèlement :

— les recherches sur la créativité en tant qu'aptitude, essentiellement poursuivies par des psychologues,

113

— les recherches sur la créativité en tant que méthode pour amener les individus à exploiter au mieux leur dimension créative. Ces recherches, menées par des praticiens de la créativité, ont toutes un but très réaliste : comment amener des groupes d'individus à résoudre, de façon efficace et originale, les problèmes qui se posent à l'entreprise, l'administration, etc. Elles sont caractérisées par leur aspect empirique et non rigoureux. Elles demeurent (pour longtemps, je l'espère) expérimentales et intuitives. En ce sens, les psychologues de tendance scientifique, les considèrent avec un dédain certain.

Osborn, le grand précurseur.

Parmi les grands noms de la créativité appliquée, il faut d'abord citer celui d'Alex Osborn.

Vice-président directeur de l'agence de publicité Batten Barton Durstine and Osborn (BBDO), Osborn fit (cela remonte aux années 30) une constatation de bon sens que relate son disciple Charles Clark : « Les réunions étaient nécessaires. Les réunions étaient non créatives. Cependant, surtout dans la publicité, les idées nouvelles, des centaines et des centaines d'idées nouvelles, étaient de nécessité vitale. Le *brainstorming*, plus ou moins tel qu'il est pratiqué aujourd'hui, fut institué par lui comme une brillante contre-attaque portée à la façon de penser des réunions non créatives. Il remarqua que chaque réunion à laquelle il assista était dominée par une atmosphère de « non, non, mille fois non ». Les idées étaient étouffées si elles étaient mentionnées, et trop de gens d'idées, qui savaient cela, restaient silencieux. La réunion était dominée par un individu ou le fantôme d'une politique. »

A partir d'observations de ce type, Osborn se livre à une série de réflexions, d'analyses et d'expériences dont il tire la technique du *brainstroming*.

Celle-ci, insiste sur le refus de porter un jugement sur les idées émises et sur la séparation absolue entre les phases de *production d'idées* et les phases d'*évaluation de ces idées*.

C'est ce qu'on appelle « le jugement différé ».

Le brainstorming repose sur un postulat : le groupe, en tant que tel, pour peu qu'il suive certaines procédures, est producteur d'idées.

Cette approche [1], qui nous paraît maintenant évidente, était alors révolutionnaire dans la mesure où elle s'opposait complètement à la conception de la création solitaire, fait d'un individu attendant une inspiration capricieuse.

Comme cette technique est décrite en détail au chapitre 13, je n'insisterai pas davantage et prie le lecteur de patienter jusque-là.

---

1. Cette approche est à mettre en parallèle avec les travaux de Kurt Lewin et de Carl Rogers.

Gordon, l'homme multidimensionnel.

William J.J. Gordon est un des « pères » de la créativité dont l'influence continue de s'exercer sur tous ceux qui pratiquent cette discipline.

De cet homme multidimensionnel, Bruno Dufour trace un portrait haut en couleurs : « Gordon travaille depuis 1943 sur les processus psychologiques de la découverte.

« Il a lui-même à la manière américaine, exercé toutes sortes d'activités : capitaine de Schooner, lad, moniteur de ski, inventeur et conférencier.

« Il possède un doctorat en philosophie. Pendant la guerre, il fut conducteur d'ambulance, plongeur sous-marin, puis résistant (en France) pour finir ingénieur au laboratoire sous-marin d'acoustique de Harvard où il mit au point une torpille sous-marine. »

En 1944, il met au point à Cambridge (Massassuchets) une méthode de créativité, baptisée *synectique* (ce qui signifie : mise en relation d'éléments hétérogènes), avec le soutien de Harvard, de la Fondation Rockefeller, du M.I.T. et des milieux industriels.

De quoi s'agit-il? Comme le dit Georges Prince, son associé : « d'une méthode comprenant des techniques pour obtenir des idées mais prenant également en considération les problèmes du comportement de l'individu au sein d'un groupe. »

La synectique repose sur *trois postulats* (ou hypothèses de base) :

— L'aptitude à inventer peut être développée chez les individus, à condition qu'ils laissent fonctionner les mécaniques psychologiques de la création.

— Dans le processus créateur, les éléments émotionnels et irrationnels ont plus d'importance que les éléments intellectuels.

— La connaissance de ces éléments émotionnels et irrationnels augmente les chances de trouver la solution d'un problème à résoudre.

Au cours de très nombreuses recherches sur des groupes de travail et d'analyse du processus créateur de « génies », Gordon et Prince ont mis en lumière les éléments suivants :

— Chaque individu possède un potentiel créatif qu'il sait rarement exploiter. Il est donc nécessaire de stimuler ce potentiel créatif à l'aide de techniques appropriées.

— Le processus de la création est une succession *d'états* que l'on peut décrire et reconstituer.

— La création est un processus *invariant* qu'il s'agisse de création artistique et de création scientifique.

— Un groupe peut apprendre à créer au même titre qu'un génie individuel.

A partir de ces analyses, Gordon et son équipe ont procédé à des recherches sur les différents *états de la création* puis ont mis au point des techniques permettant de passer, de manière presque automatique, d'un état à l'autre.

En très résumé, le processus décrit par Gordon est le suivant :

— D'abord, on *formule le problème* en s'efforçant de bien le poser et de le concevoir sous son aspect le plus général.

Puis le chercheur *s'identifie* à son problème; il devient le problème lui-même. C'est ce que fit, par exemple, Archimède en entrant dans sa baignoire : il était devenu la couronne dont on lui avait demandé de trouver la composition exacte.

Alors, des *solutions apparaissent*. Ce sont, le plus souvent, des solutions évidentes, classiques, sans originalité. Il ne s'agit pas de les rejeter — certaines peuvent être utilisables — mais il faut les considérer comme les premiers pas dans la recherche. En quelque sorte, l'esprit a fait une *purge*.

Lorsque cette purge est effectuée, l'état est atteint où l'esprit, libéré des réponses logiques et traditionnelles, va se lancer dans l'imagination la plus folle. Pour cela, le chercheur fait appel à toutes ses ressources inconscientes. Il réalise des bi-sociations extravagantes. C'est le grand moment de la recherche, l'envol de l'imagination.

De cette foule d'idées et d'images, le chercheur va en extraire certaines qu'il sent particulièrment intéressantes et il tentera de les appliquer à son problème. C'est alors que s'opérera la découverte.

Pour amener le groupe, dont la constitution a été longuement analysée par Gordon, à réaliser ce processus, la Synectique propose un certain nombre de moyens dont, en particulier, l'utilisation des *analogies* (sur lesquelles on reviendra longuement au chapitre 11).

En fait, il s'agit d'amener les individus à effectuer une sorte de « voyage » mental empruntant ces deux itinéraires :

— rendre l'insolite familier,
— rendre le familier insolite.

C'est-à-dire prendre le problème, le sortir de son cadre de référence pour l'entraîner dans d'autres univers avec l'aide d'analogies, de métaphores, d'images, de jeux de mots et d'esprit — avec l'aide du hasard, aussi dont on cherchera systématiquement les bienfaits.

Lorsque cette quête aura été réalisée ce sera le « retour » dont le but consistera à tirer de cette ample moisson des idées nouvelles, « insolites » permettant d'apporter une réponse au problème posé.

L'approche de Gordon, que l'on retrouve dans la plupart des méthodes de créativité actuellement proposées, a été, sans conteste, un apport capital aux recherches sur la créativité.

Elle a mis en évidence l'aspect irrationnel de la création et montré le rôle que jouait l'inconscient dans la découverte, qu'elle soit artistique ou scientifique.

En systématisant un processus jusqu'alors jugé spontané et donné par l'inspiration, elle a permis une application efficace, tout en exigeant un animateur hautement qualifié, pour des groupes très variés.

Enfin, elle a aidé, grâce à la qualité des résultats obtenus qui la rendirent crédible, à briser le carcan de la toute-puissante logique [1].

Les méthodes mises au point par Osborn, Gordon et leurs disciples sont traditionnellement qualifiés *d'irrationnelles,* sans doute dans la mesure où elles font largement appel à une pensée non logique et au domaine du non-conscient. En fait, elles comportent une large part d'analyse, de récolte des faits et de généralisation qui fait appel à l'esprit d'analyse et de synthèse.

Zwicky et la création rationnalisée.

On a coutume de les opposer aux méthodes « rationnelles » dont le plus célèbre représentant est Fritz Zwicky, créateur de *l'analyse morphologique.*

Zwicky est un Suisse, spécialiste d'astro-physique, d'astronomie et d'astronautique. Il contribua à la conception du premier projectile américain lancé dans l'espace.

L'analyse morphologique peut être caractérisée comme un processus rigoureux comportant un certain nombre d'étapes, dont la finalité est d'apporter des solutions à un problème posé.

Dans une première étape, le problème est formulé de la façon *la plus générale.* L'aspirateur deviendra ainsi « un système permettant d'absorber les poussières [2] ».

Dans une deuxième étape, le problème ainsi généralisé est analysé, ainsi que tous les paramètres importants pouvant entrer dans la solution.

— Chaque paramètre est alors étudié en fonction des *différentes techniques* de réalisation possibles.

Par exemple, le paramètre « moyen d'absorption » pourra donner lieu aux propositions de réalisation suivantes :

---

1. Il serait injuste de ne pas citer De Bono, dont les recherches sur la « pensée latérale » ont largement contribué à faire évoluer les méthodes de créativité.
2. On retrouvera cette approche dans le *Chemin d'invention* au chapitre 14.

— pas aspiration d'air,
— par électricité statique,
— par procédé chimique.

etc.

Pour les différentes propositions énoncées, on détermine la *performance idéale* en fonction de critères variant selon le problème posé : coût, simplicité, facilité d'usage, possibilité de fabrication par l'entreprise, etc.

Les solutions retenues sont comparées en les mettant en relation avec l'objectif poursuivi. Les meilleures sont retenues.

Enfin, on procède à l'analyse détaillée des solutions choisies et de leurs moyens de réalisation.

En indiquant que cette méthode (et d'autres qui en découlent) s'opposait aux méthodes « irationnelles », j'ai employé un vocabulaire qui, en fait, n'a guère de signification.

En effet, dans l'analyse morphologique de Zwicky, la progression est rigoureuse et logique. En toute apparence, c'est une analyse de type scientifique.

Or, il faut remarquer qu'elle repose également sur le principe de la bi-sociation, c'est-à-dire cette rencontre imprévue de concepts ou de techniques d'où va surgir l'idée nouvelle.

En ce sens, elle est surtout une approche systématique pour mettre en relation des éléments qui ne le sont pas de façon naturelle et spontanée.

D'autre part, et c'est là son faux côté rationnel, elle exige une grande puissance imaginative pour découvrir des solutions originales à chacun des paramètres. Autrement dit, on est obligé d'introduire, à certains moments d'une telle recherche, le processus de création décrit par Gordon. *Il faut imaginer.*

Analyse de la valeur et valeur de l'analyse.

On retrouve le même problème avec d'autres méthodes dites rationnelles dont la plus connue est certainement *l'analyse de la valeur* mise au point par Miles et popularisée en France par Claude Jouineau.

Il s'agit, en gros, d'une approche permettant de réduire de façon appréciable le coût de fabrication d'un produit (d'un processus, d'un système, etc.). D'un aspect très technique, l'analyse de la valeur exige également de ses pratiquants une forte capacité imaginative qu'ils trouveront, bien sûr, avec les techniques de créativité [1].

---

1. On trouvera dans *La créativité en action*, t. 2, l'exposé d'applications de *l'analyse de la valeur créative* issue, en particulier, de recherches faites avec Robert Duchamp, professeur à l'Ecole des Arts et Métiers.

C'est une remarque identique que l'on peut faire à propos des *matrices de découverte* (étudiées au chapitre 13) mises au point par Abraham Moles, professeur de psychosociologie à l'université de Strasbourg et spécialiste de la théorie des systèmes généraux de l'informatique.

Une matrice de découverte est un tableau à double entrée permettant de confronter (de bi-socier) différentes variables qui n'étaient pas prédisposées à entrer en contact.

Cette rencontre fait naître des questions et surgir des idées. Mais pour faire surgir ces idées il faudra, là encore, faire appel à des techniques relevant de « l'irrationnel ».

Petite conclusion : aucune méthode n'est absolue. Au contraire, selon les problèmes abordés, on utilisera l'une ou l'autre des approches et, surtout, on se construira sa propre méthode en empruntant à chacune les éléments qui semblent les plus propices pour trouver des solutions.

Korzybski et le Non-A.

Ce rapide survol de l'histoire de la créativité serait incomplet si l'on ne citait pas le nom d'un curieux personnage : Alfred Korzybski. Emigré polonais aux Etats-Unis, mort en 1950, Korzybski exerce encore une influence certaine grâce à l'activité de ses disciples qui propagent à travers le monde les théories non aristotéliciennes du maître, regroupées sous le terme de *sémantique générale*.

L'idée centrale de Korzybski est que notre logique, héritée de la pensée d'Aristote, n'est plus adaptée au monde scientifique où nous vivons. Il s'agit, en fait, d'une logique formelle, engendrée par les mots dont la simplification nous empêche de saisir la réalité foisonnante.

Lorsque nous employons un mot, nous croyons utiliser un outil précis et solide. En fait, nous parlons par nébuleuses, d'une richesse inouïe, d'une infinie variété de significations et, par là même, d'une très grande imprécision.

Par exemple, se présenter à un groupe en disant « je suis un chef », nous paraît permettre au groupe de nous situer. En fait, qu'y a-t-il là dessous? Que perçoit-on? Que dit-on?

C'est ce qu'indique Korzybski à travers une série d'axiomes célèbres : « la carte n'est pas le territoire », « le mot chien ne mord pas », « Le mot n'est pas la chose qu'il exprime. Chaque fois que l'on confond la carte avec le territoire, un « trouble sémantique » s'enracine dans l'organisme. Ce trouble persiste tant que l'on a pas reconnu les limi-

tations de la carte », « prenez garde d'étiqueter ». « Utilisez la formule
et cætera. Quand vous dites « Marie est une bonne fille », ne perdez
pas de vue que Marie est bien autre chose que « bonne ». Marie est
« bonne », gentille, charmante, *et cætera,* ce qui signifie qu'elle possède encore d'autres caractéristiques ».

En fait, il s'agit d'introduire dans la conscience de l'individu la
notion de relatif, de pluridimensionnel, d'incertain.

La sémantique générale insiste particulièrement sur la *nécessité
d'abstraire.* En disant « ce livre comporte tant de pages », vous devez
avoir conscience, au même moment, de la multiplicité de ses autres
caractères. C'est cette « conscience d'abstraire » qui, selon Korzyski,
donnera une supériorité incontestable à l'individu entraîné sémanti-
quement.

Sans nul doute, l'approche de Korzybski est extrêmement intéressante pour la formation de l'esprit créatif dans la mesure où elle
invite à transformer notre comportement mental, à penser et à parler
autrement, à passer du relatif au général, à penser par abstractions, etc.

Il s'agit d'un déblocage mental efficace permettant à l'individu de
s'adapter à la vie de la façon suivante :
— il peut logiquement anticiper l'avenir,
— il peut réaliser en fonction de ses capacités,
— son comportement est ajusté à son milieu.

Ajoutons que la philosophie de Korzybski compte autant de
fidèles que de farouches détracteurs. Dans les milieux scientifiques (linguistes en particulier), elle ne rencontre que dédain, ainsi que le prouvent les bibliographies des ouvrages consacrés à ce problème [1].

Les chercheurs de l'invention.

Les recherches sur la *créativité en tant qu'aptitude à produire
des idées* sont essentiellement d'origine américaine. Depuis quelques
années, des spécialistes français (voir, en particulier, les ouvrages d'Alain
Beaudot) y portent un intérêt particulier.

Sans entrer dans les méandres d'analyses souvent complexes, je me
contenterai de citer ici quelques recherches-points de repères.

Tout d'abord celle de Guilford qui publia, dès 1950, un ouvrage
sur la pensée créatrice dont le retentissement fut grand et se consacra
à l'étude du problème pour aboutir à l'élaboration d'un *modèle de
l'intelligence* à trois dimensions :

---

1. Mis à part le livre du sémanticien polonais Adam Schaff (*Introduction à la sémantique,* 10/18).

— les opérations (connaissance, mémoire, production, jugement),
— les produits (relations, systèmes, classes, etc.),
— les contenus (symboliques, sémantiques, etc.).

La *pensée créatrice*, dans ce modèle, se situe au niveau des produits. C'est une activité de production qui peut prendre deux formes :

— production *convergente* : pour un problème donné, on recherche *une* solution (la meilleure, la mieux adaptée),

— production *divergente* : pour un problème donné, on recherche toutes les solutions possibles, en essayant de découvrir les plus originales.

On verra, au chapitre 13, l'utilité de distinguer ces deux types de pensée au moment de la mise en œuvre des techniques de créativité.

A partir de ces données, un certain nombre de tests ont été établis dont le but est de mesurer la capacité à produire le plus grand nombre de réponses à un problème proposé. Par exemple : que peut-on faire avec une brique?

C'est ce qu'on appelle la *fluidité*.

Ces tests mesurent également la capacité à produire des idées très éloignées les unes des autres (et non pas dérivées à partir d'une idée centrale).

C'est ce qu'on appelle la *flexibilité*.

Enfin, ces tests mesurent la capacité à produire des idées dont la fréquence statistique d'apparition dans un groupe est peu élevée.

C'est ce qu'on appelle l'*originalité*.

Fluidité, flexibilité, originalité, considérées comme caractéristiques fondamentales de la pensée créatrice, voilà ce qu'on cherchera d'abord à développer chez les individus à l'aide des techniques de créativité.

A partir de ces analyses, deux psychologues, Getzels et Jackson, ont mis au point des tests permettant de comparer, dans une population scolaire donnée, les résultats obtenus aux tests d'intelligence (ceux qui mesurent le quotient intellectuel ou QI) et aux tests de créativité.

Les résultats (bien sûr contestés par d'autres psychologues. Oh! fragilité des tests...) pourront paraître surprenants : le QI du groupe des « créatifs » (ceux qui ont obtenu le meilleur score aux tests de créativité) est, en moyenne, plus faible que le QI des « intelligents » (ceux qui ont obtenu le meilleur score aux tests d'intelligence) alors que la réussite scolaire est identique pour les deux groupes.

Paul Torrance, poursuit à partir de 1958 à l'université du Minnesota puis à l'université de Georgie, des recherches sur l'évaluation de la pensée créative et met au point un test permettant de mesurer la créativité des individus. C'est le célèbre « test de Torrance ».

Ce test comporte des épreuves d'expression verbale et des épreuves d'expression figurée (ou graphique). Il permet, entre autres, de poursuivre des recherches sur le développement de la créativité en fonction de l'âge et des entraînements subis par le sujet au cours de la période. Il· apparaît (c'est heureux!) que les techniques de créativité améliorent très sensiblement les scores des tests.

Avec ce test (qui est maintenant disponible en France), on peut évaluer la fluidité, la flexibilité, l'originalité et l'élaboration (complexité des dessins produits).

« Il permet au psychologue, écrit Alain Beaudot, d'une part de situer les sujets testés les uns par rapport aux autres en ce qui concerne la créativité et, d'autre part, de situer la créativité de chacun par rapport à l'intelligence telle qu'elle est mesurée par les tests.

Cette possibilité offerte aux psychologues n'est pas négligeable à un moment où, dans les domaines les plus divers et dans toutes les disciplines, on constate que l'intelligence ne suffit pas à rendre compte du potentiel intellectuel des individus mais qu'il faut y adjoindre une autre aptitude que souvent, faute de mieux, on nomme « créativité ».

Toutes ces approches, on s'en doute, sont encore au niveau expérimental. Elles ouvrent des perspectives extrêmement intéressantes et devraient donner lieu, dans les années à venir, à des recherches fructueuses. Il y a là, pour les chercheurs, des domaines pratiquement inexplorés à découvrir [1].

Et en France ?

L'histoire de la créativité, dans notre pays, se raconte vite.

Dans les années 60, quelques individus, issus de disciplines diverses, après avoir accompli le pèlerinage de Buffalo où le docteur Parnes, disciple d'Osborn, anime le Creative Studies Department, ont commencé d'introduire les techniques de créativité dans quelques entreprises ou organismes. Ces pionniers, il faut le dire, étaient considérés comme d'aimables plaisantins ayant trouvé un filon qui s'épuiserait rapidement.

Cependant, quelques chercheurs et universitaires, tels René Boirel, Abraham Moles, J. Hadamard, René Leclercq, le docteur Astruc, avaient publié, depuis 1950, des ouvrages traitant de l'invention, en particulier dans le domaine scientifique. Ces ouvrages ne furent pas, à proprement parler, des best-sellers...

On peut situer le véritable démarrage de la créativité à mai 1968.

---

1. On trouvera un excellent survol de ces recherches dans *La Créativité*, recueil de textes américains traduits par Alain Beaudot.

Cette incroyable explosion qui agita notre pays, fit prendre conscience à beaucoup quel était le pouvoir de l'imagination.

Ce fut le choc, l'illumination. L'imagination ne prit pas le pouvoir, comme l'annonçaient les slogans, mais elle commença de s'introduire dans certains bastions : les entreprises, les administrations, l'enseignement. Le mot participa du langage courant. La mode fit le reste...

Si l'on fait aujourd'hui le point, on s'aperçoit que la créativité est entrée dans sa deuxième génération (pour employer le langage de l'informatique).

Les membres de la première génération, dont l'indéniable mérite a été de répandre la notion de créativité et de former les praticiens de la seconde génération, a eu le tort, selon moi, de figer la créativité dans des « méthodes » et des structures d'entreprises et de se prendre beaucoup trop au sérieux (sans doute par réaction conter ceux qui prenaient ces pionniers pour d'aimables fantaisistes).

C'est là un danger qui nous guette tous. Dès que l'on obtient des résultats, que l'on commence à se faire un nom et que les organes d'information vous sollicitent, on a vite tendance à pontifier et à devenir une de ces personnes graves dont parle l'illustre auteur du Sapeur Camembert.

Aussi curieux que cela puisse paraître, il y a une caste de « mandarins de la créativité ».

Il est du reste assez instructif de lire la plupart des interviews de ces conseils-là. Chacun commence par dresser un sombre panorama de notre civilisation en crise puis fait un exposé assez énigmatique sur les incalculables possibilités de l'inconscient en citant Freud, Jung, Laing, Lacan, etc. pour déboucher sur un exemple concret d'application de ce discours de haute altitude : la création d'un nouveau modèle de yaourt ou la découverte d'un nom pour une marque de biscuit.

Le plus bel exemple de ce décalage entre le dit et le fait, je l'ai trouvé dans une revue destiné aux publicitaires où l'on voyait un conseil en créativité (celui qui publie des annonces où il se présente comme « le numéro 1 de la créativité en France), expliquer sans rire (et, apparemment sans faire rire son interlocuteur) qu'il est parvenu, grâce à des techniques de pointe, à créer de véritables « mutants ». Il suffit alors de réunir une dizaine de ces « mutants » pour avoir, grâce à leurs possibilités extraordinaires, une connaissance complète de ce que la France entière éprouve par rapport à un produit, à un régime politique, etc. Et pour illustrer cette révolution mentale, il expliquait comment son groupe de « mutants », confronté aux problèmes de la banque, avait finalement trouvé une nouvelle disposition des guichets dans les agences bancaires...

En fait, le large fossé qui, dans cette génération, sépare les intentions (souvent vagues, il faut le dire) des réalisations, provient du fait que j'ai déjà souligné : la plupart des conseils ont voulu construire autour d'eux une structure juridique et économique. Or, une structure exige d'être rentabilisée financièrement. Seules les applications les plus immédiatement utilisables de la créativité pouvaient alors assurer une telle rentabilité : études de marché, études de motivation, recherches d'axes publicitaires et de « produits nouveaux » (en fait de faux produits nouveaux, comme la lessive aux enzymes et le rasoir à double lame).

Si bien que ces introducteurs de la créativité en France, dont on ne peut absolument pas soupçonner la sincérité et la conviction initiales, se sont laissés enfermer dans une contradiction pleine d'ambiguïté : d'un côté le discours et le rêve de transformer radicalement la société, de l'autre la contraignante réalité d'aller chercher l'argent là où il se trouve, c'est-à-dire dans ce que la société a de plus confortable et de plus aliénant.

D'où la tendance de la créativité à ne plus être qu'un moyen de mieux traquer le consommateur pour lui imposer des produits qui ne répondent pas à de véritables besoins. D'où également la tendance des conseils à se transformer de plus en plus en habiles commerçants et à n'orienter leurs recherches que dans les secteurs immédiatement rentables de la créativité qui risquait de devenir ainsi une simple branche du marketing.

A la décharge de cette première génération, il faut ajouter qu'une démarche aussi mercantile était proprement inévitable. Contrairement à ce qui se passe dans d'autres pays (voir le chapitre 12), ce n'est que très récemment que la créativité a commencé d'être prise au sérieux par des structures qui n'ont pas comme objectif premier la rentabilité (pouvoirs publics, centres de recherche, organismes sociaux, enseignement, etc.).

Et si certaines entreprises, avec toutes les limites que cela comporte, n'avaient pas eu le courage de financer les premières études créatives, aujourd'hui nous en serions encore aux premiers balbutiements de la créativité française. Mais on ne peut quand même s'empêcher de rêver en voyant de quels moyens a bénéficié Gordon aux Etats-Unis pour mettre au point la synectique...

Au-delà de l'anecdote, on est amené à se poser la question de *la signification politique de la créativité.*

Ici encore les réponses ne sont pas nettes. Pour certains, la créativité apparaît comme une récupération de l'imagination des travailleurs afin de renforcer le « système ». Pour d'autres, la créativité est l'œuvre de dangereux « gauchistes » qui veulent miner ce même « système ». Pris entre ces feux croisés, le conseil en créativité a du mal à se situer...

Plus subtilement, les deux tendances peuvent coexister. C'est, par exemple, l'attitude des syndicats et des partis politiques qui mettent en avant le premier argument alors que leur véritable position (inavouée) tiendrait plutôt du second.

En effet, introduire la créativité dans de telles structures, c'est courir le danger de donner aux individus une autonomie de pensée, de les aider à acquérir une nouvelle façon de voir les choses, de les voir remettre en cause la hiérarchie interne à la structure, de les amener à se poser des questions « hors norme » — ce qui risque d'être très gênant pour la cohésion de la structure même.

Car si l'on envisage la créativité autrement que comme simple moyen de mieux vendre les produits pour la considérer comme une démarche de l'esprit profondément perturbante et moteur de changement, alors on peut se demander qui, d'un côté comme de l'autre, est actuellement capable d'encourager une telle perturbation [1]?

La seconde génération a été formée dans les cabinets dont il vient d'être question [2].

Elle a ainsi pu se faire une idée plus exacte du danger que faisait courir à l'indépendance d'esprit et au développement de la recherche la constitution de structures classiques de type purement commercial.

Aussi cherche-t-elle à imaginer de nouvelles formules qui permettraient, dans la mesure du possible, d'échapper à cette exclusive dépendance de l'économique. Personnellement j'ai opté pour la position de travailleur indépendant relié par de multiples liens non formels (où l'amitié joue une grande part) à des confrères et à des praticiens non professionnels. J'en suis très satisfait.

Moins soucieux de commerce, de la constitution d'une clientèle, de l'édification d'une entreprise et de prestige social, les conseils de la deuxième génération se considèrent beaucoup plus comme des confrères que comme des concurrents (pour être juste, il faut dire que le « marché » de la créativité s'est considérablement élargi).

Ils sont aussi beaucoup plus décontractés, moins soucieux de se situer sur le plan de la notoriété par rapport aux autres. A partir du moment où l'on ne se considère plus comme le « pape de la créativité en France », les choses deviennent plus simples et les collaborations possibles.

Et losqu'on a pris conscience que les soi-disant « méthodes » ne sont que des illusions, c'est-à-dire qu'il n'y a plus de territoire à protéger et de secrets à jalousement préserver, les échanges et les actions communes peuvent être multipliés.

Alors les individus et la créativité y gagnent.

De son côté, la « clientèle » évolue. Celle, traditionnelle, des cadres d'entreprises est de plus en plus informée des pratiques de créativité. Le temps est bien passé où l'on annonçait en termes sybillins à une assemblée frissonnante qu'on allait se livrer à un brainstorming. Maintenant, il faut aller plus loin, se renouveler sans cesse, approfondir. Il n'est plus ques-

---

1. Je reviendrai plus longuement sur ce dilemne essentiel dans *La créativité en action*, tome 2.
2. Parmi ces conseils, on peut citer : Hubert Jaoui, Marcel Botton, Thierry Maindrault, Jean-Claude Wydow, Georges Sanerot, Patrice Stern.

tion de proposer, une fois pour toutes, un « produit » déterminé ni de répéter inlassablement le même séminaire. Il est nécessaire d'innover en permanence et cette innovation, à mon sens, ne peut se faire que par des recherches collectives.

Une nouvelle « clientèle » apparaît : ouvriers, agriculteurs, travailleurs sociaux, chercheurs, mouvements éducatifs, etc. qui oblige à sortir des sentiers battus pour imaginer des approches nouvelles, des techniques adaptées, bref, de se recycler sans cesse. Maintenant, le conseil doit appliquer à lui-même ce qu'il préconise aux autres. Et c'est tant mieux.

Enfin, la créativité qui était l'apanage des spécialistes est largement prise en mains par des praticiens non professionnels. C'est là sans doute le début de la troisième génération : ceux que nous avons formés dans nos séminaires et nos groupes de recherche prennent en charge leur propre action. C'est là, il me semble, l'avenir de la créativité.

Pour finir sur une note optimiste, disons que la France qui s'est lancée dans l'aventure créative avec un retard considérable sur les Etats-Unis, a maintenant largement comblé celui-ci. Une nouvelle histoire commence...

12.
la créativité
en Amérique du nord :
l'exemple québecois

par Lucie JULIEN et Michelle SAUNIER

Petit historique de la créativité au Québec.

« Nous te ferons terre Québec,
Lit des résurrections
Et des mille fulgurances
De nos métamorphoses,
De nos levains où lève le futur. »

Gaston MIRON, poète

Quand on parle de la créativité au Québec, on en parle au futur ou au présent bien plus qu'au passé. Comme dans beaucoup de domaines, « c'est tout neuf, ça commence, c'est un grand espace à défricher à l'image de nos terres et de nos forêts ».

Mais en y regardant de plus près, on constate qu'il y a bien une dizaine d'années que des Québécois pratiquent l'animation au moyen des techniciens de créativité, que des organismes divers font appel à leurs services de consultants. Enfin la créativité au Québec se porte bien, et des séminaires (comme dit Bernard Demory) ont toujours lieu à la fois dans l'enseignement et les établissements administratifs de même que dans les compagnies et les industries.

Comme d'habitude, tout a commencé aux Etats-Unis avant de s'implanter en terre québécoise : des individus provenant de milieux divers comme l'enseignement, l'industrie, la publicité et l'audio-visuel, sont d'abord allés se former à Buffalo ou à Boston. Ils participèrent à des stages sur les techniques du Brainstorming et de la Synectique. Puis, à leur retour au pays, ils firent l'adaptation de ces apprentissages à la clientèle québécoise. Cela prit la forme de sessions organisées par différents organismes privés de formation et par les Universités.

Son origine dans l'enseignement
et la recherche à l'Université.

Il semble bien que, contrairement à la situation en France, ce soit d'abord dans les universités et non dans l'industrie que s'effectua l'effort d'implantation de la créativité. En effet, dès l'année 1967, dans le cadre de l'éducation permanente, l'Université de Montréal organisait des cours de créativité destinés aux enseignants en perfectionnement, aux conseillers en audio-visuel et aux administrateurs de l'enseignement à différents niveaux.

Dans ces cours, souvent offerts en session d'été, l'approche utilisée est celle de la synectique telle qu'elle est pratiquée à Boston par le groupe Synectic Inc., c'est-à-dire un ensemble de processus dérivant de l'analogie directe et personnelle et reconstitué en étapes précises à suivre dans le traitement d'un problème. Les rôles tiennent aussi une grande place dans l'utilisation de cette technique de créativité. Les participants doivent apprendre à pratiquer ces différents rôles de leader ou de meneur de jeu, d'expert ou de personne-ressource sur le problème et de simple participant à un travail de groupe.

Toujours à l'Université de Montréal, des ateliers de créativité sont donnés aux étudiants de deuxième et troisième cycles pour aider ceux-ci à se trouver des projets de recherche expérimentale, à les conceptualiser, à les structurer d'une façon créative. Le support utilisé est la synectique et il en est de même dans les ateliers dits de sensibilisation à la créativité dans la vie quotidienne dans lesquels on essaie de déterminer les facteurs qui bloquent et ceux qui aident les gens à être créatifs. Les clientèles de ces ateliers de sensibilisation sont très variées : santé, éducation, industrie, bureau des langues à Ottawa, fonctionnaires et cadres intermédiaires.

En recherche, un laboratoire de créativité, santé mentale et apprentissage est créé et intègre différents aspects de la recherche expérimentale et empirique. Notons en passant une recherche sur le rythme cardiaque et la créativité dont le but était de mieux identifier certains phénomènes qui accompagnent le processus créateur et ceci afin de développer des formes d'interventions pédagogique plus appropriées à l'enseignement par découverte.

Actuellement, à l'Université de Montréal, les techniques de créativité sont utilisées pour aider les gens sur le plan individuel, soit pour la création soit pour l'apprentissage. On tente également de faire évoluer les techniques de créativité en groupe, par exemple la synectique, afin de voir comment la créativité peut être un moyen de prévention dans le domaine de la santé mentale.

En 1970, c'est l'Université du Québec à Montréal (UQUAM) qui, à à son tour, intègre l'enseignement des techniques de créativité à des cours d'audio-visuel et de travail en groupe. Le Brainstorming et la Synectique y sont pratiqués comme moyen d'améliorer la création collective dans les groupes d'étudiants des sciences de l'éducation et de pédagogie artistique. Puis le programme de cours se développe et, en 1975, des cours de techniques de créativité se donnent à des clientèles aussi diversifiées que celles des sciences pures, de la psychologie, de l'administration et des sciences de l'éducation. Cette situation pédagogique permet de composer des groupes hétérogènes et d'arriver à des résultats intéressants au niveau de l'apprentissage et de la pratique de la créativité.

Partant de l'affirmation : « Il n'y a pas de problèmes, mais il n'y a que des solutions », l'approche utilisée dans les groupes d'étudiants est celle de la résolution de problème (problem-solving), le terme problème étant pris dans le sens décrit par Florence Vidal : « Une situation dans laquelle un humain ressent un manque, une difficulté, une gêne, une insatisfaction, une frustration devant un état de fait. » C'est ainsi que les situations apportées au groupe de créativité sont très diversifiées et l'on peut affirmer que les étudiants y sont réellement impliqués. Ils cherchent des moyens pour améliorer leur champ d'activité, le plus souvent l'enseignement, ou bien leur vie personnelle, ou encore la vie sociale et politique.

Par exemple ,on aura des problèmes de type psychologique : « Comment concilier ma vie étudiante, ma vie affective et mes loisirs? » ou bien des problèmes de type pédagogique : « Comment amener les professeurs à participer et à animer davantage la vie de l'école? », « Comment organiser une activité de fin d'année avec les élèves? »

Un autre type de problèmes concerne les situations où les étudiants sont engagés dans un projet ou intégrés dans un milieu de travail. Par exemple, les projets Perspective-Jeunesse nous ont amenés à collaborer avec beaucoup de jeunes et à les aider soit dans la présentation, soit dans l'exécution de leur projet : « Comment présenter un programme d'activités pour la section Croix-Rouge Jeunesse concernant la pollution de l'environnement? », « Comment organiser une garderie dans un milieu populaire? », « Comment présenter l'éducation sexuelle aux jeunes dans un kiosque au Salon de la Femme? »

Dans le traitement de ces problèmes, les techniques de créativité se sont avérées des outils très précieux, surtout dans le sens d'aller chercher des idées nouvelles et originales. Il est même arrivé que ces ateliers aient donné naissance à des petites inventions comme des jeux éducatifs pour faire passer les notions de couleur, de temps, d'espace, etc.

Parallèlement à cette approche de résolution de problèmes par les techniques de créativité, une autre approche se développe, celle de l'expression de la créativité. Ainsi, dans le déroulement d'un stage de fin de semaine, on établit un certain rythme qui va de la pratique des techniques à la prise de conscience des processus mêmes de la créativité : association, analogie, découverte, invention.

En fait, l'on peut affirmer que tous les moyens sont bons à l'Université du Québec pour faciliter cette expression de la créativité chez les étudiants. Que ce soit le dessin, le mime, l'expression corporelle ou le théâtre, tout est prétexte à l'exercice des habilités créatrices, originalité, fluidité, flexibilité, capacité d'observation et de création. De même, les exercices effectués la plupart du temps en sous-groupes, visent à améliorer les attitudes d'écoute et de constructivité à partir des idées des autres.

Nous aurons plus loin l'occasion de revenir sur cette approche de l'enseignement de la créativité à l'UQUAM dans l'entreprise : le duo de deux Québécoises. L'intégration de jeux créatifs, l'écriture de scénario pour contes d'enfants et émissions de télévision, la composition de textes poétiques et dramatiques sont les domaines particulièrement favorisés. Il en va ainsi de l'approche de Bernard Demory par son « Jeu de la Créativité » que nous avons expérimenté comme moyen d'exercer l'imagination et la recherche d'idées dans les domaines aussi bien artistiques que scientifiques.

Pendant ce temps, à l'Université Labal à Québec, vers 1972, un professeur de pédagogie est à l'origine d'un projet de recherche coopératif de créativité dans l'environnement appelé PRECOCE (mot symbolique par ailleurs), dans lequel un entraînement systématique à la résolution de problèmes est donné aux étudiants en pédagogie. Il s'agit en fait d'un entraînement à partir de l'environnement immédiat dont la classe fait partie sous le modèle de la « Confluent Education ». Le but est de rester le plus possible en contact avec le milieu et de pratiquer la résolution de problèmes à mesure que ceux-ci se présentent et d'offrir aux étudiants en formation, des ateliers de consultation et d'information comme support possible. C'est vraiment une innovation dans la pédagogie universitaire et en 1974-1975, un groupe de deux cents enseignants et futurs maîtres profitent de cette formation créative.

Interventions dans les établissements administratifs.

Au Québec c'est souvent par les enseignants que la diffusion de la créativité s'est poursuivie dans les établissements administratifs, dont en particulier les Commissions Scolaires, celles-ci étant les organismes chargées d'administrer la chose scolaire dans les différentes régions de la province. Il est donc normal que les universitaires et certains organismes de formation aient été appelés à continuer la formation commencée avec les enseignants des écoles élémentaires et secondaires, en se déplaçant dans les régions comme celle de Milles-Iles, par exemple. Souvent, les cadres administratifs, directeurs et principaux d'écoles ont souhaité participer à des sessions de créativité à la suite de l'information donnée par leurs enseignants.

Par contre, dans une autre région, celle de Chicoutimi-Jonquières, ce fut la situation inverse qui se produisit. Les cadres administratifs ont d'abord suivi une session à l'automne 1975 et un comité de mise à jour devait étendre cette participation aux groupes-écoles. Deux groupes d'enseignants seulement ont pu bénéficier de cet entraînement à la créativité, car une grève interrompit ce programme de perfectionnement échelonné sur toute l'année.

D'autres organismes administratifs, comme les centres de santé communautaires et les centres de services sociaux ont aussi profité de formation en techniques de créativité et innovation. Le but de ces séminaires auxquels participent les directeurs de personnel et les cadres administratifs à différents échelons, est souvent d'améliorer les relations interpersonnelles entre la Direction et ses employés. Il est aussi arrivé que l'aide apportée par les techniques de créativité soit celle de préparer les esprits au changement suscité par l'application de nouveaux règlements ou de nouvelles lois émanant des ministères gouvernementaux comme la Santé, le Travail, l'Education, pour ne mentionner que ceux-là.

La créativité, dans cette intervention, est vue comme un moyen d'amener les gens à faire des prises de conscience de ce qu'ils sont en tant qu'individus, en tant que groupes et en tant qu'organismes. C'est le moment de la remise en question fondamentale : « Qu'est-ce qui ne va pas? », « Est-ce vraiment cela que je veux? » Les techniques utilisées sont sensiblement les mêmes que celles de Bernard Demory, telles qu'il les a présentées dans une session en février 1975, à savoir, l'analyse défectuologique, le concassage, le brainstorming, l'analogie. Mais ce qui est intéressant pour nous dans cette utilisation des techniques de créativité, c'est davantage de les considérer comme moyen d'arriver à une fin, d'aider la démarche personnelle et du groupe avec l'animateur.

Une expérience de formation dans l'industrie.

Pendant ce temps, vers les années 1968-1969, d'autres groupes privés de formation en relations humaines et individuelles, offraient à des compagnies d'inclure la créativité dans un programme de formation destiné à leurs employés et à leurs cadres intermédiaires.

Ce fut le cas notamment à l'ALCAN, une compagnie multinationale de production d'aluminium implantée au Québec dans la région de Chicoutimi, où l'on introduisit d'abord la synectique comme moyen d'améliorer le fonctionnement des groupes de recherche dans l'étude des différents projets.

Une expérience de formation effectuée en 1975 à la division Chimie des usines d'Arvida de la compagnie ALCAN, a permis d'atteindre les

131

buts fixés par le responsable de la formation et les participants. Un rapport d'évaluation de cette expérience permet d'en faire une brève analyse. Les objectifs de mesure étaient à l'effet de vérifier jusqu'à quel point des apprentissages réalisés dans un programme de formation en créativité peuvent être utilisés dans le contexte de travail en identifiant si possible des réalisations concrètes ou des changements dans les comportements, les attitudes et les méthodes de travail des participants.

Les résultats sont des plus encourageants et se définissent comme suit :
— une suggestion intéressante a été faite au comité de sécurité;
— des participants aux sessions se sont réunis pour solutionner un problème important et deux solutions d'intérêt ont été retenues;
— des ateliers de solutions regroupant un certain nombre de participants aux sessions sont cédulés de façon régulière.

Cependant, les commentaires plus généraux qui complétaient le questionnaire donnent des indices d'améliorations souhaitées par les participants aux sessions de ce genre :
— ils se sentent plus à l'aise de travailler avec les techniques apprises quand plusieurs participants aux sessions font partie d'une même réunion;
— les difficultés éprouvées viennent du fait que le milieu n'est pas suffisamment sensibilisé aux techniques de créativité;
— ce cours devrait être donné également aux contremaîtres généraux.

C'est assez bien démontrer les conditions d'implantation de la créativité dans le milieu industriel et la nécessité d'une intervention suivie avec les personnes ayant animé ce genre de session d'entraînement à la créativité.

Dans une autre compagnie d'exploitation minière, la LAKE ASBESTOS CO., le but visé par une session de deux semaines en créativité était d'introduire une cellule de créativité au sein de la compagnie, en regroupant les surintendants et les contremaîtres. En fait, on introduisit les techniques de créativité comme moyen de développer des attitudes positives au sein du groupe dans le cadre d'un programme de formation en relations humaines et en communication.

L'approche analogique fut aussi utilisée comme moyen de déblocage chez les participants, pour mieux sentir les problèmes auxquels ils ont à faire face tous les jours dans leur travail. Par exemple, on a utilisé l'analogie de la « Boucane » (la fumée) dans l'usine, pour tenter de solutionner le problème de réparation du toit de l'usine.

Pendant cette session, deux personnes du milieu assignées par le groupe étaient appelées à se former pour prendre la relève comme animateurs dans les groupes de travail qui auraient à se réunir une fois la semaine, pour travailler sur les projets des clients. Le responsable de la formation devait de son côté assurer la supervision du groupe une fois par mois environ. Malheureusement, une grève générale qui dura six mois mit fin à cette expérience en désorganisant ce groupe de créativité.

Comment l'imagination entre à l'école.

> « *Nous avons la jeunesse*
> *Et les bras pour bâtir,*
> *Nous avons le temps presse,*
> *Un travail à finir,*
> *Nous avons la promesse*
> *Du plus brillant avenir.* »

> VIGNEAULT, poète et chansonnier

Dans cette démarche d'implantation de la créativité au Québec, les enfants eux-mêmes n'ont pas été oubliés. « L'enfant pour nous c'est important », scande le slogan de Radio-Canada. En effet, les enseignants (encore eux!) devaient, après avoir suivi les cours en créativité à l'Université, introduire une application créative en classe. Des scénarios fantaisistes sont nés de ces diverses applications.

Qu'on en juge un peu par le texte suivant né d'une technique d'association forcée entre les éléments : personnage, lieu, objet.

> « Un petit bonhomme
> avec un ballon trop gros
> parti trop haut
> mais pas trop loin
> trois trop
> mais pas trop de trop.

> Il rencontra la méduse à l'unique oreille
> elle était « stone comme une bine »

> Un cheval rose à cinq pattes,
> marchant sur la tête pour ne pas abîmer sa cinquième patte,
> le salua au passage
> d'un geste gracieux de sa queue.

> Une explosion de joie creva le ballon
> le petit bonhomme tomba sur la tête
> d'un triste personnage. »

> (Groupe d'enfants de 12 ans)

Et ce concassage à partir des animaux dans la ville donna des dessins pleins d'humour et d'imagination.

Alfrédo l'éléphant avec sa trompe devint :
— une douche,
— un arrosoir pour les fleurs,
— un déménageur d'édifice,
— un lave-camion,
— un laveur de carreaux.

Domino la tortue avec sa carapace se changea :
— en traversier,
— en autobus,
— en laitier,
— en facteur,
— en porteur de bagages.

et ainsi de suite pour Léo le lion-policier, Cléo la girafe-glissade-pour-enfants et Plumette l'autruche-joueur-de-hockey.

La synectique à l'école d'architecture.

Une expérience de formation en synectique à l'école d'architecture de l'Université de Montréal s'est poursuivie dans les années 1970-1971 et a commencé à porter des fruits chez les jeunes architectes. Des projets intéressants sont nés de la recherche d'idées nouvelles dans les cours d'architecture et plus spécifiquement dans les domaines concernant l'habitation et le logement. Ces jeunes « designers architecturaux » comme on les appelle maintenant, ont eu à tenir compte dans l'élaboration de leurs projets de contraintes particulières comme les limites des ressources et l'économie de l'énergie.

C'est en voulant répondre aux besoins typiquement québécois en matière d'habitation que sont nés les projets de maisons autonomes à énergie solaire ou éolienne. Ces maisons sont orientées pour capter le maximum d'énergie solaire et comprennent une serre à légumes, des réserves de bois de chauffage. (On peut voir les plans de ces maisons autonomes dans la revue DECORMAG, octobre 1971.)

L'habitation nordique présente également un défi de taille pour l'architecte québécois. On n'a qu'à penser à la neige qui s'accumule pour laquelle la solution proposée par un étudiant est la construction sur pilotis, avec une entrée protégée; qu'on pense à la longueur des mois d'hiver, l'on y remédie par l'utilisation des couleurs vives et un éclairage adéquat; qu'on désire vaincre le froid intense, les difficultés de stockage d'énergie, on a pensé à l'énergie éolienne, à l'utilisation des vents. Et surtout, l'on a imaginé des formes audacieuses et harmonieuses qui feraient rêver « nos voisins du Sud » comme disent les gens du nord-ouest québécois.

Il en est de même d'un projet ayant pour thème : « Comment utiliser les bulles comme moyen de transport? » Les idées de solution obtenues à l'aide de la synectique ont été :

— utiliser la forme de bulle comme moyen de transport spatial,
— des bulles en fibre de verre à manettes dirigeables,
— des bulles sur rails pour éviter la circulation au sol,
— des bulles sans roues qui glisseraient sur des coussins d'air,
— des bulles transparentes comme celles en savon,
— des auto-bulles, des bicy-bulles, etc.

Cette recherche d'idées peut paraître farfelue aux yeux du profane mais elle n'a pas empêché un participant à ce groupe de travail de créer un prototype de ce moyen de communication extrêmement futuriste et dont l'inspiration lui est venue grâce à ce voyage (trip) en bulle de savon.

Deux professeurs de l'école d'architecture de l'Université de Montréal ont aussi participé, en 1973, à des travaux, que je qualifierais de sérieux par rapport à ceux qui précèdent, avec un organisme gouvernemental appelé Environnement Canada. Il s'agissait en fait de rechercher les moyens de réparer les dégâts causés à l'environnement par l'huile échappée accidentellement des pétroliers ou, dans les cas de forage, de puits d'huile en pleine mer. Leur participation à l'animation d'un groupe d'ingénieurs et d'architectes fut très appréciée et les techniques utilisées pour arriver à des résultats satisfaisants tant au niveau de bien poser le problème que de trouver des solutions ont été celles de la synectique, bien sûr, de même que le concassage et le brainstorming.

Les Québécois sont-ils créatifs.

« Je n'ai jamais pensé que je pouvais être aussi fier d'être Québécois. »

René LÉVESQUE, 15 novembre 1976

Nous pourrions ici faire l'éloge de la « québécitude » comme disent les sociologues, mais contentons-nous de citer les recherches qui se font présentement sur ce sujet au Québec. Marcel Rioux dit quelque part dans son livre sur « Les Québécois », que « le changement le plus important qui se soit produit pendant la dernière décennie, concerne l'homme québécois lui-même ».

C'est ce qu'un chercheur de l'Université Laval, André Paré, est en train de déterminer dans une recherche qui porte précisément sur les traits de personnalité des Québécois qui créent, à la fois les scientifiques et les artistes. Des entrevues auprès de personnes de l'entourage du chercheur qui ont produit des œuvres reconnues, sont effectuées pour tenter de préciser les états de conscience de la personne qui crée au moment de la création.

Par rapport au schéma du processus créateur, préparation-incubation-illumination, l'intérêt est de voir comment le créateur prend contact avec la matière, que ce soit en sculpture, avec la pierre et le bois, en peinture avec la couleur, ou encore avec la laine en tapisserie. Les questions posées aux créateurs concernent autant leur histoire de vie, les crises et les conflits traversés, que le rationnel de leur création.

D'autres recherches sont également menées à l'Université de Montréal et nous avons pensé qu'il serait intéressant de connaître les publications effectuées sur la créativité. En voici une liste qui n'a pas la prétention d'être exhaustive mais qui informera les lecteurs qui voudraient en connaître davantage.

Le duo de deux Québécoises : de quelques expériences personnelles en particulier.

Interview de Lucie Julien (L.) par Michelle Saunier (M.).

M. — Par rapport à notre expérience à l'Université du Québec, il me semble que tu travailles maintenant davantage dans le milieu, est-ce exact?

L. — En effet, mes expériences de ces trois dernières années se situent au niveau de la formation des enseignants en milieu collégial, à l'intérieur d'un programme de formation sur mesure offert par l'Université de Sherbrooke. C'est donc dire que les stages de créativité doivent nécessairement déboucher sur une application dans l'enseignement et contribuer à l'innovation pédagogique dans les Collèges d'enseignement général et professionnel (C.E.G.E.P.).

M. — Dans quelles disciplines enseignent les professeurs qui s'inscrivent aux sessions de créativité?

L. — Il y en a de toutes les disciplines : sciences, mathématiques, français, génie civil, techniques administratives et techniques infirmières. Vois-tu, ce qui est intéressant, c'est précisément cette multi-disciplinarité des groupes de travail sur les problèmes d'enseignement de l'un ou l'autre professeur participant.

M. — Quelle est l'approche que tu utilises dans ces groupes de travail?

L. — Dans un premier temps les participants au groupe de créativité suivent un stage de cinq jours intensifs appelé : « Entraînement à la créativité ». C'est à la fois une sensibilisation au processus créateur et à certaines techniques de créativité comme l'association, le concassage, le brainstorming, l'analogie, enfin un aperçu des différentes techniques.

M. — Quelle place fais-tu à la pratique de la créativité et à son expression?

L. — En fait, tout au long de ces premiers cinq jours, les participants développent leurs habiletés créatrices par des exercices et des simulations qui font appel à leur imagination et à leur originalité. Par exemple, création de nouveaux objets, de scénarios de théâtre, de bandes dessinées ou autres. J'accorde aussi beaucoup d'importance aux déclencheurs d'ordre graphique, le test de Torrance, par exemple, la représentation d'une analogie en image, la visualisation de principes ou de phénomènes, enfin tout ce côté visuel qu'on a beaucoup négligé pour ne pas dire oublié dans la formation des enseignants.

M. — Est-ce que tu prévois des exercices à partir des situations des participants?

L. — Oui, disons qu'il y a alternance entre les situations dites fictives, et les situations réelles des participants. Ainsi en pratiquant l'analyse défectuologique il est intéressant de prendre une situation propre à une personne dans le groupe, ou commune à une partie du groupe. C'est ainsi que pendant une session nous avons traité du problème du quotidien, des horaires, de la monotonie qui s'installe dans la vie de tous, et comment y remédier. C'est fantastique ce que les gens ont trouvé pour transformer ce quotidien, changements dans l'alimentation, dans les heures de travail, la façon d'occuper le 5 à 7, enfin la fantaisie sous toutes ses formes...

M. — Comment fais-tu le passage à la situation d'enseignement?

L. — Après ce premier stage d'entraînement à la créativité, les professeurs ont pour tâche d'expérimenter l'une ou l'autre des techniques de créativité avec leurs groupes d'étudiants. C'est parfois un exercice graphique qu'ils introduisent dans le cours ou encore de l'association à partir d'un mot, d'une image, ou bien l'analogie personnelle comme moyen d'exprimer plus facilement ses sentiments, « feeling », par rapport à une situation donnée, « comment je suis, comment je me sens comme étudiant, infirmière ou scientifique; je suis un arbre, un courant électrique, un goéland, etc. », comment cela transforme mon rôle de professeur.

M. — Quels sont les résultats de l'introduction de ces exercices de créativité dans les cours disciplinaires?

L. — Par rapport au schéma du processus créateur, c'est à la phase préparation et incubation que les professeurs interviennent davantage par les jeux, les exercices de créativité, les déclencheurs audio-visuels. C'est alors que se produit le changement souhaité dans l'apprentissage des étudiants par la plus grande participation à la découverte, par les travaux individuels ou collectifs, les réalisations de projets éducatifs de tous genres.

M. — Y a-t-il des disciplines où la créativité s'applique mieux que d'autres?

L. — A la limite non, mais il est bien reconnu que l'enseignement du français, du théâtre et des arts plastiques sont des domaines connexes à l'expression de la créativité. Mais je suis toujours étonnée de voir comment les professeurs de biologie et de chimie, voire de mathématique, trouvent le moyen d'introduire eux aussi des jeux de créativité, au niveau de l'acquisition du vocabulaire scientifique par exemple. J'ai en tête l'exemple de ce passionné de la biochimie qui introduisit le jeu de la Glycolyse et de la Lipolyse pour faire mieux comprendre les principaux cycles métaboliques de la cellule et faciliter ainsi la compréhension des principaux phénomènes pathologiques qui s'y rattachent.

Et cet autre professeur d'histoire, qui au lieu d'un test de connaissance a fait représenter aux étudiants leurs notions sur un événement historique à l'aide d'un poster réalisé en petits groupes de deux ou trois étudiants.

M. — Est-ce que, en général, les professeurs à qui tu t'adresses sont motivés à changer quelque chose dans leur pratique de l'enseignement?

L. — En général oui, ceux qui viennent participer aux stages de formation continuent ensuite à pratiquer le changement autant dans leur vie personnelle que professionnelle. On a même demandé un deuxième puis un troisième stage en créativité au Cégep Bois-de-Boulogne, c'est dire l'intérêt manifesté à ce genre d'intervention.

M. — Je pense que tu as aussi connu un autre type de consultation dans un organisme rattaché à l'Université du Québec, de quoi s'agit-il au juste?

L. — Cette fois-ci c'est un programme de perfectionnement des professeurs de français à l'élémentaire et au secondaire, appelé PERMAFRA. Ce programme est actuellement en application dans plusieurs régions du Québec et nous attendons les résultats de cette expérience des plus intéressantes au niveau de la créativité et de l'innovation pédagogique. Il s'agit d'un système d'enseignement à distance, sous forme de vidéo, de films, de bandes sonores ou d'autres modes de communication audio-visuels. Des cours sont préparés par des spécialistes dans la matière et des concepteurs pédagogiques. Ces cours ou activités sont ensuite diffusés dans les différentes régions et des animateurs assurent le relais au niveau de l'apprentissage dans les groupes de personnes inscrites à ces cours.

M. — Peux-tu donner un exemple d'une activité à laquelle tu as participé comme concepteur pédagogique.

L. — Voyons comment se présente l'une des activités suggérées aux enseignants inscrits à PERMAFRA et appelée « Cré-activité ». Elle vise à faire prendre conscience des problèmes reliés à l'enseignement de la littérature à l'élémentaire et au secondaire. Une cassette sonore permet à l'apprenant de s'exercer à la pratique de certaines techniques de créativité pouvant l'aider à résoudre ces problèmes.

Le document sonore se divise en trois parties : dans une première partie, l'animateur propose une démarche qui vise à faire prendre conscience d'une situation problématique. Il amène l'apprenant à se définir par rapport à cette situation et à préciser celle-ci au moyen d'un schéma graphique (*Schéma de l'arbre*).

Dans la seconde partie, l'apprenant effectue un entraînement à une technique de créativité : le CONCASSAGE. Il s'exerce à cette pratique à partir d'une simulation sur l'amélioration d'un stylo à bille. Puis il applique ce procédé à une situation réelle, l'expression écrite chez l'enfant et tente de découvrir des solutions nouvelles.

Par la troisième partie, il effectue un entraînement à une autre technique de créativité : la DEFECTUOLOGIE. L'étude des défauts du livre de lecture et des insatisfactions engendrées par celui-ci mène à la recherche d'améliorations et à la création d'un nouveau type de livres pour les jeunes. Il en va de même pour l'activité de lecture qui demande à être réinventée et pour laquelle l'apprenant doit rechercher les améliorations possibles.

— Tassé, Colette, professeur à l'Université de Montréal : *Rythme cardiaque et Créativité,* Annales de l'ACFAS, 1974, 41, n° 3, pp. 19-25.

— Dudek, Stéphanie : *Psychologie de la forme créatrice.* Publication Musée d'Art Contemporain, Montréal, 1977.

— Tassé, Colette et Suzanne Mailhot : *Quantité d'informations et production créatrice, effet de deux séries de stimulations visuelles sur la fluidité, la flexibilité et l'originalité,* « Revue de Psychologie Appliquée », vol. 27, n° 1, 1977.

— Bernèche, René et D. Renaud-Duaner : *Rapport sur la perception pour les arts.* Université du Québec à Montréal, 1976.

— Paré, André : *Pédagogie ouverte et Créativité,* H.M.H., Hurtubise, Montréal, 1977.

---

1. On trouvera à l'annexe C la liste des personnes œuvrant en créativité au Québec.

13.
Quelles sont les techniques pour développer la créativité?

« Ces mystères nous dépassent. Feignons d'en être les organisateurs. »

Jean COCTEAU

Il ne saurait être question, dans le cadre limité de cet ouvrage, de faire une description exhaustive des techniques de créativité proposées et utilisées par les spécialistes de ces problèmes.

Dans un rapport très fouillé réalisé pour Philips France, J. Carrer n'en dénombre pas moins de cent dix-huit. Et encore ne parle-t-il pas des dernières nouveautés en la matière!

En fait, si l'on examine d'un peu près ces techniques et ces « méthodes », on s'aperçoit qu'il existe quelques grandes familles d'où dérivent la plupart des méthodes aux noms alléchants.

La créativité, bien sûr, trouve un champ d'application privilégié dans la recherche de nouvelles techniques de découverte. On peut, presque à l'infini, combiner celles qui existent entre elles ou les combiner avec des techniques empruntées à d'autres disciplines. Pour arriver à ses fins, c'est-à-dire trouver une solution à un problème, il faut faire feu de tout bois et utiliser au mieux les possibilités qui nous sont offertes.

Le *chemin d'invention* que je propose dans cet ouvrage ne prétend pas, ainsi, à l'originalité. Il emprunte à l'analyse de la valeur, à l'approche analogique, au brainstorming, à la sémantique, à certaines méthodes rationnelles d'analyse des problèmes.

Du reste, il évolue sans cesse puisque, depuis cinq ans d'application, à la suite de réflexions et de recherches de participants à mes séminaires, il a été profondément remanié, tant sur la forme que sur le fond.

Autrement dit, il existe un certain nombre *d'approches de base* — on pourrait les qualifier de fondamentales — à partir desquelles chacun est libre de broder et d'imaginer pour se construire ses outils d'application.

Du reste, on peut se demander ce qu'est une « technique de créativité ».

Certainement pas une recette. Il ne suffira pas d'appliquer au pied de la lettre les règles du brainstorming ou d'utiliser les analogies pour arriver, forcément, à *la* solution.

Rien de comparable donc avec une expérience de chimie où les mêmes causes vont produire les mêmes effets.

Le travail de création, heureusement, a ses mystères. Le peintre, par exemple, qui a acquis une technique parce qu'elle correspond, à un certain moment, à son désir d'expression, devra trouver une nouvelle technique le jour où celle qu'il possède bien ne lui permettra plus de résoudre les problèmes qu'il se pose.

Disons alors que ces techniques sont une aide à la création. Certains chercheurs, tels que Gordon, ont voulu reproduire de façon systématique le cheminement créatif général (c'est-à-dire supposé identique quel que soit le problème posé) en espérant qu'il suffira de suivre ce cheminement pour arriver à la création.

On peut en discuter, de façon théorique, à l'infini. De façon pragmatique (et ce fut l'approche de Gordon), reconnaissons que ces techniques donnent d'excellents résultats dans la grande majorité des cas. Donc, nous les utilisons.

Pour simplifier, je dirais que ces techniques sont des moyens d'ouverture, d'aération mentale.

Et c'est là, je pense, leur utilité profonde : ce ne sont pas tant des outils de travail que des *instruments de transformation des individus*.

Leur pratique régulière et soutenue entraîne les individus à modifier leurs approches mentales, à penser autrement et à utiliser des ressources profondes qu'ils ne soupçonnaient pas en eux-mêmes.

Prenons une analogie un peu simpliste : le photographe amateur n'utilise généralement que l'objectif de 50 mm. Voici qu'on lui offre un jeu complet d'objectifs allant du « fish-eye » au téléobjectif de 1 000 mm. Soudain sa vision du monde se multiplie de façon étonnante. Ce sont d'autres univers qui se révèlent à lui. Les objectifs lui apprennent à voir la réalité de mille manières. Sa vision se transforme et, par là même, sa conception de la réalité.

Les techniques que je vais essayer de décrire (il est beaucoup plus important de les vivre) ont ce but principal : amener à saisir les problèmes dans toutes leurs dimensions, ouvrir de façon démesurée le champ de l'esprit, faire exploser ce qu'on nomme la réalité (objective et froide) en d'autres réalités, mouvantes, contradictoires, chaleureuses, infiniment riches.

Plus loin encore : les techniques de créativité conduisent l'individu (en cela puissamment aidé par le groupe) à découvrir que sa propre réalité, qu'il croyait connaître, est, en fait, terre inconnue.

Qu'elle recèle des trésors oubliés ou cachés. Et qu'il va falloir, par des chemins détournés et insolites, les aller quérir.

Alors, sans doute, sont-elles, ces techniques, des aides efficaces à l'exploration de mondes ignorés d'où vont surgir d'étonnantes choses. Pour peu qu'on se sente, au départ, l'âme d'un explorateur...

Pour aider le lecteur à mieux saisir le fonctionnement des différentes techniques, je lui propose un certain nombre d'exercices propres à développer sa créativité.

Ces exercices seront beaucoup plus intéressants si vous les pratiquez en groupe. Par exemple, vous réunissez quelques amis pour une soirée et, au lieu d'échanger des banalités, vous leur proposez de faire ces jeux.

Ils s'adressent aussi au professeur et à ses élèves. Déjà, des enseignants pratiquent ce genre d'approche dans leurs classes en les adaptant éventuellement à la matière enseignée.

Ils peuvent être également utilisés dans l'entreprise. En début de réunions ou lorsque vous sentez que l'attention se relâche, proposez aux participants de se livrer à l'un ou l'autre de ces exercices. Au début, ce sera la stupéfaction puis, peu à peu, cela rentrera dans les mœurs (j'écris cela sans trop d'illusions, sachant trop bien comme les gens ont peur de ne point paraître « sérieux »).

Le brainstorming

Cette technique élémentaire de développement de l'imagination et de production d'idées a été mise au point par Alex Osborn, il y a maintenant près de quarante ans.

Osborn dirigeait aux Etats-Unis une importante agence de publicité, entreprise où la demande d'idées nouvelles est particulièrement importante. Pour trouver des slogans, des thèmes, des plans de campagne, des réunions sont organisées entre collaborateurs de l'agence et chacun lance ses idées.

Or, constate Osborn, le résultat de ces séances est très décevant.

Il s'interroge sur le phénomène, analyse le déroulement de ces séances et réfléchit sur les observations qu'il en tire.

A partir de ce matériau, il élabore une méthode de recherche collective d'idées qu'il baptise *brainstorming* (alliance de *brain* : cerveau et *storm* : tempête) [1].

Quelles ont été les constatations principales d'Osborn?

---

1. On a proposé la transposition française « remue-méninges ». Malheureusement, le terme anglais était trop fortement implanté.

Tout d'abord que la tendance naturelle des individus, lorsque quelqu'un lance une idée, n'est pas de l'accepter et de l'accueillir avec sympathie, mais de la rejeter.

On peut trouver à cela plusieurs raison :

— une idée nouvelle et originale est, par nature même, insolite. Donc inquiétante. Sa nouveauté bouscule l'habitude et, dans une certaine mesure, notre façon de penser. Elle choque, elle trouble. La première tendance, qui ressemble à un réflexe de défense, est de la repousser.

Il existe, pour cela, de nombreux moyens.

Voici, à titre d'exemple, quelques phrases significatives : « Ce n'est pas original, ce n'est pas le problème, ça ne plaira pas, ça coûtera trop cher, on l'a déjà fait, c'est très drôle mais ça ne passera pas, ce n'est pas réalisable techniquement, etc. » Dans les meilleurs cas, on suggère de créer une commission d'études qui aura pour mission de l'examiner... et de l'enterrer.

— Dans un système de concurrence entre individus, l'idée novatrice émise par quelqu'un d'autre que soi-même est particulièrement dangereuse. Elle risque de mettre en valeur celui qui la propose s'il parvient à la développer et à la mettre en réalisation.

Il a donc des chances de passer d'abord, d'obtenir le poste que l'on convoitait, de se faire remarquer par la direction, etc. Il s'agit donc de se défendre et, pour cela, de minimiser l'idée de son « concurrent », quitte à la reprendre ensuite à son profit.

C'est la technique du Gaspard de la comtesse de Ségur qui sent dans André, un jeune homme engagé par M. Féréor, un créatif rival :

— ANDRÉ. — *Je m'étonne que M. Féréor, qui fait tant de plaques de cuivre, ne fasse pas de feuilles pour couvreurs.*

— GASPARD. — *Ce serait un tout autre travail que celui de nos usines : on ne travaille pas le cuivre comme de la toile goudronnée.*

— ANDRÉ. — *C'est dommage qu'on ne puisse pas travailler ça comme une pâte!*

— GASPARD. — *Comment veux-tu que le cuivre, qui est un métal si dur, se roule comme une toile ou une pâte?*

— ANDRÉ. — *On pourrait le détirer comme on fait pour le fil de laiton.*

Gaspard et André plaisantèrent beaucoup de cette idée; mais Gaspard, qui avait compris qu'il pouvait y avoir quelque chose de bon à en tirer, poussa beaucoup André à développer sa pensée, tout en riant. Puis Gaspard, voulant la lui faire oublier, lui parla de ses parents, de sa famille, de sorte qu'André ne songea plus aux couvertures au mètre que comme à une bêtise impossible.

Gaspard y pensa si bien et si longtemps, que, deux mois après, il avait un plan de manufacture de cuivre et de zinc malléable et pouvant être roulé comme la toile.

— L'idée nouvelle va souvent à l'encontre des opinions, des croyances, des normes du groupe dans lequel elle est émise. Il est alors normal que le groupe la rejette.

Imaginer une école sans maîtres dans un groupe de professeurs, une rotation du personnel aux différents postes de l'entreprise dans un groupe de cadres, une organisation sans structure ascendante dans un parti politique, voilà qui va déclencher aussitôt des tollés sans que personne ne cherche sérieusement à considérer ce qui est intéressant dans l'idée émise.

— Lorsqu'elle est formulée pour la première fois, l'idée originale est exprimée sous une forme vague, souvent paradoxale, toujours incomplète. Elle demande à être triturée, enrichie, reformulée. Elle exige donc un nouvel effort d'imagination important, d'autant plus important que l'idée s'écarte du familier et du reconnaissable.

Comme le dit Stephen Spender, c'est d'abord « le nuage obscur d'une idée que je sens devoir condenser en une pluie de mots ».

Or, ce qui plaît, ce qui rassure, c'est l'idée achevée, prête à être mise sur la table à dessin ou à être appliquée par le service marketing; l'idée élaborée, visualisée. L'idée « qui ressemble à quelque chose ».

Mais le propre d'une idée originale c'est justement de ne ressembler à rien d'existant, d'être un monstre qu'il va falloir apprivoiser, cerner, reconnaître. A cela, on se refuse, par mouvement naturel. Donc, on tue, à peine né, sous le feu de la critique, le « monstre » qui risque de surgir.

Ces constatations, que chacun de nous peut faire dans les réunions auxquelles il assiste, en amènent une autre : si les commissions, séances de travail, groupes d'études, etc., sont si peu productifs, c'est également qu'ils mélangent deux approches :

— l'approche imaginative de recherches d'idées

— l'approche évaluative de jugement de ces idées.

C'est-à-dire que dans la réunion traditionnelle, sitôt qu'une idée est émise, on passe à son examen critique (moyens de réalisation, coût, rentabilité, etc.). Pendant cette période, surtout si l'idée est bonne et riche, on ne cherchera plus d'autres idées. On n'aura donc que peu de chances de trouver d'autres solutions au problème posé et, peut-être de meilleures solutions puisqu'on aura dépensé toute son énergie à critiquer la première idée venue.

En fait, pour parler de façon plus technique, on mélange, dans la même séquence de travail, l'approche *divergente* qui consiste à rechercher le maximum d'idées de solutions et l'approche *convergente* qui consiste à chercher une réponse unique en s'efforçant de canaliser toute la pensée vers cette réponse.

A partir de ces analyses, Osborn a défini une méthode : *la méthode du jugement différé* et un certain nombre de *préceptes* propres à rendre le travail de groupe beaucoup plus créatif.

Premier précepte : ne critiquez pas.

Ce précepte a plusieurs significations.

— Tout d'abord qu'on accepte, au cours de la recherche d'idées, toutes les idées émises avec la même sympathie.

En effet, il est impossible, à ce stade de la recherche, de dire quelle idée est meilleure qu'une autre. Comme on l'a souligné plus haut, les idées les plus « farfelues » risquent d'être aussi les plus originales. Tant qu'elles n'ont pas été extraites de leur gangue, il est pratiquement impossible de savoir s'il s'agit de purs diamants ou de misérables cabochons.

Donc, lorsque quelqu'un émet une idée, on l'accepte. Si elle ne satisfait pas, eh bien! on en produit une autre qui paraît plus intéressante ou plus exploitable.

— Cela signifie aussi qu'on ne se critique pas soi-même. Trop souvent, au cours de réunions, on ne dit pas ce qu'on a envie de dire. Parce que, pense-t-on, cela n'a pas de rapport avec le sujet, parce que cela pourrait choquer quelqu'un, risquerait de déplaire. On a peur de se faire mal voir, de paraître stupide, pas au courant, incohérent, original.

Bref, on est effrayé à l'idée de devoir affronter le jugement du groupe, surtout si ce groupe est un groupe hiérarchisé. Que va penser de moi mon supérieur si je dis cela? Que vont penser mes subordonnés si je lance cette idée « idiote »?

Alors, on se tait et l'on n'émet que les idées qui, semble-t-il, auront le plus de chances de répondre aux normes générales du groupe et d'être acceptées par lui.

Dans la technique de brainstorming, au contraire, on pousse les individus à émettre ce genre d'idées. Qu'ont-ils à risquer et à perdre puisque tous les participants se sont engagés à ne pas critiquer, au moment où elles sont émises, les idées des autres?

— Cela signifie enfin qu'il faut s'efforcer de ne pas se livrer à cette critique profonde de ses pensées qui fait qu'on ne veut pas se dire à soi-même certaines choses. Donc, encore moins les exprimer devant les autres.

Cette notion d'idée irrecevable — pour des motifs d'ordre religieux, sexuel, politique, etc. — est très importante. Elle amène chacun à se censurer de façon souvent inconsciente et à maintenir son imagination dans les strictes limites d'un champ déterminé à l'avance.

Il est évident qu'une telle censure est très difficile à lever surtout si elle n'est pas perçue de façon consciente par les individus. On ne veut pas parler de *cela*.

Pour briser ces barrières il faudra véritablement modifier sa pensée de telle sorte qu'on accepte, avec le même esprit d'accueil, les pensées qui nous effrayent nous-mêmes.

Deuxième précepte : l'imagination la plus folle est la bienvenue.

Depuis le plus jeune âge, on nous a appris qu'il faut, avant de parler « tourner sept fois sa langue dans sa bouche ». De cette manière, on ne dira que des choses censées, logiques, réfléchies.

Ce qui est recherché, dans une séance de brainstorming, ce ne sont pas ces idées banales et rassurantes qui recueillent l'assentiment général parce qu'elles ne dérangent aucune habitude mentale, mais bien ces étincelles qui font jaillir la nouveauté.

On a vu, au début de ce livre, quelques-uns des principaux freins qui empêchent notre imagination de donner sa pleine mesure.

Il est certain que pour réussir à faire émerger du groupe une folle imagination, il ne suffira pas d'énoncer cet impératif. Il faudra aider les participants, grâce à des exercices verbaux et corporels complétés par des réflexions et des analyses sur les blocages qu'ils rencontrent, à lever ces freins. On les amènera ainsi, de façon progressive, à cet état, toujours exaltant pour ceux qui le vivent, où le rêve parvient à s'exprimer en toute liberté, sans contraintes externes ou internes.

Lorsque cette imagination folle se sera exprimée, on tentera de la rendre « sage » lors de la phase d'évaluation et de mise en forme.

Troisième précepte : on cherche le plus grand nombre d'idées.

Le groupe de brainstorming a pour but d'apporter au problème posé le plus grand nombre de réponses *possibles*. Parmi toutes ces réponses, il y en aura peut-être seulement 10 % d'utilisables. Ou 5 %. Ou moins encore. Alors, peut-on se demander, pourquoi cette débauche d'idées qui ne serviront pas?

On peut répondre à cette critique, souvent formulée contre le brainstorming, de plusieurs manières :

— avoir beaucoup d'idées, même non exploitables (je refuse le terme de « mauvaise » idée) est déjà un bien en soi. Cela constitue un excellent entraînement mental,

— on a une fâcheuse tendance à se contenter de la première idée qui semble apporter une solution convenable au problème posé. Cette technique force à aller plus loin, à trouver mieux (« la première idée, la bonne, celle dont il faut se méfier », disait Talleyrand),

— au niveau du choix, il est bien préférable d'avoir plusieurs solutions possibles qu'une seule. Cela permet de faire des combinaisons, d'emprunter à une solution un élément qui en enrichira une autre,

— plusieurs idées non utilisables lorsqu'elles sont prises séparément peuvent, une fois combinées, donner une solution très riche qui n'aurait pas été trouvée sans l'utilisation de ces « scories »,

— au cours de la recherche, une recherche de nom par exemple, des idées émises par le groupe vont pouvoir être utilisées à d'autres fins que la fin principale. Par exemple, pour établir un plan de campagne publicitaire du produit, pour trouver des arguments de promotion, etc.,

— les « scories » de la recherche sont souvent utilisables dans d'autres domaines que celui où l'on travaille. Il convient donc d'examiner avec soin tout ce qui a été trouvé afin de déterminer s'il n'y a pas une application possible — dans et hors l'entreprise.

Par exemple, lors d'une recherche de noms, un grand nombre de noms est produit (de l'ordre du millier) parmi lesquels un seul sera retenu.

Mais, dans toutes les idées émises se trouvent de nombreuses richesses :

— noms pour d'autres produits de l'entreprise,

— noms à vendre à d'autres firmes,

— idées pour des thèmes et des slogans publicitaires,

— idées de campagnes de lancement,

— idées de nouveaux produits, etc.

Bien souvent, malheureusement, les entreprises ne savent pas (ou ne veulent pas) exploiter les idées qui ne rentrent pas de manière précise dans le cadre de leurs activités ou de leurs préoccupations.

On pense un peu au chercheur de diamants qui jetterait toutes les pierres qui ne sont pas de couleur rouge parce que c'est uniquement celles-ci qui ont sa préférence [1].

---

1. Je reviendrai beaucoup plus précisément sur ce gaspillage d'idées dans les structures, particulièrement les structures industrielles françaises, dans *La créativité en action*, t. 2.

Quatrième précepte : on recherche les combinaisons et améliorations d'idées.

A l'école, on nous interdisait de copier, de voler aux autres leurs idées. Dans le groupe de brainstorming, au contraire, tous les coups sont permis. Quelqu'un émet une idée, un autre s'en empare, la transforme et l'améliore à son gré. Un autre accapare la nouvelle idée et la refait à sa guise. Un participant « vole » les deux idées et en les associant en construit une troisième.

Cette espèce de ping-pong intellectuel repose sur les mécanismes suivants :

— *l'association d'idées* : j'entends cafetière et cela me fait penser à locomotive qui, elle-même, me fait penser à aiguillage. De là je construis une idée,

— *l'association phonétique* : j'entends un mot, je le déforme (et ici tous les jeux de mots, calembours, même très mauvais, sont souhaités) et cela fait apparaître une nouvelle notion,

— *les rencontres insolites* : entre deux termes, deux idées, deux mots dont surgit quelque chose de nouveau (on verra plus loin l'utilisation systématique de cette approche),

— *les hasards* : entre tout ce qui s'est passé avant la séance, et ce qui se passe pendant, des collisions aléatoires se font. Un mot jeté dans le groupe fait surgir chez un participant une idée qu'il ne formulait pas jusqu'ici. C'est un peu, si l'on veut, la pomme qui permet à Newton de formaliser une réflexion depuis longtemps entamée.

Voilà donc, brièvement présentés, les préceptes d'Osborn. Nous les retrouverons, sous diverses formes, dans toutes les autres techniques de créativité.

Le respect seul de ces préceptes entraîne une amélioration considérable dans le travail d'un groupe. Le fait de séparer systématiquement la phase de recherches d'idées et la phase d'évaluation des idées, me semble un apport capital, même s'il correspond à un simple bon sens.

Comme le faisait remarquer un cadre d'entreprise après quelques séances de travail de ce type : « C'est la première fois que dans notre entreprise nous parvenons à travailler de manière constructive sans passer notre temps à nous engueuler. »

Voici un exemple, délibérément choisi peu sérieux (mais est-ce si peu sérieux...) d'un travail fait par un groupe de cadres sur le thème « comment demander une augmentation à son patron » :

— Jouer sur la pitié :
    — arriver en haillons, avec sa famille, au bureau,

- tomber d'inanition, devant lui, dans les couloirs,
- l'inviter à déjeuner et, au moment de régler l'addition, avouer que l'on va devoir faire la plonge pendant le week-end.

— Jouer sur la flatterie :
- s'habiller comme lui, mais avec une petite faute de goût,
- se laisser battre au tennis,
- le contredire systématiquement (pour prouver son caractère) mais se laisser convaincre à la fin en lui faisant remarquer qu'il est vraiment très fort,
- lui demander conseil pour le choix d'un sport,
- lui dire qu'il rajeunit,
- avoir sa photo dans son bureau,
- le mettre en valeur en public, lui demander, par exemple, de raconter cette histoire si drôle... et en rire très fort.

— La complicité :
- lui apporter des photos de « séminaires » peuplés de belles créatures et lui faire comprendre qu'on peut les mettre en rapport,
- lui proposer des alibis d'emploi du temps (pour sa femme, sa maîtresse),
- lui prêter un studio où il puisse travailler en toute quiétude avec sa secrétaire,
- sortir sa femme (ou sa maîtresse),
- le débarrasser d'une maîtresse devenue encombrante,
- s'inscrire au même parti politique que lui.

— Les moyens forts :
- le faire chanter,
- mettre une bombe dans son bureau, la découvrir et la désamorcer au risque de sa vie,
- se faire sauver la vie par lui,
- pratiquer la magie noire,
- s'exercer à l'hypnotisme pour le décider à accorder une augmentation,
- menacer de démissionner dans un moment critique,
- chercher ses « failles sexuelles » soit pour le faire chanter soit pour lui offrir des moyens de les satisfaire,
- si on est une femme, lui proposer un strip-pocker pour jouer son augmentation et le perdre.

— Le charme :
- l'écouter,
- le choyer, l'entourer de petits soins,
- faire une quête pour son anniversaire (et composer un chant qu'interprètent les autres employés).

150

Quelles sont les possibilités du brainstorming?

Introduit en France par des cadres et des chefs d'entreprise revenant des Etats-Unis, le brainstorming connut la même faveur que connurent en leur temps le TWI, l'organisation, la méthode PERT et la Direction Par Objectifs, pour ne citer que quelques modes.

C'est-à-dire qu'on en fit une panacée. Dans un bel et naïf enthousiasme, le chef d'entreprise réunissait ses cadres et, sans préparation préalable, sans réelle compréhension des préceptes, sans aucune compétence d'animateur, leur proposait n'importe quel problème (généralement très vaste et mal défini) en leur demandant de le résoudre en une séance de deux heures.

Evidemment, les échecs furent nombreux et, loin de remettre en cause les méthodes d'application, on accusa la technique elle-même. La mode passa...

En fait, le brainstorming est un outil remarquable mais difficile à manier (comme toutes les techniques de créativité) dans la mesure où il demande la création d'un climat favorable à l'éclosion d'idées, un très bon animateur et suppose une adhésion rigoureuse aux principes de base — particulièrement le « ne critiquez pas » si difficile à faire respecter à nos esprits cartésiens.

Plus profondément encore, il exige une préparation des esprits qui ne se fait pas en quelques instants.

Sous la forme que nous venons de décrire, il s'adapte bien à des problèmes simples et strictement définis. Par exemple : recherche de noms, de slogans, de produits, de moyens de promotion, de diversification de produits, etc.

Il n'est pas une fin en soi mais surtout le premier moyen de faire surgir les idées avant l'utilisation d'autres techniques — en particulier les techniques analogiques qui tendent à faire aller les participants très loin au fond d'eux-mêmes pour chercher des idées.

Développez votre créativité.

1. Le naufragé sur l'île déserte.

— Vous êtes naufragé sur une île déserte. Un jour, en explorant votre île, vous découvrez, échouée sur une plage, une grande quantité (ce doit être la cargaison d'un navire, rejetée là par les courants) :

a) d'ampoules électriques,
b) de boutons de culotte,
c) de stylos à bille.

Il s'agit d'imaginer toutes les utilisations que vous pouvez faire, *en tant que naufragé,* de chacun de ces objets. En essayant, bien sûr, d'être le plus original possible.

Ce jeu peut se pratiquer individuellement mais il sera beaucoup plus riche si vous le faites en groupe.

Si le groupe est nombreux, vous avez intérêt à le subdiviser en petits groupes de quatre ou cinq personnes qui travailleront sur le même sujet. Ensuite les sous-groupes mettront en commun leurs idées.

2. Le commerçant embarrassé.

— Le directeur d'un magasin à grande surface veut lancer un nouveau produit. Il s'agit d'un soufflé en boîte à cuisson rapide. (On enlève le couvercle, on met la boîte au four et, en cinq minutes, on a un soufflé admirablement levé.) Malheureusement, il n'arrive pas à trouver d'idées originales pour faire la *promotion sur le lieu de vente de ce nouveau produit.*

Aussi demande-t-il à un groupe de créativité de lui fournir le maximum d'idées sur le sujet.

Attention! Il ne s'agit pas de produire des slogans publicitaires mais bien des actions de promotion à réaliser dans le magasin ou, éventuellement, sur le parking attenant à celui-ci.

3. Les crayons créatifs.

— Voici des formes simples. Il s'agit d'abord de réaliser, à partir de chacune d'elles, un dessin dont la base sera la forme, *en lui gardant le même sens.* Ce dessin doit être figuratif.

Par exemple, à partir de la forme ⌇ j'imagine un chameau.

Comme je dois lui garder son sens vertical, j'y ajoute un trait vertical qui me donne l'idée d'en faire un palmier. Voici un chameau qui va
cueillir son régime de dattes.

Lorsque vous aurez réalisé vos huit dessins, recommencez le même
exercice mais en essayant cette fois-ci de réaliser *un seul dessin* incorporant les huit formes de base en gardant à celles-ci leur sens et leur disposition d'origine.

Cet exercice peut être individuel ou collectif. Vous pouvez, comme
le précédent, le pratiquer plusieurs fois de suite en essayant, à chaque
fois, de faire des dessins très différents de ceux déjà réalisés.

153

Le concassage.

Dans la technique du brainstorming, dont on vient de voir les orientations essentielles, une question reste en suspens : comment faire pour que les idées folles que l'on demande au groupe sortent en grande quantité? Après avoir jeté celles qui viennent spontanément à l'esprit, quelles voies emprunter pour éviter de tourner en rond par les sentiers battus?

Dans son ouvrage, Osborn consacre un nombre important de pages aux différentes approches qui permettent d'envisager le problème posé sous différents angles, de l'attaquer de toutes parts, de le casser, de le dynamiter afin de faire surgir le plus grand nombre de réponses nouvelles.

Ces approches, ces attaques ont été regroupées sous le terme de « concassage ». Il s'agit de faire subir à un objet, à un système, à un concept, une série d'agressions pour faire surgir des idées nouvelles.

On va donc considérer le problème en question sous des *angles insolites*. Pour aider le groupe à trouver ces angles, on lui propose un certain nombre de *pistes de recherches* qui ont été regroupés sous les thèmes suivants :

— *on agrandit* : la forme, le poids, le prix, l'usage, la durée, etc.,

— *on diminue* : le volume, le prix, l'usage, etc.,

— *on améliore* : la forme les performances, la matière, etc.

— *on associe* : avec un autre objet, avec une autre fonction, avec quelque chose de très différent, etc.,

— *on utilise un autre procédé technique* : on remplace l'électricité par la vapeur, l'accrochage mécanique par l'accrochage magnétique, etc.

— *on inverse* : en pensant à l'envers, en renversant les fonctions, en transformant le bien en mal, le laid en beau, etc.

— *on le supprime* : par quoi alors peut-on remplacer l'objet initial pour que les fonctions qu'il remplissait soient encore mieux assurées?

Pour vous rendre cette approche plus familière, voici quelques exemples :

Le premier est emprunté à Alphonse Allais (*Une invention*) [1] : un jour, Alphonse Allais se promène et il pleut à verse. Il se réfugie sous les arcades de la rue de Rivoli. Le mécanisme de l'invention se met alors en route. Il pense d'abord à obliger les propriétaires à construire leurs

---

1. Dans *La logique mène à tout* (Pierre Horay).

maisons avec des arcades. Puis à promulguer une loi qui forcerait les commerçants à tendre des toiles devant leurs boutiques pour abriter les passants.

A ce point, il diminue : « Mais pourquoi chaque citoyen n'aurait-il pas sa petite tente à lui? Une petite toile soutenue par des bâtons légers, du bambou, par exemple, qu'on porterait soi-même au-dessus de sa tête, pour se garantir de la pluie. »

Puis il améliore son idée : étoffe taillée en rond, tendue sur des baleines réunies autour d'une sorte de canne; système permettant de fermer et d'ouvrir cette petite tente, modèles différents pour les ouvriers et les personnes aisées, etc.

Enfin, il trouve un nom à son invention : « Alors je me suis dit : Voyons... j'ai fait une invention simple, donnons-lui un nom simple. Mon appareil est destiné à parer à la pluie, je l'appellerai Parapluie. »

Et, conclut-il : « Je vais prendre mon brevet au ministère, je n'ai pas envie qu'on me vole mon idée. Car, vous savez, quand une idée est dans l'air, il faut se méfier. »

Le second est emprunté à la réalité courante; nous sommes entourés d'objets qui sont nés d'une telle approche :
- le briquet et le rasoir jetables proviennent d'une diminution de la durée d'usage du briquet et du rasoir ordinaires.
- Le container (ou conteneur) provient d'un agrandissement de la valise.
- La brosse dite « pick-up » provient d'un changement de procédé technique de la brosse à habit.
- Le lecteur de cassettes est une diminution du magnétophone à bandes.
- Le « sacco » (siège mou composé d'un emballage bourré de billes de plastique) est une suppression du siège traditionnel.
- Le traitement des tumeurs par obstructions des vaisseaux irrigateurs est une inversion de l'embolie.
- etc., etc.

Le troisième exemple est tiré d'une recherche faite par un groupe de créativité sur un objet connu de tous : *la valise.*

Le point de départ de la recherche est le suivant : un fabricant de valises demande à un groupe de créativité de faire passer son produit dans le « concasseur mental » afin :
- d'améliorer le produit existant,
- d'imaginer de nouveaux produits,
- de trouver des produits, des services, des systèmes de substitution destinés à remplacer la valise.

Notre fabricant, qui a les idées larges (il a suivi un séminaire de créativité), demande au groupe de chercher le maximum d'idées sans émettre aucune restriction d'ordre technique (ce sera à ses services, ensuite, d'étudier les moyens de réalisation) ou d'ordre psychologique (il demande instamment au groupe de remettre en cause, le plus largement possible, le produit actuel. Il prévoit, en effet, que la valise n'est pas éternelle et qu'il y a d'autres systèmes à trouver. Disons que ce chef d'entreprise a une vision prospective).

Donc voici une valise. C'est un objet composé d'un certain nombre de *constituants*. Il remplit un certain nombre de *fonctions*. C'est précisément pour cela qu'on l'utilise (on reviendra plus longuement sur cette notion au chapitre 14). Disons, pour l'instant, que la valise remplit des fonctions *techniques* : permettre d'emporter ses affaires en voyage, etc. et des fonctions psychologiques et sociales : donner à son utilisateur un aspect élégant, lui donner une contenance, lui permettre d'avoir avec lui un petit morceau de son univers familier, etc.

Cet objet se situe dans un certain environnement *technique* (le train, la voiture, l'hôtel) et social (la nécessité de se déplacer, l'envie de donner une certaine image de soi-même, etc.).

Bien. Regardez maintenant cet objet usuel, banal, auquel vous ne faites même plus attention (sauf quand il s'ouvre au moment où vous descendez du train) et regardez les idées qu'il peut apporter en suivant les différentes pistes du concassage.

1. Agrandir.

— Une valise extensible, soit par système d'accordéon, soit par des tubes coulissants.

— Une valise gonflable. Elle possède des doubles parois. On peut la gonfler à l'hélium, ainsi elle flotte dans l'air et on la pousse devant soi.

— En poussant le système, elle flotte comme un ballon d'enfant et assure une protection contre la pluie.

— Des valises modulaires qui s'adaptent les unes aux autres. On peut ainsi aller de la mallette à la malle cabine.

— Une très grande valise pour mettre d'autres valises (c'est le container).

— On l'agrandit de telle sorte que le passager puisse aussi prendre place dedans.

2. Réduire.

— On réduit le poids en la fabriquant avec un matériau très léger.

— Une valise en matière rétractable qui s'adapte à la forme du contenu.

— On réduit ce qu'on met dedans : vêtements ultra-légers et infroissables qu'une presse spéciale réduit à un très petit volume.

— On trouve un système, à partir de l'idée de micro-film, pour réduire la valise et son contenu.

— De cette manière, on peut expédier l'ensemble par tubes pneumatiques.

3. Améliorer.

— Mettre dans la valise une « check list » des objets à emporter en voyage.

— La personnaliser avec la photo du propriétaire.

— Lui adapter un compartiment pour chiens. Les pattes du chien dépassent : c'est la valise à pattes.

— On améliore le système de fermeture :
  — fermeture à mollettes, comme les coffres-forts,
  — fermeture magnétique ou électronique qui fonctionne par imposition des empreintes digitales,
  — ouverture à la voix du propriétaire.

— On la rend désintégrable ou bio-dégradable : lorsqu'on n'en a plus besoin, elle fond, se désagrège.

— On la rend transparente pour éviter d'avoir à déballer ses affaires lors d'un passage en douane.

— On la personnalise avec des housses coordonnées à la cravate ou au manteau.

— On la rend comestible (pour les pique-niques).

— On la rend multicolore. Sa surface change de couleur avec le temps ou les états d'âme du propriétaire (dans les aéroports, elle permet aux hôtesses de reconnaître les passagers anxieux).

— On lui donne une surface douce et tiède comme la peau.

— On améliore la forme : elle devient ronde, en forme de poupée gonflable, de paires de fesses (pour sex-shops).

— On la rend fluorescente.

— La valise anti-douane qui dégage une odeur nauséabonde lorsqu'on l'ouvre.

— Elle se ferme d'elle-même lorsqu'elle atteint un poids limite (par exemple : vingt kilos pour l'avion).

— Pour éviter le vol : elle adhère au sol lorsqu'on la pose (ventouse, procédé magnétique).

— Elle crie au secours lorsque quelqu'un d'autre que son propriétaire s'en empare.

— Elle signale sa présence par bip-bip.
— Elle est munie de roulettes rentrables.
— La poignée est remplacée par une sorte de gant moulé sur la main du propriétaire.
— Elle contient une sangle de portage intégrée.

4. Associer.

— On peut l'associer avec :
  — un poste à transistors,
  — un magnétophone à cassettes,
  — un poste de télévision,
  — un téléphone,
  — un terminal d'ordinateur,
afin de pouvoir travailler et se détendre dans le train ou l'avion :
— avec un parachute,
— lui donner une surface plate et rigide pour écrire ou repasser,
— avec un frigidaire ou un chauffe-biberons,
— avec un water chimique pour les bébés,
— un petit moteur et des roulettes : la valise devient ainsi un mini-véhicule urbain,
— avec un support télescopique permettant de la monter dans les trains,
— avec un système de sustentation à coussin d'air,
— avec différentes professions :
  — valise présentoir pour représentants de commerce,
  — valise atelier pour cambrioleurs,
  — valise autel pour prêtres,
— avec un lit dépliant (baise en valise).

5. Autres techniques.

— Le balancier qu'on porte sur l'épaule avec deux fardeaux.
— Le vêtement valise : on porte tout dans les poches.
— Le baluchon.
— La musette.
— Le sac à dos.
— la valise-kit que l'on monte et démonte selon les besoins (le kit permet également de construire un meuble pour son intérieur).

6. Inverser.

— Au lieu d'avoir un contenant (la valise) dans lequel on met un contenu (vêtements, etc.) on enrobe le contenu avec du polystyrène expansé.

— Dans les hôtels et chez soi, il y a des appareils à emballer avec du plastique rétractable ou thermo-durcissable.

— Au lieu de transporter la valise avec soi, un service vient prendre la valise à domicile et la transporte où l'on désire.

— Ce service se charge de l'emballage des objets à transporter.

— On n'a plus de valise à soi, mais on en loue une lorsqu'on en a besoin.

— Il existe des « boîtes à valises » comme il y a des boîtes à lettres ou des vide-ordures. On y met sa valise et on la retrouve à son arrivée.

— Le coffre de la voiture est détachable. On n'a plus de valise à mettre dedans.

7. Substituer.

— On crée un réseau de distributeurs automatiques d'objets de toilette et de vêtements à jeter.

— Un système de location sur place de vêtements.

— Un système d'échange de vêtements (le Hertz du vêtement).

— Un champ magnétique permettant de porter des charges.

Etc.

Cette approche, on le pressent aisément, est infiniment plus aisée pour un groupe qui ne comporte pas (sinon à titre de consultants) de spécialistes du problème étudié que pour un groupe de gens concernés au niveau professionnel par le produit (ou la situation) soumis au concassage.

En effet, faire subir de telles opérations à un produit, une situation, un concept auquel on est attaché, fait apparaître de grandes difficultés. Car, en fait, il s'agit de bouleverser ses attitudes de vie et de pensée.

On s'en rend bien compte lorsqu'on applique une telle approche à un processus de production, à une organisation administrative, à une démarche pédagogique. Très rapidement, le concassage débouche sur un changement profond des *règles du jeu* (voir plus loin).

En ce sens, le concassage est un excellent stimulant pour l'imagination dans la mesure où il force à se poser des questions insolites et à remettre en cause ce qui était conçu comme constituant la meilleure réponse à un problème déterminé.

Développez cotre créativité.

1. Le jeu des si.

Il s'agit d'imaginer le scénario d'un film (ou d'un dessin animé) ayant pour thème *l'arbre* en utilisant les différentes pistes du concassage. Vous allez donc essayer de trouver le maximum d'idées possibles, dans toutes les directions, en essayant de pousser au maximum les conséquences qu'entraînent ces idées.

On en trouve une excellente application dans *Rubrique-à-brac* de Gotlib, où l'auteur imagine que les pommes grossissent et deviennent des citrouilles (agrandir).

Si les pommes étaient des citrouilles... Eve n'en aurait pas mangé (elle n'aimait pas le goût de la citrouille) et il y aurait encore un paradis sur terre. L'exploit de Guillaume Tell aurait été ridiculement facile et personne n'en parlerait. Le langage serait différent : on parlerait de citrouilles d'arrosoirs, de citrouilles de terre, de citrouilles de pins. Les enfants chanteraient : « Citrouille de reinette et citrouille d'api » ; les hommes auraient une citrouille d'Adam, etc. Enfin, Isaac Newton n'aurait pas découvert la gravitation universelle, la citrouille qu'il aurait reçue sur la tête, l'aurait rendu fou.

Efforcez-vous d'exploiter à fond toutes les pistes d'idées et n'hésitez pas à faire des croquis et des dessins pour expliciter vos idées.

Si vous êtes photographe ou cinéaste, pourquoi ne pas tenter de réaliser ce scénario?

2. Un monde nouveau.

En partant d'un objet, il s'agit de lui faire subir un concassage pour trouver :
— des objets nouveaux,
— des techniques nouvelles,
— des approches commerciales nouvelles,
— des organisations (politiques, religieuses, sociales, etc.) nouvelles,
— des loisirs nouveaux,
— etc.

Vous pouvez prendre deux orientations principales : soit rester dans l'univers de cet objet (l'exercice ressemble alors à l'exemple de la valise) soit partir de l'objet et pénétrer dans toutes sortes de domaines qui n'ont plus de rapport avec lui. Par exemple : j'ai un cendrier en verre, je l'agrandis et cela me donne l'idée d'une piscine transparente ou d'un stade entièrement transparent.

160

Ici je suis parti de *la forme* de l'objet pour aller trouver d'autres objets dans des domaines très différents.

Les objets que l'on vous invite à concasser sont :
— un livre,
— une bouteille,
— un nœud de corde,
— un réveil-matin.

3. Le regard neuf.

Lorsque vous vous serez entraînés à ces différents exercices de concassage, vous pourrez passer à un exercice d'application sur un problème réel. Essayez alors, avec la même liberté d'esprit, d'appliquer cette technique à *votre habitat intérieur* (il est fortement conseillé, bien sûr, de pratiquer cet exercice en famille).

Essayez de porter un regard neuf sur l'organisation de votre intérieur en suivant les différentes pistes de recherche et, lorsque vous aurez émis le maximum d'idées, efforcez-vous de mettre en application celles qui vous semblent les plus intéressantes.

Vous risquez d'avoir des surprises.

La bi-sociation et les techniques combinatoires.

La mise en relation d'univers jusque-là étrangers l'un à l'autre est le fondement même du processus créatif. Il sera donc nécessaire, pour amener les individus ou les groupes à devenir créatifs, de développer leur aptitude à opérer de telles mises en relations ou, pour employer le langage de Kœstler, de telles *bi-sociations*.

Pour cela on a mis au point une série d'exercices et d'apprentissages. On a également systématisé ce genre d'approche à l'aide de techniques dites *combinatoires* dont la plus connue est la *matrice de découverte* d'Abraham Moles.

Bi-socier, a-t-on vu au chapitre 11, c'est mettre en rapport des faits, des idées, des produits, des concepts qui appartiennent à des domaines (des « matrices » dit Kœstler) différents.

C'est, par exemple, chercher quel rapport peut exister entre une brosse à habit et un rouleau de papier adhésif. Lorsque cette relation est établie, une idée nouvelle surgit qui donnera, dans ce cas, la brosse « pick-up » non plus constituée de bois et de poils, mais faite d'un large rouleau de papier adhésif qui colle les poussières.

L'exemple de Gutenberg qui inventa l'imprimerie en bi-sociant les formes à imprimer les cartes à jouer, le sceau à cacheter et le pressoir à raisin est trop bien rapporté par Kœstler pour que je le raconte ici.

Voici comment fut trouvé le procédé de tir à la mitrailleuse à travers l'hélice d'un avion, tel que le narre Jean Cocteau dans ses *Entretiens avec André Fraigneau* :

« J'habitais rue d'Anjou, chez ma mère. Un jour, Garros et Morane étaient chez moi. Garros était cassé en miettes par les quantités de chutes et enveloppé dans des fourrures même quand il faisait très chaud; il était dans un canapé, installé, enfoncé dans un canapé, et il regardait un ventilateur. Derrière ce ventilateur, il y avait une photographie de Verlaine. Il dit à Garros : « C'est curieux, on voit Verlaine à travers le ventilateur, et on ne le voit pas. Donc, il y a des regards qui passent et des regards qui ne passent pas. Si on tirait dans une hélice il y aurait des balles qui passeraient et des balles qui ne passeraient pas. On pourrait peut-être blinder une hélice à un endroit exact, l'endroit précis, tirer dans cette hélice et on aurait la possibilité d'être seul sur un appareil. »

« Alors, comme nous n'étions, ni les uns ni les autres, capables d'inventer, de trouver le — nous n'avions pas pensé au synchronisme — on a blindé triangulairement l'hélice, on a tiré dans l'hélice. Certaines balles passaient et certaines étaient chassées par le triangle.

« ... On a fouillé les cendres (de l'appareil de Garros abattu en Allemagne et muni de ce dispositif), on a retrouvé le petit blindage triangulaire, et c'est ce qui nous a valu le Fokker. Très souvent les Français inventent avec des bouts de ficelle et les choses leur reviennent au point. »

C'est un tel phénomène de rapprochement, ici effectué de façon hasardeuse, qu'on va tenter de susciter systématiquement à l'aide de différentes techniques.

Les mots inducteurs aléatoires.

Cette technique consiste, en partant d'un problème, à mettre celui-ci en relation successive avec des mots pris au hasard (d'où le terme *d'aléatoire*), par exemple dans un dictionnaire.

A travers ces relations insolites vont naître des idées de solution qui ne seraient pas venues de façon spontanée, par exemple par un brainstorming.

Ainsi, au lieu de travailler de façon rectiligne, on opère un détour, plus ou moins large, qui va permettre de réaliser des associations d'idées originales qui vont elles-mêmes amener des idées nouvelles.

D'où le terme *d'inducteur* qui, en psychologie, est un terme qui sert de point de départ à une association d'idées.

Comment procède-t-on dans la pratique? D'abord, on définit le problème puis on le met successivement en relation avec des mots qui, en fait, ne sont pas tirés du dictionnaire mais choisis sur des listes déjà établies. La plus célèbre étant la Liste sonore de Kent et Rosanoff qui comporte cent mots (table, foncé, musique, maladie, etc.).

Dans *Le jeu de la créativité* (voir en annexe), nous avons sélectionné des termes en fonction de leur richesse symbolique.

En effet, pour obtenir des idées nombreuses et variées, on ne se contentera pas de prendre les mots au pied de la lettre mais on essaiera de tirer le maximum de ce mot en cherchant toutes les évocations qu'il fait naître dans le groupe. Autrement dit, l'inducteur deviendra générateur de nouveaux inducteurs.

Si l'on prend le mot « oiseau », par exemple, on se laissera aller aux évocations qu'il suggère : l'aigu du bec, l'aérodynamisme, le vol, le chant, le nid, le plumage, le Phénix, l'oiseau de feu, etc. puis on tentera de relier les notions et images ainsi apparues au problème posé.

Voici quelques exemples tirés d'une recherche sur les utilisations possibles des phospho-gypses (ou « boues jaunes ») rejets des entreprises de fabrication de l'acide phosphorique.

Mot inducteur : feu.

— Utiliser les phosphogypses dans des extincteurs à poudre.
— Les utiliser pour éteindre les incendies de forêt en les projetant d'avion.
— Recouvrir les terrils d'une couche étanche qui empêche la combustion.
— Mettre les phosphogypses entre deux plaques pour faire des coffres incombustibles.
— etc.

Mot inducteur : maison.

— En faire des briques, des parpaings.
— En faire des cases et des igloos.
— Mettre les boues entre deux couches de plastique pour réaliser des toits isolants.
— Construire des bureaux-paysages dans lesquels les gens font eux-mêmes leur trou dans le sable.
— etc.

Mot inducteur : jouer.

— Utiliser les phosphogypses pour créer des centres d'attraction style « mer de sable » avec jeux de gadoue.
— Organiser des bains de boue à l'échelle d'une ville.
— En faire des pyramides en France (« Les pyramides des gypses »).
— Créer des déserts artificiels avec tous les accessoires (os blanchis, palmiers) eux-mêmes en phosphogypses.
— Obliger chaque touriste qui part à l'étranger d'emporter avec lui un kilo de boue jaune qu'il laissera sur place.
etc.

Malgré ses apparences illogiques et aléatoires, cette technique qui est très efficace pour développer le sens de la bi-sociation est utilisée avec bonheur en application réelle.

Elle correspond, si l'on veut, à l'attitude du chercheur qui est obsédé par son problème et ne peut s'empêcher de le mettre en relation avec tout ce qui entre dans son champ de perception.

Les relations forcées.

La technique des *relations forcées* dont on trouvera plusieurs applications dans le jeu de la créativité (voir annexe B) repose sur la mise en relation de plusieurs termes pris au hasard et eux-mêmes en relation avec un problème donné.

Voici un exemple :

A partir d'un problème : une agence de voyage cherche de nouvelles idées de voyages organisés
et des trois termes suivants :
— Epingle de sûreté.
— Voiture.
— Scarabée.

Imaginez des programmes de voyages, aussi originaux que possible, à proposer à l'agence.

Il s'agit de mettre ces termes en *relation fonctionnelle*, c'est-à-dire que chacun doit se trouver en situation active et non pas seulement en situation anecdotique par rapport au problème. Par exemple, vous concevez un voyage organisé où chacun aurait sa propre voiture et se retrouverait à des points de ralliement. Voiture joue un rôle actif.

A ce moment vous ne savez que faire des deux autres termes et vous essayez de les caser dans la réponse en disant, par exemple : chaque participant aurait un petit scarabée accroché à sa boutonnière par une épingle de sûreté. On peut dire qu'ils n'enrichissent pas la solution et qu'ils sont là en situation anecdotique.

L'exercice consiste, au contraire, à introduire les deux termes de telle sorte qu'ils donnent une nouvelle dimension à l'idée de base et en fassent véritablement partie intégrante.

Pris tels quels, je ne pense pas que ces termes vous donnent beaucoup d'idées (essayez quand même).

Il va falloir procéder maintenant à ce qu'on pourrait appeler une *analyse de contenu* de chacun des termes en examinant leurs différentes significations propres et figurées, les associations d'idées qu'ils provoquent, les jeux de mots qu'ils engendrent, etc.

Cette recherche développe, en tant que telle la *fluidité verbale* et l'aptitude à *jouer avec les mots* dont l'intérêt est évident dans la création.

Voici un début de développement des trois termes :

Epingle de sûreté	*Voiture*	*Scarabée*
— enfant	— confort	— insecte
— couture qui craque	— sport	— D.D.T.
— allaitement	— transport	— bijou
— réparation	— pneu	— odeur
— nourrice	— moteur	— vol
— lange	— station service	— couleur
— métal	— voiture d'enfant	— sculpture
— piquant	— voitre d'infirme	— sacré
— protection	— voiture à cheval	— l'Egypte
— broche	— Voiture (le poète)	— nature
— affection	— accident	— chasse aux insectes
— se faire épingler	— hôpital	— divinité
— un commissaire de police (un « épingleur » de la Sûreté)	— bouchon	— M. Fenouillard
	— vitesse	— Edgar Poe (*Le scarabée d'or*).

A vous de continuer cette recherche...

Le but de cette analyse de contenu est d'abord de faire prendre conscience que les mots que nous utilisons recouvrent une grande variété de significations qui en fait la richesse mais aussi l'imprécision.

De permettre ensuite de multiplier les possibilités de mises en relation en accroissant les chances de rencontres insolites d'où jailliront des idées très diverses et, sans doute, originales.

Je propose donc au lecteur de s'exercer sur cet exemple en lui rappelant que l'objectif n'est pas de trouver des solutions immédiatement applicables (solutions « réalistes » c'est-à-dire proches de ce qui existe déjà et, à ce titre, rassurantes) mais de proposer des idées aussi différentes que possible (il exerce là sa flexibilité) et très différentes de la réalité présente (il exerce là son originalité).

Je l'invite également à ne pas se contenter de la première idée qui lui vient à l'esprit mais à creuser aussi loin qu'il le pourra les idées en n'hésitant pas à se montrer complètement « farfelu ».

Voici, à titre d'exemple, deux réponses proposées par un groupe de cadres à qui j'avais posé le problème :

— Il s'agit d'un voyage organisé pour cadres désirant retourner à l'état d'enfance. Chaque participant se voit attribuer une accompagnatrice (la « *nourrice* ») qui le promène dans une *voiture* d'enfant spécialement aménagée. Pendant les pauses, les « enfants » se livreraient à des jeux innocents (mais non dépourvus de perversité) comme la chasse aux insectes et aux papillons qui leur permettraient de se remettre en contact avec la nature.

— Les membres du voyage seraient répartis en *enquêteurs* (commissaires de police) et en *voleurs* (ceux qui cherchent à ne pas se faire épingler). Ils partiraient à la recherche d'un *trésor* (le scarabée d'or) qui serait le *moteur* du voyage dans la mesure où il serait constitué de bons de remboursement des frais de voyage.

Pour corser l'affaire, et lui donner un aspect *sportif,* gendarmes et voleurs se pourchasseraient mutuellement dans une redoutable chasse à l'homme.

Ces exercices, qui sont d'excellents stimulants pour l'imagination, servent également en recherche appliquée. On utilise de telles techniques pour la recherche de produits nouveaux, de nouveaux services, etc. Les données aléatoires jouent alors le rôle de tremplins à l'imagination.

En situation réelle on dispose généralement de données de départ qu'il va falloir associer entre elles. Les cas les plus fréquemment rencontrés sont :

— à partir d'une technique, en chercher de nouvelles applications,
— comment peut-on associer des techniques très différentes,
— comment combiner plusieurs produits entre eux pour obtenir de nouveaux produits,
— comment diversifier une activité de base, etc.

Vous remarquerez d'ailleurs que la plupart des produits nouveaux qui apparaissent sur le marché sont le résultat de telles associations.

Les matrices de découverte.

Les techniques combinatoires ont permis la création d'un outil d'analyse et de recherche extrêmement efficace que son créateur, Abraham Moles, a intitulé « matrice de découverte »

Une matrice de découverte, ainsi qu'on l'a vu au chapitre 11, est un tableau à double entrée permettant de mettre en rapports divers éléments qui n'étaient pas destinés à se rencontrer, *a priori.*

De ces rencontres organisées vont surgir des idées nouvelles qui permettront de résoudre le problème posé ou, plus exactement, de déceler les territoires (les intersections) dans lesquels il est possible d'apporter des innovations.

Ces matrices ont des applications très diverses. Parmi les plus utilisées on peut citer :

— les matrices servant à la recherche de nouveaux débouchés pour un produit,

— les matrices servant à la recherche de produits nouveaux et d'activités nouvelles,

— les matrices prospectives.

Pour mieux vous faire comprendre le fonctionnement des matrices, voici trois exemplaires, évidemment très simplifiés.

La matrice du boulanger.

Il s'agit d'un boulanger-pâtissier qui se pose la question « comment vendre plus de gâteaux à ma clientèle et, en particulier à la clientèle du dimanche matin? ».

Une matrice, que je réduis ici, est établie avec le boulanger. Elle comporte, *en colonne,* les besoins de la clientèle tels qu'ils ont pu être déterminés à la suite d'une petite étude de motivation et de quelques interviews, *en ligne :* les capacités de l'entreprise, déterminées après une analyse systématique.

Besoins de la clientèle	Capacités de l'entreprise	Vitrines extérieures	Vitrines intérieures	Vente de pain	Publicité directe
Voir les gâteaux				X	
Connaître la composition des gâteaux			X		
Connaître de nouveaux gâteaux		X			X

A la suite de cette analyse, il apparaît qu'un des points importants est le désir de la clientèle de connaître la composition des gâteaux. Or, le dimanche matin, la presse dans la boulangerie ne permet pas de s'informer si tel gâteau contient de l'alcool, de la crème, du nougat, etc. Et, plutôt que d'acheter une pâtisserie qui ne leur convient pas, les chalands préfèrent s'abstenir.

En croisant cette case avec la case « possibilité d'utiliser des vitrines intérieures » est apparue cette idée de disposer dans une vitrine spéciale devant laquelle défilent tous les clients, un échantillonnage des pâtisseries du jour. Chaque gâteau est muni d'une pancarte indiquant son nom et sa composition exacte. Ainsi le client est-il immédiatement renseigné et peut-il acheter en connaissance de cause.

Le croisement « Voir les gâteaux/Vente de pain » apporta l'idée de créer un circuit dans la boutique qui force les acheteurs de pain à passer devant l'étalage des pâtisseries et les amène à se laisser tenter (c'est une stratégie couramment utilisée dans les grandes surfaces).

Le croisement « Connaître de nouveaux gâteaux/Publicité directe » aboutit à la réalisation de quinzaines spécialisées (« quinzaine de la pomme », « quinzaine de la prune », « quinzaine de la Bretagne », etc.) préparées par des distributions de tracts dans les boîtes à lettres du quartier et accompagnés d'un effort de présentation dans les vitrines extérieures.

Cet exemple est intéressant à plusieurs titres.

Il montre d'abord que la très petite entreprise peut se développer de façon remarquable à côté de la très grande pour peu qu'elle fasse preuve de créativité.

Il montre également que les techniques décrites dans ce livre ne sont pas réservées à d'importantes unités mais sont parfaitement adaptables au commerçant, à l'artisanat, à la petite entreprise.

Il prouve enfin qu'il est absolument indispensable à l'entreprise qui veut évoluer et se développer de posséder une connaissance très précise et de sa clientèle et de ses propres capacités.

Or, on constate fréquemment, en élaborant de telles matrices, que l'entreprise n'a qu'une connaissance très partielles de ces capacités.

Obnubilée par la technique et, dans une moindre mesure, par le commercial, elle néglige ses capacités humaines.

Il est pourtant de plus en plus évident que les véritables capacités d'une entreprise résident dans ses aptitudes à :
— utiliser des techniques,
— animer un réseau commercial,
— *réunir des individus capables de travailler en ensemble,*
— trouver de l'argent.

La matrice du fabricant de nouilles.

Il s'agit d'une entreprise provinciale qui fabrique des pâtes alimentaires. Or, sur ce marché, la concurrence est vive et le chef d'entreprise sait qu'il ne pourra plus lutter longtemps contre les entreprises multinationales. L'entreprise entreprend alors une réflexion en profondeur sur ses aptitudes et sur la façon dont elle pourrait les utiliser pour d'autres produits sur d'autres marchés.

A un moment donné, ces aptitudes prennent une certaine forme; par exemple, cette entreprise sait travailler la pâte alimentaire pour fabriquer des nouilles.

En élaborant sa matrice, elle prend conscience que son aptitude peut s'énoncer de façon plus générale « aptitude à travailler la pâte » et que cette pâte peut prendre des formes diverses : pâte à papier, pâte plastique, etc.

Elle cherche alors, dans un but de diversification, quelles techniques voisines, présentant de faibles difficultés d'acquisition, elle serait susceptible d'utiliser. Elle se fixe, après étude du marché, sur le travail de la pâte à papier pour fabriquer du papier peint.

Une fois introduite sur le marché de la décoration intérieure, elle réutilise une matrice pour déterminer quels autres types de pâte elle pourrait utiliser en les mettant en relation avec les différents éléments qui composent l'habitat intérieur.

Elle en se fixe sur l'utilisation de la pâte plastique pour réaliser les moulures, jusqu'alors fabriquées en bois. Elle commercialise avec succès ces moulures en pâte plastique moulée.

La matrice du banquier.

Un établissement bancaire cherche de nouveaux produits susceptibles d'être proposés aux jeunes et tout particulièrement aux étudiants.

On établit alors une matirce comportant en colonne *les capacités de l'entreprise* — autrement dit, ce que la banque sait faire. Cette première analyse est extrêmement intéressante car elle permet de constater que l'entreprise (c'est le cas général) n'a qu'une connaissance très partielle de ses capacités réelles.

Dans le cas présent, on s'aperçut qu'un certain nombre d'individus, outre leur activité principale de banquier, étaient capables de fournir des conseils dans des domaines aussi variés que l'économie politique, la navigation de plaisance ou l'agriculture biologique.

En ligne, on inscrivit *les besoins des étudiants* avant d'entrer dans le cycle universitaire, pendant leurs études et juste avant leurs débuts dans la vie active. Cette analyse fut faite en interrogeant des groupes d'étudiants d'origine, d'âge et de spécialités divers (on notera au passage que les entreprises ont une méconnaissance proprement effarante des besoins réels et des insatisfactions éprouvées par la clientèle qu'elles visent).

Au terme de cette analyse on aboutit à une matrice de dimensions imposantes (plus de cinq cents cases).

Le groupe de recherche, composé d'étudiants, de personnes ayant déjà pratiqué la créativité et de représentants de l'établissement bancaire se mit alors au travail.

Avec patience et obstination, chaque intersection fut explorée pour voir si elle engendrait des innovations possibles et, dans ce cas, quelles idées elle faisait naître.

Par exemple, en croisant « carte bleue » et « mariage », il apparut qu'il serait intéressant de créer une « carte blanche » donnant des avantages particuliers aux étudiants se mariant durant leurs études.

Le croisement « compétence dans des domaines économiques très variés » et « besoin d'information sur les carrières » donna l'idée d'un service d'information et d'orientation des jeunes en cours d'études.

En tout, cette recherche matricielle permit de fournir à la banque plus de quatre cents idées de produits nouveaux.

On voit donc que les matrices de découverte sont un instrument très efficace dans la mesure où elles permettent à l'entreprise de procéder à des analyses très détaillées des besoins du marché et de ses possibilités propres. Le croisements de ces données permet de faire apparaître de nouvelles applications de techniques existantes, de nouveaux marchés pour des produits existants, etc.

Etant évolutives, les matrices permettent également à l'entreprise de découvrir de nouvelles voies dans lesquelles elle peut s'engager avec succès. En ce sens, elles constituent un intéressant outil de développement et de prospective.

Il s'agit là de techniques qu'on a coutume de nommer *rationnelles* dans la mesure où elles font essentiellement appel à l'analyse. Mais elles exigent, lorsque les *cases d'innovation* sont repérées, un travail d'imagination qui fera appel aux techniques dites *irrationnelles*.

On trouvera dans *La créativité en action,* t. 2 une étude détaillée des matrices de découverte et de leurs applications dans les domaines les plus variés.

Développez votre créativité.

1. Il était une fois...

Ce jeu est à pratiquer en groupe (ou en famille). Il s'agit de réaliser un conte pour enfants en utilisant la technique des mots inducteurs aléatoires. Pour ce faire, vous commencez par recopier les termes ci-dessous sur des morceaux de papier que vous pliez et disposez en tas (un mot par papier) :

— la lune, un hippocampe, un lave-vaisselle, la religion, un ours, un tapis, manger, une valise, une lampe, les étoiles, une automobile, une bougie, un balai, vendre, un serpent, un nénuphar, un sous-marin, un éléphant, le feu, une bouteille, une baleine, voler, peindre, du café, un billet de banque, une loupe, rire, un gâteau, une vache, prier, un loup, un appareil photographique, pleurer, une tondeuse à gazon, un amiral, un ivrogne, une roulotte, un crocodile, de la soupe, sauter, une machine inconnue.

Le groupe s'installe en rond (de préférence autour d'un magnétophone qui permettra de réécouter l'histoire complète, de la critiquer et — pourquoi pas? — de l'écrire et de l'illustrer).

Le premier, qui peut être tiré au sort, prend un papier et commence à raconter l'histoire en *introduisant obligatoirement* le mot tiré dans son récit.

Lorsqu'il le désire (ou qu'il est en panne d'idée) il passe la parole à son voisin qui tire un papier et poursuit l'histoire en incorporant le terme indiqué par le papier qu'il a tiré, etc.

On peut prévoir que l'histoire doit se terminer après un, deux ou trois tours, selon le nombre de participants, que celui qui ne parviendra pas à utiliser le terme qu'il a tiré aura un gage, etc.

Mais surtout, faites preuve de fantaisie. Un conte pour enfants exige du merveilleux mais aussi de la logique. Et ne vous débarrassez pas des termes apportés par le hasard comme d'intrus gênants mais, au contraire, servez-vous-en pour faire rebondir l'action et donner à votre conte cet aspect fantastique, passionnant et émouvant qui débouche sur la poésie.

3. Les animachines.

Voici des dessins représentant des animaux et des dessins représentant des objets fabriqués.

Vous prenez un dé et le lancez. Il indiquera l'objet qui vous est destiné. Vous recommencez : cette fois le dé vous indiquera l'animal que

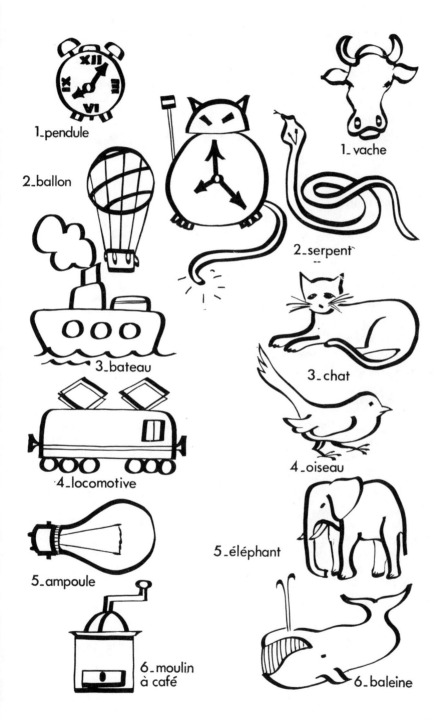

1 _ pendule

2 _ ballon

3 _ bateau

4 _ locomotive

5 _ ampoule

6 _ moulin à café

1 _ vache

2 _ serpent

3 _ chat

4 _ oiseau

5 _ éléphant

6 _ baleine

vous devrez associer à cet objet pour créer une *animachine,* croisement insolite d'un animal et d'une machine.

Par exemple, vous obtenez le 1 (la pendule) et le 3 (le chat). Il s'agit maintenant de concevoir et de dessiner un chat-pendule (ou une pendulachat), les plus originaux possibles (de chaque association peuvent naître plusieurs idées).

Bien sûr, ce jeu peut se jouer à plusieurs et donner lieu à compétition.

3. Bonne route!

— Un organisme chargé d'améliorer la sécurité routière est à la recherche d'idées originales.

Ces idées peuvent être de différents types : conception des voitures, transformation de la psychologie des conducteurs, réglementation, signalisation, amélioration des routes et de la circulation, etc.

Pour trouver des idées d'amélioration de la sécurité routière, vous allez mettre en relation le problème avec chacun des termes de la liste suivante en vous efforçant de faire surgir de chaque rencontre le maximum d'idées (les idées les plus folles étant toujours les bienvenues).

Mots inducteurs :

Naître, tourner, coquillage, couler, souffler, bouteille, musique, soleil, oiseau, dessiner, chauffer, arbre, corde, sentir, pipe, mourir, dormir, clef, rose, cœur, insecte, femme, maison, livre, aspirateur, chanter, océan, désert, voleur, bleu, estomac, pied, rire.

Par exemple, le mot « oiseau » évoque le nid. Cela amène l'idée d'envisager un nouvel aménagement intérieur de la voiture, une protection du conducteur, des haltes de repos au bord des routes, de nouveaux types d'abris à voitures, etc.

L'approche analogique.

« L'imagination créative, écrit le biologiste Henri Laborit, ne crée probablement rien, elle se contente de découvrir des relations dont l'homme n'avait point conscience. »

« L'élément essentiel, fondamental de l'imagination créatrice dans l'ordre intellectuel, c'est la facilité de *penser par analogie,* c'est-à-dire par ressemblance partielle et accidentelle.
Nous entendrons par analogie une forme imparfaite de ressemblance. »

Théodule RIBOT (*Essai sur l'imagination créatrice*)

L'approche analogique pourrait être décrite comme une « technique » permettant de saisir les relations évidentes ou secrètes qui existent entre des phénomènes fort éloignés puis d'utiliser ces ressemblances pour en tirer des idées qui apporteront des solutions au problème posé.
Penser par analogies, c'est donc *établir un système de ressemblance, de relations permettant de passer d'un univers dans un autre afin d'aller y recueillir toutes les possibilités de solutions qui s'y trouvent.*
Le *Robert* donne cette définition de l'analogie: « C'est une ressemblance établie par l'imagination (souvent consacrée dans le langage par les diverses acceptions du même mot) entre deux ou plusieurs objets de pensée essentiellement différents. »
La métaphore étant « un procédé de langage qui consiste dans un transfert de sens (terme concret dans un contexte abstrait) par substitution analogique : la racine du mal, une source de chagrins ».
La poésie, bien sûr, a toujours été grande utilisatrice d'analogies et de métaphores. Voici un schéma qui montre ce mécanisme :

la femme $\longrightarrow$	la rose
son teint $\longrightarrow$	les couleurs translucides des pétales
le vieillissement de la femme $\longleftarrow$	la fragilité de la rose
la perfidie $\longleftarrow$	les épines de la rose

etc.

« Quand le ciel bas et lourd pèse comme un couvercle,

« Comme un sanglot coupé par un sang écumeux,
« Le chant du coq au loin déchirait l'air brumeux. »

BAUDELAIRE

« A, noir corset velu des mouches éclatantes
« Qui bombinent autour des puanteurs cruelles,
« Golfes d'ombre; E candeurs des vapeurs et des tentes
« Lances des glaciers fiers, rois blancs, frissons d'ombrelles. »

RIMBAUD

Voici un passage de *Hamlet* où Shakespeare joue avec une grande virtuosité de la métaphore :

HAMLET. — Je ne comprends pas bien... Voulez-vous jouer de cette flûte?

GUILDENSTERN. — Monseigneur, je ne peux pas.

HAMLET. — Je vous en prie.

GUILDENSTERN. — Croyez-moi, je ne peux pas.

HAMLET. — Je vous en implore.

GUILDENSTERN. — Je n'en connais pas une note, monseigneur.

HAMLET. — C'est aussi facile que de mentir : commandez ces ouvertures des doigts et du pouce, donnez-lui l'haleine de votre bouche, et elle discourra une très éloquente musique. Tenez, voilà les trous.

GUILDENSTERN. — Mais je n'en puis obtenir aucune expression d'harmonie; je n'en ai pas la science.

HAMLET. — Eh bien! voyez donc alors quelle indigne chose vous faites de moi. Vous voudriez jouer de moi, vous voudriez connaître les percées de mes notes; vous voudriez arracher le cœur de mon mystère; vous voudriez me faire sonner de mon ton le plus bas jusqu'au haut de mon registre. Et il y a beaucoup de musique, une excellente voix dans ce petit tuyau; cependant vous ne pouvez le faire parler. Sang Dieu! croyez-vous qu'il est plus facile de jouer de moi que d'une flûte? Nommez-moi l'instrument que vous voudrez; vous pourrez bien me taquiner, vous ne pourrez pas me jouer.

(Acte III, Scène 2).

L'utilisation de l'analogie et de la métaphore trouve son terrain d'élection dans les fables, les contes, les paraboles. Les livres saints en font un usage abondant. La pensée extrême-orientale est friande de ce type d'approche et l'on peut en trouver une excellente application dans les fameuses pensées de Mao (« le combattant révolutionnaire qui doit se comporter dans le pays comme un poisson dans l'eau »).

176

Il s'agit donc d'un procédé vieux comme la pensée elle-même — procédé étonnamment fécond dans la mesure où il ouvre l'imagination au lieu de la refermer grâce à l'apport d'éléments qui lui confèrent de nouvelles dimensions.

L'utilisation de l'approche analogique comme *moyen privilégié de la création* a été mis en évidence par Gordon.

Comment va-t-on se servir des analogies pour mener une recherche?

Pour user d'une image, je dirai qu'on pourra, grâce à l'analogie « sauter » d'un univers dans un autre où l'on pressent que risquent de se trouver les réponses aux questions qu'on se posait.

Ou, pour être plus précis, des réponses que l'on pourra adapter de telle sorte qu'elles permettront d'être utilisables pour apporter des solutions au problème qu'on se pose.

Il s'agit, comme le dit Gordon, de rendre « l'insolite familier », c'est-à-dire d'aller chercher des idées dans des domaines déjà explorés pour résoudre des problèmes qui nous sont, par principe, insolites (sinon, ce ne seraient plus des problèmes).

Puis de transposer cette moisson d'idées dans le cadre du problème de départ pour lui apporter des réponses originales (au sens de nouvelles, jamais faites). C'est le passage du « familier à l'insolite ».

Dans une recherche « normale », pour trouver des réponses à un problème, on explore les pistes de réponses très logiquement *dans le champ du problème*. Si l'on cherche des solutions à un problème de mécanique, on fait appel à des spécialistes de la mécanique qui apporteront donc, forcément, des solutions de type mécanique. Si l'on fait une recherche médicale, on réunira des médecins, etc.

Heureusement, il arrive souvent que cette démarche soit la bonne et que l'on trouve de cette manière-là en restant à l'intérieur du champ du problème. Remarquons cependant que c'est rarement de cette façon que naissent les idées vraiment originales.

On peut représenter un tel type de démarche par le schéma suivant :

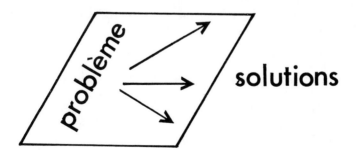

Mais il arrive aussi que par cette méthode « logique », on aboutisse à une impasse. Les solutions proposées ne conviennent pas et les spécialistes consultés avouent leur incompétence à imaginer « autre chose ». Alors, on a l'impression de se heurter de tous côtés à des murs, ce qui amène à penser que « le problème n'a pas de solution ».

Pour sortir de cet état décourageant et improductif, il va falloir changer complètement de méthode d'approche et emprunter de nouveaux chemins. On quittera alors les mouvements rectilignes de la pensée pour adopter un cheminement « ondulant » qu'on peut schématiser de la façon suivante :

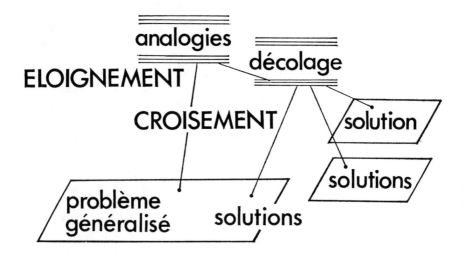

En systématisant, on peut dire qu'on se livre dans cette approche à deux types d'opérations :

— *une opération d'éloignement* : on quitte le domaine propre du problème pour aller voir, dans d'autres domaines, aussi variés que possible, ce qui nous fait penser à ce problème, ce qui lui ressemble, ce qui pourrait lui ressembler, etc.

— *une opération de croisement* : on va extraire des analogies ainsi trouvées, des idées de solution au problème.

Le déroulement d'une recherche analogique.

Tout d'abord, il convient de *poser le problème*. Ce n'est pas si facile dans la mesure où l'on va s'efforcer de le définir sous la forme *la plus générale et la plus abstraite possible*.

Cette phrase est capitale. En effet, il s'agira de projeter le problème dans toutes sortes d'autres univers, ce qui suppose qu'on prenne vis-à-vis de lui suffisamment de champ pour faire naître des analogies.

Par exemple, il s'agit de trouver des idées nouvelles pour souder des métaux incompatibles entre eux. Tant que je penserai « métaux », je ne pourrai quitter l'espèce de prison dans laquelle je suis enfermé.

Alors, je généralise. Mon problème peut ainsi devenir « faire se rencontrer intimement des corps étrangers l'un à l'autre ». Cette nouvelle formulation entraîne immédiatement des analogies : « ça me fait penser à une moule qui s'accroche à un rocher, au fleuve qui se jette dans la mer et s'y fond, à un homme s'accouplant à une femme, etc. ».

Très souvent, du reste, on s'aperçoit à ce niveau que le problème peut être généralisé de façons très différentes (on utilise les techniques de concassage) et donner lieu à des analogies elles-mêmes très différentes.

Lorsque le problème a été défini et généralisé, on procède à ce qu'on a coutume d'appeler « la purge ».

La purge consiste à se vider l'esprit de toutes les idées qu'on a sur la question et de celles qui viennent spontanément (c'est un brainstorming). Ces idées sont soigneusement notées, car certaines peuvent être excellentes.

Lorsqu'on a effectué cette purge, on pourra entreprendre *le voyage.*

En gros, ce voyage se déroulera en trois temps :
— Recherche des analogies.
— Choix des analogies « intéressantes » et *décodage* de celles-ci.
— Croisement des idées ainsi obtenues pour produire des idées de solutions.

Prenons un exemple simple : il s'agit de trouver des systèmes destinés à remplacer les portes et fenêtres de nos maisons.

Dans un premier temps, on s'efforce de *généraliser le problème.* La définition adoptée est : « trouver un système d'ouverture-fermeture situé dans l'univers « bâtiment ». Cette notion d'univers du bâtiment sera aussitôt oubliée pour être seulement reprise dans la phase de *croisement.*

Dans la première phase, on va chercher ce qui, dans d'autres domaines que celui de l'habitat, évoque l'idée d'ouverture/fermeture :
— le diaphragme d'un appareil photo, une paupière, un sphincter, une fleur, la bouche, la caverne d'Ali Baba, un rideau de fer, l'esprit, la main, le lever et le coucher du soleil, etc.

On sort ainsi du cadre du problème dans lequel on risquait de s'enfermer pour s'évader, s'ouvrir l'esprit, déclencher le mécanisme de la bi-sociation et faire surgir les idées.

Dans cette phase d'éloignement on s'efforce de s'éloigner le plus complètement possible du problème de départ sans crainte de s'égarer ni de voir se rompre le fil de plus en plus ténu qui nous relie encore au problème.

En fait, plus on s'élève et plus on atteindra des régions insolites, plus on aura de chances de trouver des réponses originales.

J'ai employé le terme de *voyage* car il s'agit bien, lorsque le groupe est en état de grâce, d'une sorte de rêve éveillé, de création poétique collective. Chacun se laisse aller à ses rêves et donne la parole à son inconscient.

L'animateur ne participe pas à ce voyage et se contente d'inscrire sur les feuilles les analogies produites.

Un magnétophone enregistre tous les propos des participants (il joue un grand rôle car les analogies s'expriment souvent sous forme d'histoires ou de fables impossibles à noter dans leur richesse).

Pour un observateur extérieur, le groupe apparaît alors comme perdu dans un délire dont en apparence, rien ne sera utilisable pour traiter le problème de départ. C'est pourquoi, du reste, il est préférable de ne pas faire participer le demandeur à ce genre de séances car, s'il ne pratique pas lui-même ce genre d'approche, il risque d'avoir des réactions violentes devant ce genre de délire.

Au terme de cette phase, on dispose d'une importante moisson d'analogies. Certaines, d'ailleurs, ne sont que de simples associations d'idées et, de ce fait, sont à rejeter.

Une partie des analogies récoltées sont si proches du problème qu'elles ne permettent pas de s'en évader. On les écartera.

Il reste, après cette épuration, une masse d'analogies utilisables. Quelques-unes n'inspirent personne. On ne les « sent » pas. D'autres, au contraire semblent dissimuler des possibilités intéressantes. On sent qu'elles peuvent être riches. Ce sont celles-là qu'on décodera en priorité.

Décoder une analogie, cela signifie qu'on cherche tout ce qu'elle recèle d'intéressant. Il apparaît ici que la constitution pluridisciplinaire du groupe de recherche va être essentielle. En effet, le spécialiste pourra extraire de l'analogie choisie une richesse que le profane ne sait déceler.

Dans notre exemple, il serait évidemment intéressant d'avoir un spécialiste capable d'expliquer comment fonctionnent la bouche, le sphincter, la paupière et la main.

A ce moment, la connaissance n'est plus un frein mais, au contraire, un élément moteur de la découverte.

Le rôle de l'animateur est très important à ce moment : il doit être bien convaincu que le groupe traverse une phase difficile dans laquelle il faut commencer d'associer la contrainte du problème au plaisir de l'imagination. Maintenant l'intuition doit s'expliciter et le non-conscient venir à la conscience.

Lorsqu'une analogie aura été ainsi décodée (cela pourra d'ailleurs entraîner une nouvelle recherche analogique), on s'efforcera de ramener les éléments ainsi trouvés au problème pour lui apporter des *idées de solutions. C'est la phase de croisement.*

Par exemple, l'analogie avec la fleur qui s'ouvre au soleil et se ferme à l'ombre peut amener à imaginer un type d'ouverture (on ne parle plus alors de fenêtre) qui réagit à la luminosité extérieure.

En partant de la même analogie (fleur carnivore), on peut imaginer un système d'ouverture/fermeture qui bloquerait soit les pollutions venues de l'extérieur, soit les corps étrangers ne répondant pas à un certain signal.

L'analogie de l'œil prolongé par le nerf optique apporte l'idée de « capteurs de paysage » disposés sur le toit de la maison ou dans un lieu quelconque qui transmettraient sur des écrans cathodiques géants le spectacle de la rue ou le spectacle de la nature, etc.

Mais attention! il ne s'agit pas d'apporter là des solutions élaborées et immédiatement applicables. Ce qu'on recherche, ce sont des *pistes de recherche* qu'il conviendra ensuite de creuser et d'adapter en fonction d'un certain nombre de critères déterminés par l'analyse.

Autrement dit, cette phase de recherche, une fois encore, *doit être exempte de tout esprit de critique.*

Les différents types d'analogies.

Pour aller en quête d'analogies, il est possible d'emprunter plusieurs voies. Gordon, au terme de ses travaux, a défini quatre grandes catégories d'analogies :

— *Les analogies directes :* dans cette approche, on cherche ce qu'on peut mettre en relation avec le problème posé dans le monde animal, végétal, minéral, mécanique, électronique, etc. C'est-à-dire qu'on va s'efforcer de mettre ce problème en rapport avec des produits ou des phénomènes connus.

C'est ainsi, par exemple, que le médecin Quesnay établit, par analogie avec la circulation sanguine, le premier circuit économique, que Colt inventa le revolver à barillet à partir de la barre d'un navire, etc.

Ce type de transposition des découvertes faites dans un domaine dans un autre domaine est à l'origine de la *bionique.* Cette nouvelle science, née de la collaboration de techniciens (en particulier des informaticiens) et de biologistes cherche des réponses aux problèmes scientifiques et techniques en interrogeant les êtres vivants qui ont trouvé des solutions à des problèmes analogues.

C'est ainsi qu'à partir de l'étude de la peau des dauphins, du boyau de chat, des pattes du pingouin, de la manière de vivre du lièvre des sables ou de la production d'électricité du poisson torpille sont menées des recherches qui ont déjà donné de remarquables résultats (par exemple : le radar).

— *Les analogies symboliques* nous amènent à mettre en relation avec le problème posé des images, des fantasmes, des symboles, des mythes, des légendes. Elles nous font pénétrer dans le domaine incertain de l'inconscient et nous incitent à mener ce que Kœstler appelle « les jeux clandestins de l'esprit ».

Voici, par exemple, comment un groupe de recherches utilisa, pour traiter un problème technique complexe, l'analogie de l'enfer.

Il cherche d'abord comment Satan exécute son travail préparatoire sur la terre et procède à son « marketing ».

Puis comment il parvient à éliminer, au dernier moment, les bons sentiments qui pourraient sauver le mourant (par exemple, il lui inflige une très longue agonie qui maintient jusqu'au bout son esprit de révolte et prédispose l'entourage au mal).

Le groupe imagine alors que l'arrivée dans l'au-delà se fait sous forme de trois tobogans dont deux mènent en enfer. Evidemment, Satan perturbe la signalisation, lubrifie les tobogans, etc.

Il se penche enfin sur la progression des supplices, leur mise en œuvre et leurs résultats.

A partir de cette analogie, où s'expriment une forme d'images et de symboles, les idées jusqu'alors impossibles à énoncer de façon directe, le groupe opère l'opération de croisement qui lui permet de trouver des réponses au problème qu'il se posait.

Grâce à ce long détour, l'esprit se libère, se détend et parvient à réaliser les bi-sociations qu'il ne parvenait pas à effectuer sous forme rationnelle.

— *Les analogies fantastiques* sont, en quelque sorte, du rêve éveillé. Il s'agit de prendre ses rêves pour des réalités et d'imaginer que, par quelque coup de baguette magique ou intervention d'un génie bénéfique, le problème se trouvera résolu [1].

Par exemple, au cours d'une recherche portant sur les agences de voyage, le groupe imagine que les passants, par un phénomène d'hypnotisme puissant, sont forcés de s'arrêter devant l'agence. Là, un invisible tapis roulant les entraîne dans une sorte de voyage en raccourci. Ils se trouvent soudain plongés dans une ambiance de vacances, de

---

1. C'est là une approche coutumière aux publicitaires. Imaginer que des femmes vont, volontairement, tacher leurs chemisiers pour démontrer que leur lessive est la meilleure relève du pur fantastique...

rêve, d'évasion. Ils parcourent successivement les merveilleuses contrées de leurs désirs et, lorsqu'ils parviennent au terme de ce voyage, ils signent sans hésiter le chèque qui leur permettra de partir quinze jours à Tahiti ou trois semaines dans les Rocheuses.

A partir de cette rêverie qui résoud tous les problèmes, le groupe s'efforce de trouver les moyens de transposer cet imaginaire dans la réalité afin de se rapprocher au maximum de l'idéal ainsi proposé.

— *Les analogies personnelles* entraînent les membres du groupe à véritablement s'identifier au problème. Il s'agit, en quelque sorte, de se bi-socier avec celui-ci.

Ils deviennent alors tables, tas de poussière pourchassés par l'aspirateur, plante mourant de soif dans son pot, boulon qui refuse de se laisser dévisser, etc.

Cette identification, qui n'est pas sans rappeler la technique du psychodrame, et qui repose sur les mêmes mécanismes que la folie (un fou, disait à peu près un psychiatre, est peut-être celui qui n'est plus capable de faire d'analogies dans la mesure où il s'est enfermé, une fois pour toutes, dans une analogie) permet de se projeter, en diminuant fortement les freins psychologiques et mentaux, dans un problème et de faire corps avec lui. Archimède, en entrant dans son bain, était devenu la couronne dont il devait déterminer la composition.

Il est évident que ce dernier type d'analogie est difficile à utiliser. Il demande une pratique assez poussée et exige des membres du groupe qu'ils aient surmonté leur répugnance à s'exprimer corporellement, par cris, par mimes, etc.

Mais l'analogie personnelle, au cours d'une recherche, permet d'aller encore plus loin dans l'imagination. Je l'emploie, personnellement, à partir du moment où les autres types d'analogies ont été exploités et quand le groupe semble être arrivé au terme de ses possibilités [1].

L'approche analogique est certainement le plus sûr moyen d'exploiter ces richesses inconscientes que l'on néglige dans l'attaque rectiligne et rationnelle d'un problème.

C'est, sans aucun doute, le domaine privilégié de la créativité. Il ne s'agit pas seulement d'une technique mais d'une forme de pensée qui exige un apprentissage continu. Elle comporte des risques : mal maniée, l'approche analogique est décourageante car elle aboutit à une masse de données qu'on est incapable d'utiliser. Démarche de détours, elle peut entraîner le groupe dans des voies sans issue. Ici encore, le rôle de la formation et la compétence de l'animation sont essentiels.

---

1. On trouvera une magistrale démonstration des possibilités de l'analogie personnelle dans ce sketch où Raymond Devos se trouve transformé en poussière sur la route de Dijon.

Je voudrais terminer cette partie consacrée aux analogies par la citation d'un petit texte que j'ai recueilli au cours d'un séminaire. Le groupe poursuivait une recherche et développait certaines analogies qui lui semblaient inspirantes.

Les thèmes proposés, la compostion du groupe, l'ambiance peut-être ont fait naître de ces développements une série de poèmes collectifs et totalement improvisés comme celui-ci :

Le lézard au soleil.

Rien.
Heu...reux.
Repus, tranquille
Mais en état d'alerte
Et de défense.
Rien à foutre du métro,
De l'horloge pointeuse,
De la Sécurité sociale,
Des embouteillages et du boulot.
Il rote et pète.
Pénard
Au chaud.

Développez votre créativité.

1. Les points communs.

Voici cinq figures :

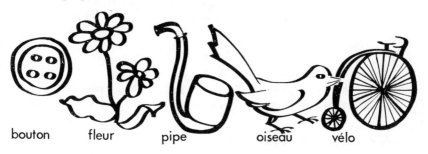

bouton   fleur   pipe   oiseau   vélo

Le jeu consiste à trouver le maximum de points communs entre ces cinq figures.

Par exemple :
— chacune de ces figures est un dessin,
— elles se trouvent toutes dans le même livre,
— elles comportent toutes des ronds,
   etc.

Ce jeu, dont vous pouvez varier les thèmes (il peut devenir un véritable jeu de détective), se joue individuellement (chacun écrit les points communs qu'il décèle), puis en groupe. Le gagnant peut être celui qui a trouvé le maximum de points communs.

Il est également très intéressant à pratiquer sur *des personnes.* Surtout si ces personnes, *a priori,* pensent qu'elles n'ont aucun point commun (élèves d'une classe, collègues de bureau). Le jeu réserve des surprises...

2. Les transpositions.

Pour vous familiariser avec la démarche analogique, voici un certain nombre d'objets appartenant à notre univers quotidien. Le jeu consiste à trouver à quoi ils vous font penser dans les domaines suivants :
— animal,
— végétal,
— minéral,
— géologique,
— historique,
— musical.

Par exemple : un moulin à café.

Dans le domaine animal, il me fait penser aux dents de l'hippopotame mangeant du foin.

Dans le domaine végétal, au lierre qui, peu à peu, détruit la pierre où il s'accroche.

Dans le domaine minéral, aux galets roulés par le torrent.

Dans le domaine historique, aux armées allemandes envahissant la Tchécoslovaquie.

etc.

Tentez ce jeu de transpositions avec les obets suivants :

— un aspirateur, une tondeuse à gazon, une lampe de chevet, un magnétophone, un appareil photographique, une clé à molette, un étau.

3. Les techniques de l'avenir.

Une entreprise forestière cherche de nouveaux moyens pour couper les arbres (qui seront ensuite emportés à la scierie).

Cette entreprise attend de vous non pas des idées banales ou de simples améliorations des techniques connues mais *des procédés résolument nouveaux*.

Pour trouver ces idées innovatrices, nous vous proposons de suivre rigoureusement le schéma de la page 176.

D'abord, *généraliser le problème* : couper des arbres, qu'est-ce que c'est ? Ensuite, à partir de cette formulation généralisée, *cherchez des analogies* en vous efforçant d'aller le plus loin possible. Détendez votre esprit, soyez le plus « poétique » possible. Efforcez-vous de vagabonder dans l'analogie symbolique, c'est souvent la plus riche.

Puis reprenez les analogies qui vous paraissent les plus riches et *procédez à leur décodage*.

Enfin, à partir des éléments trouvés dans le décodage, tirez des *idées de solutions* à proposer à l'entreprise.

Pour que ces idées soient compréhensibles, n'hésitez pas à les accompagner de croquis et de schémas.

Le changement des règles du jeu.

> « *Je hais tous les gens à principes. Ils
> sont, reprit Ménalque en riant, ce qu'il y
> a de plus détestable au monde. On ne
> saurait attendre d'eux aucune espèce de
> sincérité.* »
>
> André GIDE (*L'immoraliste*)

L'organisation mentale comme l'organisation sociale reposent sur ce qu'on peut appeler des *règles du jeu.*

Dans le jeu d'échecs, par exemple, existent un certain nombre de règles qui indiquent quelles sont les relations entre les différentes figures, quels sont les sens de progression et quel est le but à atteindre si l'on veut gagner la partie.

Ces règles forment la structure du jeu. Si on les modifie, il ne s'agit plus du jeu d'échecs mais d'un autre jeu.

Jouer aux échecs, ce sera donc accepter de se conformer à la règle du jeu en s'interdisant de la mettre en question durant la partie, sous peine d'être traité de tricheur.

Si l'on quitte maintenant le domaine du jeu, où les choses sont relativement claires, pour plonger dans la vie « réelle », on s'aperçoit que toutes nos pensées, nos actions, nos affections, nos comportements, etc., sont également régis par des lois, des commandements, des interdits, des croyances, etc., qu'on regroupe sous le terme fort imprécis je l'avoue, de règle du jeu.

Ces règles du jeu permettent aux humains de vivre ensemble; ce sont, si l'on veut, les bases de l'organisation sociale. A un certain moment d'évolution d'une société, elles sont codifiées dans des lois qui forment un système de relations autorisées ou interdites dans un ordre social donné. Ou, pour employer un langage à la mode, *une structure.*

« Une structure, définit Henri Laborit dans *Biologie et structure,* est l'ensemble des relations existant entre les éléments d'un ensemble. Structurer consiste donc à tenter d'établir l'ensemble de ces relations. Comme l'ensemble des relations entre les éléments d'un ensemble est souvent hors de portée de notre connaissance, le mot de structure désignera souvent des structures imparfaites, des sous-ensembles ou des parties de l'ensemble des relations. »

Toute règle du jeu établie à la suite d'évolutions sociales, économiques, politiques, scientifiques, etc., a tendance à prendre un poids et une consistance qui la font considérer, à plus ou moins long terme comme une vérité essentielle. Elle se transforme alors et n'est plus considérée comme un simple code susceptible de transformations mais comme un dogme auquel il sera interdit de toucher sous peine de répression ou d'exclusion.

A ce moment la règle du jeu devient un mur d'enceinte qu'il est impensable de franchir. Nos pensées doivent s'exercer à l'intérieur des limites qu'elle a fixées. Sinon, ce sont des *pensées interdites* dont les gardiens de la règle (législateurs, savants, professeurs, etc.) nous interdisent l'expression car elles vont contre la vérité.

Or, disait Pascal, « vérité en deçà des Pyrénées, erreur au-delà ».

Ce qui signifie que le système de relations actuellement en cours doit être considéré, contrairement à ce que prétendent les gardiens de la règle, comme essentiellement relatif et modifiable. Toute règle du jeu peut et doit être remplacée par une (ou plusieurs) autre règle du jeu quand il apparaît que le jeu actuel ne correspond plus aux aspirations profondes de ceux qui le pratiquent.

L'approche créative va donc consister à déterminer quelles sont les règles du jeu, avouées ou occultes, qui sous-tendent une situation puis à imaginer quelles autres règles du jeu il est possible d'appliquer pour apporter des réponses mieux adaptées au problème posé.

En fait, il ne s'agit pas simplement d'une approche créative mais de la démarche fondamentale de l'esprit créatif qui s'attaque systématiquement aux règles du jeu en vigueur quand celles-ci deviennent des éléments de blocage et de sclérose qui figent la pensée et la société et interdisent qu'on s'évade du système dont elles ont borné les limites.

Ayant établi *un ordre* on en vient à considérer que toute modification des règles du jeu vise à instaurer un *désordre*.

Désordre économique, désordre social, désordre intellectuel ou, plus pragmatiquement, mise en question des personnes et des idées en place.

On retrouve ici les réflexions sur le frein que constitue l'attitude de l'expert ou du mandarin qui sont les gardiens des règles d'un jeu qu'ils sont parvenus à imposer et qui leur confère une suprématie évidente par rapport à ceux qui ne possèdent pas leurs compétences (supposées ou réelles) dans un système donné.

Les exemples de cette lutte contre *l'establishment* intellectuel, scientifique, artistique, religieux, politique, etc., sont tellement nombreux qu'on ne sait que citer.

De Galilée transformant la règle du jeu qui voulait que le monde tournât autour de la terre, jusqu'à Sicco Mansholt prédisant que les ressources énergétiques ne seraient pas éternelles et qu'il fallait modifier les règles du jeu de la croissance, c'est à un combat permanent entre les tenants d'un ordre par eux jugés absolu et éternel et les « mauvais joueurs » qui viennent perturber le système avec leurs idées « absurdes » que nous assistons. Et auquel nous participons [1].

1. C'est ce que nous vivons actuellement avec les écologistes.

On a déjà souligné que les règles du jeu imposées, dans la mesure où elles font partie intégrante de nous-mêmes, sous forme d'expériences, de croyances, de modes de pensée et de raisonnement, etc. risquent d'être un frein puissant à l'imagination et au changement dans la mesure où elles interdisent à notre pensée de s'envoler et de pénétrer dans les mondes inconnus, soumis à d'autres règles, où nous pourrions trouver des idées véritablement nouvelles.

En ce sens, pour avoir des idées nouvelles, il va être nécessaire de nous transformer nous-mêmes en rejetant, même si cela est difficile et douloureux, les règles de notre propre jeu.

Le changement des règles du jeu est donc plus qu'une technique; *c'est la mise en pratique d'une conversion mentale profonde.*

Voici un exemple de cette démarche : en simplifiant, on peut dire que l'école traditionnelle repose sur cette règle du jeu :

Le professeur ————— transmet un savoir ————— aux élèves.

Règle du jeu qui implique que le professeur est une sorte d'intermédiaire ou de médiateur entre *le savoir* et ses élèves — ce qui suppose qu'il existe un savoir préexistant et absolu qu'il est possible de transmettre. Ce qui suppose également que le but de l'enseignement est de posséder des connaissances.

Cette règle du jeu, liée à d'autres règles du jeu forme *un système.* Or, mettre en cause une seule des relations entrant dans ce système risque de modifier le système tout entier.

Dans le cas proposé, on peut modifier la règle du jeu des façons suivantes :

— Le professeur *fait découvrir* la réalité aux élèves (c'est la pédagogie de la découverte).

— Le professeur *apporte des méthodes de travail* aux élèves qui organisent leurs recherches comme ils l'entendent (le professeur serait alors un *méthodologue*).

— Le professeur et ses élèves *découvrent ensemble* des réalités qu'ils ignorent. Par exemple, ils vont travailler pendant un mois dans une entreprise.

— Ce sont les élèves qui ont appris ou découvert quelque chose qui transmettent leur savoir aux élèves moins avancés. Le professeur devient alors une sorte de conseil extérieur à qui l'on fait appel en cas de difficultés (c'est la règle du jeu adoptée par la fameuse école de Barbiana dont les élèves rédigèrent une bouleversante *Lettre à une maîtresse d'école*).

— Les élèves, avec la collaboration d'un animateur *décident des informations et des connaissances dont ils ont besoin* pour mener une recherche qu'ils ont établie. Ils font appel à divers spécialistes qui peuvent les aider à résoudre leurs problèmes.

A vous, maintenant, de chercher d'autres règles du jeu possibles...

A mesure qu'on transforme les règles du jeu, on s'aperçoit qu'il est également nécessaire de modifier les appellations. En effet, les appellations « professeur » et « élèves » sont liées à un certain type de règle du jeu. Lorsque cette règle fait place à une autre, il devient nécessaire d'utiliser de nouveaux mots et, au besoin, de les inventer.

On remarquera également qu'il y a une profonde différence entre changement des règles du jeu et *modification des moyens techniques*.

On s'imagine souvent qu'en changeant les techniques on transforme les relations. Or, si l'on reprend notre exemple, on s'aperçoit que ni l'enseignement programmé ni l'audio-visuel ne modifient, *en profondeur*, la relation entre l'élève et le savoir préétabli. Je dirais même que ces nouvelles techniques renforcent cette relation et accroissent la dépendance de l'élève par rapport au savoir en lui enlevant les possibilités de dialogues et d'investigation qu'il avait avec le professeur traditionnel. L'enseignement programmé, en particulier est l'un des meilleurs moyens pour tuer toute créativité.

Dans les applications de recherche, cette approche comportera trois temps :

— Détermination des règles du jeu actuelles, avouées et « clandestines ».
— Modification de ces règles du jeu.
— Etude des conséquences entraînées par ces modifications.

Dans une *étude technique*, on cherchera à faire varier successivement les différents éléments du problème en considérant qu'aucun d'eux n'est absolu et définitif mais que chacun peut donner lieu à des modifications totales.

Voici un exemple vécu : il s'agissait de trouver des moyens efficaces pour acheminer le bois de fûtaie coupé qui pousse généralement en des lieux escarpés vers les papeteries situées dans les vallées.

Un groupe de travail est constitué. Il comporte les meilleurs spécialistes du sujet. Certains ont conçu des machines très perfectionnées pour couper ce type de bois et font autorité en la matière.

De ce fait, ils abordent le problème avec une règle du jeu technique et mécanicienne. Ils pensent machines et ils pensent dans le plan sur lequel se meuvent ces machines. Ils se mettent donc à imaginer aussitôt quel type de machine construire qui permettrait de descendre les tronçons de bois vers la papeterie.

Après avoir écouté les experts développer leurs points de vue et échanger leurs techniques et leurs chiffres, un jeune ingénieur qui avait fait de la créativité propose de modifier la règle du jeu, c'est-à-dire de quitter le plan et les machines pour adopter une autre démarche.

Il propose alors de placer au-dessus du terrain d'abattage un gros ballon gonflé à l'hélium qui servirait de relais à une sorte de téléphérique qui prendrait le bois et le descendrait dans la vallée.

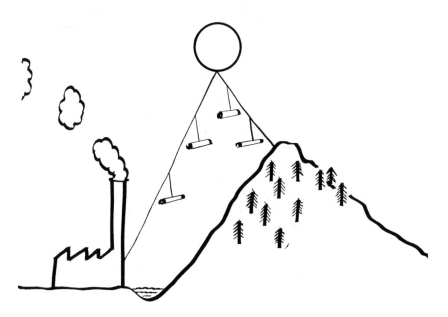

La première réaction des experts est, bien sûr, d'ironie et de critique. Mais le jeune ingénieur avait préparé ses arguments techniques et financiers. Il démontre, chiffres et exemples à l'appui, que ce procédé était applicable (on l'utilisait déjà, pour d'autres usages aux U.S.A.) et rentable.

On conçoit l'ennui des experts : cette idée, si elle était bonne, remettait complètement en cause la règle du jeu en cours jusque-là. Elle exigeait donc qu'ils transformassent de façon radicale leurs conceptions et, par là même, des règles du jeu de type hiérarchique et institutionnel. Ce qui, dans ce contexte précis, se révélait proprement inimaginable.

Je proposai alors une autre règle du jeu : pourquoi laisser pousser les arbres jusqu'à leur hauteur actuelle alors qu'il serait si simple de les couper lorsqu'ils auraient seulement atteint la taille d'un épi de blé?

Léger agacement des experts qui récusent mon idée avec une très ferme courtoisie (dans ce groupe, j'étais invité en tant que simple observateur).

Mais le directeur d'une importante papeterie prend la défense de cette idée : les services de recherche de son entreprise ont suivi une semblable démarche. Des plantations témoins existent déjà. Chaque année les arbustes sont « moissonnés » et permettent de fabriquer un papier encore épais mais qui, de l'avis des chercheurs, deviendra comparable aux meilleurs papiers dans les années à venir.

Cet exemple à rebondissements montre que le changement des règles du jeu va permettre de considérer un problème sous des angles très variés parce qu'on ne s'enferme pas dans une direction unique, qu'on ne considère pas, *a priori* qu'il existe une seule vérité.

Il montre aussi quelles difficultés éprouvent les spécialistes (ou ceux qui vivent le problème) pour imaginer d'autres règles du jeu que celle sur quoi est fondée leur réflexion et engagée leur action. Car, en proposant d'autres règles du jeu, ils risquent de faire s'écrouler tout leur univers patiemment élaboré.

Difficultés encore plus évidentes lorsqu'on s'attaquera aux problèmes sociaux et humains.

Lorsque Mgr Boillon, évêque de Verdun, déclare : « Et pourquoi le travail est-il payé en fonction de son intérêt? Le cadre est mieux payé que l'éboueur, or le cadre a au moins l'avantage d'un travail intéressant. Pour quelles raisons ne pas renverser les propositions?... Dans la conjoncture actuelle, le meilleur moyen de réapprendre la joie ne serait-il pas de bloquer toute augmentation de salaire, sauf pour les plus bas qu'on augmenterait régulièrement? » On conçoit ce qu'une telle proposition de modification des règles du jeu fondamentales de notre système économique et social peut entraîner comme réaction de rejet de la part de ceux qui ont fondé leur existence sur la conception pyramidale des salaires. Pour ceux là, il s'agit d'une « pensée interdite » qu'il leur est impossible de considérer, ne fut-ce qu'un moment.

Même réaction violente lorsque Ivan Illich conteste, dans *La convivialité,* que le seul fait de l'appropriation des outils de production par les travailleurs modifie réellement les règles du jeu de la société. « L'appropriation publique des moyens de production par l'intermédiaire d'un organisme central de planification et de répartition ne transformera pas la structure anti-humaine de l'outil. » Et, dépassant le débat entre économie de marché et économie planifiée, il propose une nouvelle règle du jeu « où la parole soit prise et partagée, où personne ne puisse limiter la créativité d'autrui, où chacun puisse changer la vie » — ce qui est une « pensée interdite » pour les tenants du capitalisme comme pour ceux du collectivisme.

Ce dernier exemple montre bien, du reste, que le seul *changement des procédures* n'aboutit pas à la transformation profonde souhaitée. Il faut, pour ouvrir la voie aux véritables innovations, aller beaucoup plus loin et reconsidérer, avec un œil totalement neuf, c'est-à-dire débarrassé des préjugés, doctrines, références, qui entravent l'imagination, la réalité à transformer.

Développez votre créativité.

1. Essayez d'abord de mettre en œuvre ce qui vient d'être dit à propos des règles du jeu à partir des objets suivants :
— un aspirateur,
— une ampoule électrique,
— un livre,
— un tourne-disques.

Puis efforcez-vous d'imaginer, pour chacun de ces objets d'autres règles du jeu.

Enfin, tirez-en des idées de nouveaux produits ou de nouveaux systèmes.

2. Même exercice, mais à partir de *situations de relations.*

Quelles sont les règles du jeu entre :
— Vous et votre conjoint.
— Vous et vos enfants.
— Vous et votre supérieur hiérarchique.

Efforcez-vous d'établir un schéma de ces règles du jeu puis cherchez-en d'autres possibles en en imaginant les conséquences.

D'autres techniques de créativité.

Comme je l'indiquais au début de ce chapitre, les techniques de créativité sont moins des outils que des moyens d'accéder à un certain type de pensée multidimensionnelles qui permette de déceler les problèmes, de bien les poser et de leur apporter des solutions efficaces et originales.

Les approches que j'ai décrites ont déjà donné lieu à de multiples variantes et combinaisons. Chacun peut, du reste, les adapter à son goût en fonction de ses besoins.

Ayant déjà parlé de *l'analyse morphologique* de Zwicky, je n'ai pas jugé bon d'y revenir ici car elle mérite un développement dont l'importance dépasse le cadre de cet ouvrage.

Je compte y revenir de façon approfondie dans *La créativité en action*, t. 2.

Il est extrêmement difficile de décrire les techniques fondées sur les mécanismes subconscients et inconscients car elles relèvent de la pratique beaucoup plus que de la théorie.

Il y a, par exemple, la technique du *rêve éveillé* qui consiste à enregistrer les idées, les images, les vagabondages qu'émettent les individus lorsqu'ils se trouvent dans cet état incertain qui précède immédiatement le sommeil. La pensée se libère alors de ses entraves logiques et rationnelles et opère des bi-sociations insolites que l'on pourra exploiter ensuite (par opération de croisement).

Ce procédé non plus n'est pas nouveau : il a été exploité avec bonheur par les surréalistes qui l'avaient baptisé « écriture automatique » [1].

Il est également très difficile de décrire les techniques *de descente dans l'inconscient,* assez proches de la psychanalyse collective et de la thérapie de groupe. Elles prennent, selon les spécialistes, des noms imagés « satori zen », « recherche du moi profond », « progression-méditation », « exploration du moi », etc.

Il s'agit d'expériences de groupe où chacun, grâce à des procédés empruntés aux religions extrême-orientales et aux approches psychanalytiques, s'efforce de descendre en lui-même pour y rechercher les images, analogies, métaphores, etc., qui aideront à trouver les solutions au problème posé.

C'est, en quelque sorte, un « voyage » sans drogue, avec l'aide du groupe. Ces techniques cherchent à reconstituer le mouvement de l'artiste qui fait surgir de lui-même les formes, les mots où les sons qui lui permettront de réaliser une création.

---

1. On remarquera, à ce propos, que beaucoup de techniques de créativité et, en particulier l'usage de l'analogie et de la métaphore étaient couramment utilisées par les surréalistes.

Toutes les techniques que j'ai présentées ici, exigent non seulement l'adhésion de ceux qui les pratiquent mais aussi la présence d'un spécialiste.

Le rôle du conseil en créativité est primordial et bien des échecs s'expliquent par le fait que ces techniques sont appliquées n'importe comment par des animateurs à l'incertaine compétence.

En un sens, c'est là leur limite; elles exigent une grande pratique car, sous leur apparente simplicité, elles mettent en œuvre des mécanismes mentaux complexes. Si elles sont mal utilisées, elles risquent de fortement perturber les individus au lieu de les épanouir et de développer leur dimension créative.

Mais c'est une limite provisoire : on verra, en effet, qu'après une période d'entraînement le groupe prend son autonomie et devient capable de parcourir seul les chemins de la création.

On pourrait encore citer les recherches, tout à fait passionnantes, entreprises par Wolfgang Luthe, sur les *techniques de mobilisation de la créativité* (C.M.T.), recherches fondées sur des bases physiologiques (les deux hémisphères du cerveau), psychologiques et pratiques (un entraînement, à base de séances de barbouillage, a déjà largement dépassé le stade expérimental. Ayant eu trop peu l'occasion de pratiquer cet entraînement avec Lucie Duranceau, une spécialiste québécoise, je ne me sens pas encore qualifié pour en parler. Ce sera pour la prochaine édition...).

14.

un essai d'approche méthodologique : le chemin d'invention

« La logique mène à tout, à condition d'en sortir. »

Alphonse ALLAIS

L'espèce de schéma que vous voyez sur les pages suivantes et que j'ai baptisé *chemin d'invention,* est un essai de description d'un processus d'invention destiné à permettre à un groupe de recherche d'arriver à trouver des solutions à un problème quelconque en parcourant un certain nombre d'étapes.

C'est *un essai :* je veux dire par là que je n'en suis pas pleinement satisfait et propose au lecteur l'état actuel d'une recherche que je poursuis en permanence avec l'aide des groupes que j'anime.

Ce chemin d'invention ne prétend donc en aucune manière constituer une approche définitivement mise au point à laquelle personne n'aurait le droit de toucher sous peine d'excommunication méthodologique. Au contraire, chacun peut, en l'expérimentant, le modifier à son gré pour qu'il réponde mieux à ses besoins. Je serais très heureux que les lecteurs me communiquent leurs expériences en la matière.

L'idée générale de la présentation qui se trouve dans ce livre est due à un groupe d'informaticiens d'Air-France qui avaient choisi comme cas d'application la mise en cause du cheminement que je leur proposais alors.

Depuis ce remaniement, d'autres groupes lui ont apporté un certain nombre d'améliorations.

Il ne s'agit pas d'une méthode : je me suis suffisamment insurgé contre les « méthodes » de créativité pour présenter la mienne à mon tour. Chacun est libre de l'utiliser à sa guise et d'en faire profiter ses amis et connaissances.

Le nom n'est pas déposé. Ce n'est pas un produit commercial.

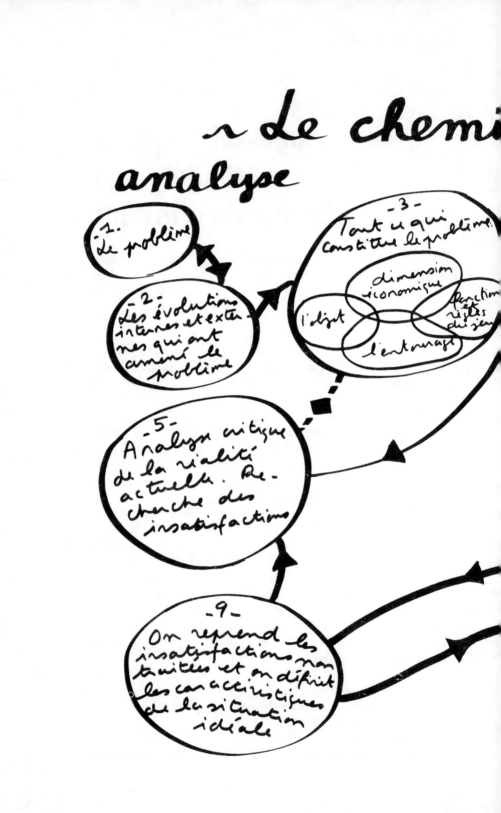

l'invention

-4-
bstraction - . Le
généralisation
ollème est générali-
sé .

recherche d'idées | recherche de solutions

-6-
Recherche des
idées permettant
d'améliorer la
situation
actuelle

-7-
On dégage de ces
idées toutes les
solutions
possibles

-8-
On extrait les
solutions réalisables
à court terme
mise à l'étude

-10-
On définit
le nouvelles
règles du jeu

12
On cherche les
moyens de
réalisation.

-11-
On en tire des
idées d'innovation

13
On extrait les solu-
tions réalisables à
moyen et long terme
mise à l'étude

Il ne s'agit pas d'une œuvre originale créée par moi de toutes pièces. Pour dessiner ce chemin, j'ai fait de nombreux emprunts. Parmi les plus évidents, je citerai l'analyse de la valeur, l'analyse morphologique, la sémantique générale, le problème-solving, le marketing industriel.

La plupart des approches ayant des points communs et des « angles de vision » différents, il m'a paru intéressant de prendre dans chacune ce qui convenait à ma manière en essayant de conférer au tout une unité suffisante.

Il ne s'agit pas d'un système figé : on m'a parfois reproché, au cours de séminaires, de représenter le mouvement de la création sous une forme d'apparence rigide.

Pour éviter une telle critique, j'engage le lecteur à se représenter les « bulles » en trois dimensions et sans cesse animées d'un mouvement de grossissement et de réduction. Je l'invite à imaginer les courants entre les bulles comme des flux capricieux allant sans cesse dans un sens puis dans un autre.

Pour donner une impression d'ensemble, ce devrait être une structure gonflable et transparente, oscillant dans le vent et parcourue de toutes parts de courants aux couleurs les plus chatoyantes.

En fait, il s'agit essentiellement *d'une approche pédagogique* permettant à ceux qui font leurs premiers pas en créativité de ne pas trop s'égarer lorsqu'ils entament une recherche un peu importante.

Comme toute approche pédagogique, elle est destinée à être plus ou moins oubliée dès que l'on aura acquis une certaine aisance dans le maniement des techniques d'analyse et de créativité.

Pour prendre des images, c'est un chemin balisé qui permet de ne pas s'engager dans n'importe quelle direction lorsqu'on arrive à un croisement. Mais, quand on aura parcouru tous les chemins balisés, on aura envie de pratiquer d'autres explorations.

A ce moment, *le chemin d'invention* fournira les instruments nécessaires pour atteindre l'objectif. Il sera devenu boussole, sextant, étoile polaire, sens de l'orientation.

Et surtout, il aura rempli son rôle inavoué : changer la façon d'aborder les problèmes, de percevoir la réalité et d'imaginer des réponses.

Ce qui n'apparaît pas sur *le chemin d'invention* c'est pratiquement l'essentiel. S'il permet, en effet, de bien poser le problème, de déterminer les axes de recherche, il est tout à fait incapable d'indiquer comment on trouvera des idées de solutions.

A ces moments, il faudra faire appel aux différentes techniques décrites dans le chapitre précédent en choisissant celles qui paraissent les mieux adaptées au problème posé.

Le *chemin d'invention* fournit donc un cadre, très souple et très large, à l'expression de la créativité.

Il permet de mieux situer les moments et les places où il faut faire preuve d'imagination et il évite à cette imagination de partir dans toutes les directions en même temps.

Si cette forme d'approche a des avantages évidents en ce qui concerne l'efficacité et la rentabilité, j'admets aisément qu'elle présente des inconvénients potentiels non négligeables.

En particulier, l'influence du meneur de jeu est ici prépondérante. S'il incite le groupe à se cantonner dans un certain cadre de pensée et à utiliser ce chemin de façon scolaire ou s'il invite, au contraire, le groupe à ne pas se laisser enfermer dans un type de démarche par principe rassurant et s'il le pousse à modifier les règles du jeu, à varier les perspectives, à s'élever et à s'évader — les résultats de la recherche seront intéressants ou exceptionnels.

Pour employer une analogie, le *chemin d'invention* pourrait se comparer au nombre d'or en peinture.

Selon qu'il sera employé avec application ou avec génie, cela donnera une morne toile d'André Lhote ou une somptueuse composition du Titien.

Description : ainsi que vous pouvez le constater, ce *chemin d'invention* comporte un certain nombre d'étapes, représentées par des bulles et numérotées de 1 à 13. Elles sont reliées entre elles par des chemins dont certains sont à double sens.

Il comporte également des « divisions » horizontales et verticales. Ces divisions servent à séparer nettement les différentes phases de la recherche.

La première division horizontale comporte les étapes d'analyse du problème. La deuxième, les étapes *d'analyse critique* de la situation actuelle et de recherche des solutions qui améliorent cette situation. C'est, si l'on veut, la phase *réformiste* de la recherche.

La troisième division comporte les étapes de modification des règles du jeu et de présentation du problème sous des formes complètement différentes afin d'apporter des solutions qu'on peut qualifier de *révolutionnaires*.

Les séparations verticales — analyse, recherche des idées, recherche des solutions — ont pour rôle de mettre le groupe en garde contre cette tendance qui consiste à vouloir produire tout de suite des solutions « opérationnelles » avant d'avoir cherché le maximum d'idées possibles.

Ces préliminaires établis, je convie maintenant le lecteur à parcourir le *chemin d'invention*. Parcours rapide et que je vais tenter d'expliquer de façon très simple (simpliste, penseront certains) en insistant, encore une fois, sur le très large écart qui existe entre le commentaire d'un processus comme celui-ci et la mise en application du même processus.

Etape 1 : définir le problème.

C'est le début de la recherche. Il existe un problème et il faut le résoudre. On fait appel aux techniques de créativité parce qu'on n'a pas réussi à trouver de solution par les voies « normales » (c'est le cas général).

Cette phase sera consacrée à essayer de bien poser le problème.

En effet, on peut considérer que dans la quasi-totalité des cas un problème est incomplètement ou mal posé.

Pourquoi cela? Essentiellement parce qu'il manque des informations, des dimensions et des relations avec d'autres éléments. Parce qu'on s'est tenu au *quantifiable* et qu'on a négligé le *qualifiable* (par exemple, les facteurs psychologiques et affectifs).

Avant d'entamer la recherche proprement dite, même si le problème paraît parfaitement posé (je dirais « surtout si le problème... »), il va donc falloir se livrer à une analyse aussi complète que possible de tous les éléments qui constituent le problème dans sa « dynamique antérieure » et dans son vécu actuel.

Etape 2 : chercher les causes d'apparition du problème.

Par « dynamique antérieure du problème », expression qui impressionne par son aspect scientifique, il faut simplement entendre qu'un problème n'apparaît pas d'un coup, dans un ciel sans nuage, mais qu'il a une histoire, un historique, parfois lointain et qu'il faut analyser le déroulement de cet historique-là.

Prenons un exemple classique : un chef d'entreprise fait appel à un conseil en créativité et lui pose le problème suivant : « Trouvez-moi de nouveaux produits dans tel secteur. »

Avant de se lancer dans la recherche de ces nouveaux produits, on va s'efforcer de savoir pourquoi le chef d'entreprise se pose, aujourd'hui, un tel problème. Et pourquoi il formule son problème dans ces termes.

L'apparition d'un problème pourrait être définie comme la conver-
gence et la rencontre d'un certain nombre *d'évolutions,* certaines étant
visibles, d'autres cachées.

On va donc chercher d'abord à saisir les évolutions qui se sont
produites en appliquant la grille suivante :

Evolutions dans l'entreprise	*Evolutions hors de l'entreprise*
— Juridiques	— Techniques
— Techniques	— Economiques
— Commerciales	— Sociologiques
— Financières	— Psychologiques
— Humaines	— Politiques
— Psychologiques	etc.
etc..	

Cette analyse est extrêmement importante dans la mesure où elle
permet souvent de saisir les véritables causes de l'apparition du problème et peut amener déjà à modifier complètement l'énoncé de ce
problème.

Une entreprise me demande de mener une recherche de produits
nouveaux parce que, m'explique-t-on, les produits actuels, du fait
d'une concurrence accrue, se vendent moins bien. Le chef d'entreprise
les estime « dépassés » et ne répondant plus aux besoins de la clientèle.

Au cours de cette analyse, il est noté dans les évolutions humaines
« départ de M. D..., directeur commercial et remplacement par M. G...
recruté à l'extérieur ».

Or, il apparaît que la baisse des ventes commence sensiblement à
la même époque. Il s'agit là d'une *relation significative* qu'il convient
d'approfondir.

On s'aperçoit alors (mais personne n'en avait pris conscience ou
ne voulait se l'avouer) que l'arrivée du nouveau directeur commercial,
garçon brillant mais peu doué pour les relations humaines, a été très
mal perçue par le réseau des représentants. Certains sont partis, ceux
qui sont restés ne sont plus dynamisés comme par le passé — bref, le
réseau commercial se dégrade et cette dégradation, accentuée par les
efforts de la concurrence, entraîne une baisse sensible des ventes.

Donc, le problème est beaucoup moins de lancer des produits nouveaux (que le réseau commercial vendra mal) que d'imaginer les
moyens de rendre son dynamisme au réseau de vendeurs. Cette opération s'accompagnant d'un effort publicitaire et, éventuellement, d'un
reconditionnement des produits existants (qui se révélèrent, à l'étude,
encore très bien adaptés à la clientèle).

Des cas de ce genre sont beaucoup plus fréquents qu'on ne le pense. La demande « trouvez-moi des produits nouveaux » dissimule, en général, une foule de problèmes que l'entreprise tente de résoudre par cette espèce de fuite en avant qui, bien sûr, n'apportera aucune véritable solution.

L'analyse de cette grille permet également de se faire une idée intéressante de l'entreprise.

Si les évolutions internes durant les cinq dernières années (par exemple) ont été faibles ou nulles alors que les évolutions externes ont été très rapides, cela signifie certainement que l'entreprise est incapable de s'adapter à la conjoncture et de se maintenir à l'écoute du marché.

Alors qu'une entreprise dynamique et soucieuse de répondre aux attentes du marché aura un rapport évolutions internes/évolutions externes supérieur ou égal à 1.

Au terme de cette analyse, soit le problème a déjà complètement changé de nature et la recherche part dans une nouvelle direction, soit il s'est maintenu dans son optique première et s'est enrichi d'un certain nombre de données auxquelles personne, *a priori,* n'accordait d'importance. Alors que, bien souvent, ces données évolutives sont essentielles.

Etape 3 : faire une analyse multidimensionnelle du problème.

C'est l'étape d'analyse du problème tel qu'il est défini à ce moment. Dans cette analyse qu'on peut qualifier de *multidimensionnelle,* on s'efforcera de prendre en compte tout ce qui constitue le problème — c'est *l'objet* même du problème.

— Tout ce qui est en relation proche ou lointaine avec lui : c'est *l'entourage* du problème.

— Les relations entre *l'objet* et son *entourage,* c'est-à-dire l'ensemble des *fonctions* que remplit le produit, le système, la procédure, etc. (quand il s'agira d'une situation ou d'un système de relations, on parlera alors de *règles du jeu*).

C'est ce qu'on appelle *l'analyse fonctionnelle.*

Cetet analyse, qui a été particulièrement développée par *l'analyse de la valeur,* prend en compte plusieurs types de fonctions : *fonctions d'usage* primaires et secondaires et *fonctions d'estime.* Que faut-il entendre par là ?

Tout produit (et j'entends ici produit au sens le plus large : il peut s'agir d'un service, d'une procédure, etc.) est conçu à l'origine pour

« faire » ou « permettre » de faire quelque chose. C'est-à-dire qu'il est utilisé en vue d'un *usage*. En ce sens *la fonction d'usage primaire* de la machine à écrire avec laquelle je tape ce texte peut être définie par « écrire ».

Mais cette fonction est également remplie par un crayon, un stylo, un bâton trempé dans l'encre, etc.

La machine à écrire remplit donc d'autres fonctions d'usage que l'on appelle *fonctions d'usage secondaires*. C'est, par exemple, écrire lisiblement, permettre des copies multiples, etc.

Enfin, si je me sers d'une machine à boule plutôt que d'un modèle normal dont il est impossible de modifier les caractères, je cherche, au-delà de la facilité d'emploi, un autre type de fonction, d'ordre psychologique et affectif que l'on appelle *fonctions d'estime*. Ce sera, par exemple, montrer que je suis à la pointe du progrès, montrer que j'ai les moyens, contenter mon sens esthétique, etc.

— Enfin, on procédera à une *analyse économique* du problème en prenant en compte tous les éléments chiffrés disponibles (coût, prix de vente, amortissement, etc.).

Prenons un exemple simple. Il s'agit de cet objet utilisé de façon courante dans les séminaires, groupes de recherche, etc. qu'on appelle « tableau papier » ou « paper-board ».

Ce qui constitue l'objet	Ses fonctions	Son entourage	Dimension économique
Un plateau en bois Trois pieds métalliques Système d'accrochage des feuilles Feuilles de papier Porte-crayons etc. Son poids Son aspect Son encombrement Sa stabilité Son prix Sa maniabilité etc.	Transmettre une information graphique. Fixer les idées. Centrer l'attention Marquer les points forts d'un discours. Orienter le groupe. Donner une contenance à l'animateur. Se donner bonne conscience quand on a rempli beaucoup de feuilles. Faire sérieux, intellectuel. etc.	Les crayons Les feutres Les auditeurs L'éclairage La salle La moquette Le parquet Les fenêtres Concurrents L'extérieur Différents lieux d'utilisation Différents types d'utilisateurs Les intempéries Appartements etc.	Prix de revient, décomposé par éléments. Marge commerciale. Rentabilité.

Il s'agit là d'une analyse très succincte. Une véritable analyse doit prendre en charge *la plus grande quantité possible d'éléments* en insistant tout particulièrement sur les fonctions et sur l'entourage. Ce sont en effet les domaines qui sont le plus couramment négligés parce qu'ils sont difficiles à cerner.

L'analyse des fonctions (ou des règles du jeu) est particulièrement délicate car elle s'efforce de saisir des données qui sont souvent profondément enfouies dans l'inconscient. C'est donc à une sorte de *psychanalyse* de l'objet ou de la situation qu'on devra se livrer [1].

Quand on considère certains produits on s'aperçoit que la fonction technique est faible alors que les fonctions psycho-socio-affectives sont très importantes. C'est le cas, par exemple, de l'attaché-case ou de la chaîne haute-fidélité.

Dans le cas de produits industriels hautement spécialisés, ces fonctions « secrètes » existent encore et elles ont une grande importance : c'est sur elles que pourra jouer le vendeur lorsque son produit se trouvera en concurrence avec d'autres produits de qualité identique.

Dans notre exemple, l'objet du problème est facile à déterminer : c'est le tableau papier lui-même.

Dans des cas plus complexes, la détermination de l'objet sera beaucoup plus délicate et donnera lieu à une intéressante discussion du groupe qui sera souvent amené, à ce moment de la démarche, à reconsidérer les différents aspects du problème et à décider des différentes orientations qu'il pourra donner à sa recherche.

Cette analyse a pour intitulé « récolte des faits et des relations ». Ce qui signifie d'abord qu'il s'agit de prendre en charge ces faits et ces relations *en s'interdisant de porter tout jugement à leur égard.*

Ce point est essentiel. Combien de réunions de travail échouent parce que, loin de commencer par une analyse et une définition du problème et un accord des participants sur le but et les moyens de la recherche, elles s'engagent immédiatement par l'exposé de critiques, d'insatisfactions et de rejets alors que personne ne sait exactement de quoi l'on parle ni quels sont les objectifs recherchés.

Pour parler très simplement, on pourrait dire que cette étape permet aux membres du groupe d'accorder leurs instruments et de savoir s'ils vont jouer un quatuor de Mozart, une improvisation préparée de Cage ou un morceau de free-jazz.

Cet intitulé signifie aussi qu'on va considérer les relations entre les éléments avec autant d'attention que les éléments eux-mêmes. En ce sens, la séparation analyse/invention est assez artificielle dans la mesure où l'analyse fait apparaître des relations jusqu'ici invisibles qui, déjà, font naître des idées.

Disons alors qu'il s'agit *d'analyses créatives.*

Etape 4 : abstraire et généraliser.

On possède maintenant tous les éléments constituant actuellement le problème. Le problème a été situé le plus largement possible dans son entourage.

---

1. On consultera avec profit, sur ce point, les travaux de Dichter.

On va maintenant tenter de le considérer non plus sous sa forme présente mais dans l'optique la plus générale possible. C'est ce qu'on appelle l'opération de « généralisation-abstraction ».

Par exemple, on ne définira plus notre tableau-papier comme « un objet permettant d'écrire sur de grandes feuilles en papier lors de séminaires ou de travaux de groupe » mais comme « un système permettant de transmettre des informations graphiques à un ensemble de personnes ».

Ce passage du particulier au général, du concret à l'abstrait n'a de sens que pour ceux qui mènent la recherche. Il en est un des moments essentiels qui se charge de tous les éléments emmagasinés jusque-là.

Le but de cette étape est de faire sortir le groupe de la réalité actuelle du problème pour lui permettre d'en déterminer l'essence dissimulée sous la multitude des formes et des phénomènes.

La forme actuelle prise par le problème est, en effet, une sorte de prison aux murs de laquelle vient se cogner l'esprit. Tant que celui-ci ne sera pas parvenu à dépasser l'existant pour atteindre au stade de l'abstraction, il aura les plus grandes difficultés à imaginer d'autres formes que les formes présentes, à se représenter *ce qui n'est pas encore.*

Ce passage par l'état d'abstraction, dont Gordon autant que Zwicky ont souligné le caractère essentiel, exige de la part de l'individu un effort considérable. Nous sommes emprisonnés dans la réalité. Et c'est de cette réalité que l'on va tenter de s'évader par l'effort d'abstraction.

Lorsqu'on y sera parvenu, on pourra envisager une multitude de moyens permettant d'assurer les fonctions déterminés lors de l'étape 3. Dans notre exemple : *tous les types de systèmes permettant de transmettre des informations graphiques à une assemblée.*

Au cours de cette étape, on s'efforcera d'aller le plus haut possible dans l'abstraction et de s'interroger, une fois de plus, sur la nature du problème qu'on doit résoudre.

On pourra se demander, par exemple, si la formulation « permettant de transmettre des informations graphiques » est suffisamment généralisée. S'agit-il vraiment de cela? Ne peut-on essayer d'aller encore plus loin? Ne peut-on dire qu'il s'agit essentiellement d'imprimer dans l'esprit des participants les points forts d'un discours ou d'une démonstration? Ce qui élargit encore l'éventail des possibles en nous permettant d'imaginer des systèmes, purement psychologiques, qui autoriseraient « l'impression » d'un esprit à l'autre.

Au terme de cette phase d'analyse, le groupe s'est entendu sur le problème à traiter et lui a donné une formulation très générale, propre à entraîner l'imagination dans des directions jusqu'ici insoupçonnées.

Il possède les matériaux nécessaires (faits, informations, relations) pour construire sa recherche.

Il pressent déjà un certain nombre de réponses en considérant les relations possibles entre les divers éléments accumulés.

Il est maintenant capable d'envisager le problème sous *l'angle de la critique*.

La deuxième phase de la recherche (étapes 5 à 8), est un retour à la réalité présente. Il s'agit maintenant de faire subir à la situation actuelle une *analyse critique* ou *analyse défectuologique* pour déterminer les points auxquels on peut apporter des *améliorations*.

Etape 5 : critiquer l'existant.

Le groupe reprend le produit, la situation, la relation, etc., qui posent problème et les passent au feu de la critique.

On l'a vu, à l'étape 3 qu'on utilise un produit parce qu'on estime qu'il remplira un certain nombre de *fonctions*. Certaines sont exprimées, d'autres sont non-conscientes et ne pourront être trouvées que par des analyses en profondeur.

Par exemple, j'achète tel type d'attaché-case parce que j'ai besoin de transporter des documents mais aussi (et surtout) parce que je trouve que cette mallette fait élégant, dynamique, cadre-dans-le-vent, jeune P.D.G., Américain, dans le coup, séducteur, va bien avec ma forme de lunettes et la couleur de ma chemise, donne un aperçu immédiat de mon standing, etc.

Or, *à l'usage,* on s'aperçoit que ce produit ne remplit pas aussi bien qu'on le souhaitait les fonctions qu'on lui attribuait. On constate que *la situation vécue* entraîne un certain nombre de tensions et de désagréments. Que l'organisation établie ne répond pas aux espérances qu'on avait mis dedans, etc.

On dit alors que le produit, la situation, l'organisation, la relation, la structure, etc., engendrent des *insatisfactions* et qu'il existe un écart, plus ou moins grand, entre le souhaité et le vécu.

Un exemple simple : le rasoir mécanique à lames interchangeables. En quoi est-il insatisfaisant? Il coupe très bien, si bien qu'on s'entaille la peau avec. La lame exige un lubrifiant pour glisser sur la peau. Il faut, pour bien se raser, de l'eau chaude et un miroir. Il faut également de la stabilité. Ce qui interdit pratiquement l'usage de ce rasoir dans une voiture, un avion ou un train en mouvement.

Il faut changer les lames en les sortant d'une boîte en carton avec des doigts mouillés, etc.

Autrement dit, le but de cette étape est d'appliquer son esprit critique à tous les éléments et toutes les relations déterminées à l'étape 3. On va donc s'interroger, dans le cas de notre tableau papier, sur tout ce qui est insatisfaisant dans sa conception technique, dans sa forme, dans ses modes d'utilisation, dans ses possibilités d'utilisation, etc. (j'invite le lecteur à s'entraîner à ce type d'exercice sur des objets familiers : l'aspirateur, la valise, le grille-pain, la voiture, etc.).

Dans une telle analyse critique, il est évidemment indispensable d'avoir les *porteurs du problème* — utilisateurs du produit, acteurs de la situation, utilisateurs du service, etc.

En effet, eux seuls sont capables de dire ce qui ne va pas, quelles sont les insatisfactions réelles éprouvées.

Seul le lecteur est capable de déterminer les insatisfactions qu'il éprouve à la lecture de cet ouvrage. Là où je croyais être très clair, il décèle des obscurités. Là où je pensais le passionner il s'ennuie copieusement, etc.

Dans une telle analyse, *il sera donc primordial de faire intervenir des clients, des utilisateurs, et, plus généralement, tous ceux qui sont en relation vécue et familière avec l'objet du problème.*

Cette recherche procure souvent de grandes surprises à ceux qui l'ont provoquée. On pensait qu'un produit ne présentait que de petites imperfections, on s'aperçoit qu'il suscite un nombre impressionnant de critiques. On estimait que l'organisation mise en place ne demandait que quelques aménagements, on découvre qu'il faut entièrement la revoir sous peine de graves conflits.

Elle demande de la part de l'animateur une grande habileté. En effet, contrairement à ce que l'on a coutume de croire, il est très difficile de faire exprimer ses critiques à un groupe — soit qu'il ne parvienne pas à les formuler parce qu'il s'est habitué à l'usage d'un objet ou d'un service et qu'il n'en perçoit plus les inconvénients — soit qu'il *n'ose pas* les formuler par crainte de retombées éventuelles qu'entraîneront ses critiques .(C'est ce qui se passe lorsque la hiérarchie demande à un groupe de faire l'étude défectuologique d'une organisation).

Et, bien souvent, les insatisfactions s'expriment sous des formes déguisées qu'il conviendra de décoder. C'est le cas, par exemple, lorsqu'on procède à une telle analyse en utilisant l'*analogie personnelle* où chaque membre du groupe devient le problème et exprime ses sentiments et ses sensations [1].

Il convient donc que l'animateur explique bien au groupe le sens de cette analyse : il ne s'agit pas de démolir pour le plaisir de démolir, mais de *démolir pour reconstruire autre chose qui ne présente plus les inconvénients de la situation antérieure.*

C'est ce qu'on peut appeler de la *critique constructive ou créative.*

1. Voir chapitre 18 : l'Etude de motivation créative.

Au terme de l'analyse critique, on se trouve en possession d'un certain nombre d'insatisfactions.

Avant de les traiter, on commencera par les trier et les regrouper car certaines, sous des formes différentes, expriment la même chose. Puis on les examinera avec attention.

Une partie des insatisfactions peut être réduite ou supprimée sans qu'il soit nécessaire de remettre en cause la situation actuelle. C'est ce qu'on a appelé *le réformisme*.

D'autre, au contraire, sont intimement liées à la règle du jeu du système. Pour les supprimer, il faudra donc *changer de règle du jeu,* ce qui entraînera à inventer de nouveaux produits, établir de nouvelles relations, etc.

Si l'on reprend l'exemple du rasoir, on voit qu'on peut améliorer le mode de distribution des lames, la qualité de coupe de ces lames, la forme du rasoir sans mettre en cause le produit lui-même.

En revanche, si l'on garde la même règle du jeu (lame animée par un mouvement de la main et glissant sur la peau) on voit qu'il est impossible de supprimer les risques de coupure, le miroir, le lubrifiant, etc., parce qu'ils sont *parties intégrantes de cette règle du jeu.*

Dans un premier temps, on va donc chercher à traiter les insatisfactions dont la suppression n'entraînera pas la mise en cause profonde de l'existant.

Etape 6 : rechercher des idées améliorant l'existant.

On prend les insatisfactions les unes après les autres et l'on cherche *les idées* susceptibles d'entraîner leur suppression.

Pour ce faire, on va utiliser les *techniques de créativité* décrites au chapitre précédent.

Par exemple : comment supprimer la corvée de démontage du rasoir, changement de la lame et remontage (avec l'agacement et le risque de se couper que cela comporte) ? Idée : avoir un réservoir de lames qui viendraient se glisser sans effort dans le rasoir.

Comment supprimer la multitude de lames : avoir une seule lame, etc.

Toutes ces idées, qu'on cherchera les plus nombreuses possibles, seront reprises à :

Exemple 7 : transformer ces idées en solutions possibles.

Pour être transformées en *solutions possibles.* C'est-à-dire qu'on cherchera à tirer de ces idées, par concassage, par brainstorming, par analogies, par matrices, etc., des solutions plus élaborées.

Par exemple, l'idée de réservoir à lames, par analogie, évoque le chargeur de revolver.

La lame unique évoque la scie à ruban, etc.

Etape 8 : réaliser des fiches d'idées.

Toutes les solutions possibles sont examinées de nouveau, combinées entre elles et fournissent alors des *solutions réalisables à court terme*. Ce sont des idées de solutions déjà travaillées, dont les moyens de réalisation ont été définis et qu'il convient maintenant d'examiner sous l'angle de la faisabilité et de la rentabilité.

C'est à ce stade, par exemple, qu'on aura défini *l'injecteur de lames* ou le *rasoir à ruban*.

Elles sont qualifiées de solutions « à court terme » dans la mesure où elles peuvent entrer en réalisation dans les plus brefs délais, n'exigeant pas de bouleversements techniques, psychologiques, ou sociaux.

Autrement dit, elles se contentent d'apporter des améliorations à la situation existante en lui conservant ses règles du jeu essentielles.

A ce stade de la recherche, le groupe de créativité rassemble les idées émises et propose pour chacune d'elles une *fiche d'idées* qui se présente de la façon suivante :

Principe de l'idée : description de manière compréhensible pour quelqu'un qui n'a pas participé à la recherche.

Dessin ou schéma : qui permet de visualiser l'idée.

Avantages : techniques, financiers, psychologiques, sociaux, etc.

Inconvénients : on fait une analyse défectuologique de l'idée.

Variantes : les idées qui partent du même principe. Si elles sont trop complexes à définir ici, elles donneront lieu à d'autres fiches d'idées.

Problèmes soulevés : problèmes de réalisation, de commercialisation, de financement, de recherche à engager, etc.

Réponse du demandeur :

— Idée à mettre en application,

— Idée à retravailler,

— Idée à rejeter (avec les justifications de cette position).

Souvent, la recherche s'arrête à cette étape. Soit que le demandeur précise clairement qu'il cherche seulement à améliorer son produit actuel, soit que le groupe de recherche se fixe de telles limites parce qu'il est conscient de l'inutilité de proposer d'autres règles du jeu qui n'ont aucune chance d'être acceptées au moment où se produit la recherche (c'est ce qui s'est passé dans le cas des améliorations à apporter à un congrès, déjà cité).

Mais il arrive aussi que le demandeur désire aller plus loin et attende du groupe des propositions permettant d'apporter des solutions qui suppriment *dans leur totalité* les insatisfactions repérées à l'étape 5, même si ces propositions doivent remettre profondément en cause le produit, la procédure, la situation impliquées.

On a vu qu'un certain nombre des défauts du produit, du service, de l'organisation, etc., peuvent être réduits ou supprimés sans que l'on touche aux fondements mêmes de ce produit, de ce service, de cette organisation, etc., c'est-à-dire, sans que *l'on modifie leurs règles du jeu* [1].

Mais, après cette opération d'amélioration, une partie des défauts constatés demeurent. Car ils sont liés à la règle du jeu du produit ou du système.

Par exemple, si l'on reprend l'exemple du tableau papier, il est certain qu'une insatisfaction majeure réside dans le fait que, pour écrire sur le papier, l'animateur doit se trouver face à lui (à moins d'être un acrobate). C'est-à-dire qu'il passe la moitié du temps le dos tourné à son auditoire en train de s'adresser à la feuille sur laquelle il écrit (avec de plus en plus de difficultés à mesure qu'il écrit vers le bas). Cette insatisfaction est liée au principe même (la règle du jeu technique) de l'objet.

Certes, on peut améliorer cela en remplaçant, par exemple, les feuilles actuelles par des feuilles qui se déroulent au gré de l'utilisateur et lui permettent d'écrire à hauteur constante — mais on maintient le principe d'écriture sur un support qui exige qu'on se trouve face à ce support.

Il y a d'autres insatisfactions liées aux principes : ce genre de tableau n'est utilisable qu'avec un petit groupe. A partir d'une certaine distance, il n'est plus lisible; il ne permet pas de fournir des copies maniables de ce qui a été écrit dessus, etc.

---

1. Parfois, les nombreuses transformations apportées donnent l'impression que l'on se trouve devant une organisation ou un produit totalement nouveaux. Il ne s'agit, en fait, que d'apparences. On peut modifier autant qu'on veut les approches pédagogiques, la règle du jeu ne sera pas fondamentalement modifiée tant qu'il restera des examens qui sanctionnent une acquisition de savoir.

Etape 9 : définir une situation idéale.

On va tenter, en reprenant la définition obtenue à l'étape 4 (abstraction-généralisation) de définir les *caractéristiques d'une situation idéale.*

Par exemple, on va chercher quelles devraient être les caractéristiques d'un « système permettant de communiquer des informations graphiques à un groupe » pour que ce système réponde le mieux possible aux *fonctions* qui ont été définies au cours de l'étape 3.

Disons que ce système devrait permettre de transmettre à un groupe de dimension quelconque des informations graphiques tout en laissant à l'animateur un contact permanent avec ce groupe

— qu'il devrait permettre de stocker les informations de manière précise et utilisable,

— qu'il devrait permettre de fournir un nombre illimité de copies de cette information,

— qu'il devrait être aisément transportable,

etc.

Au terme de cette étape, on possède donc une certaine idée de ce qu'on veut obtenir ou, pour parler autrement, des *caractéristiques essentielles d'un système qu'on pourrait qualifier actuellement d'idéal.*

Etape 10 : imaginer de nouvelles règles du jeu.

A partir de cette définition développée du problème, on va s'efforcer d'imaginer de nouvelles règles du jeu qui permettront de réaliser cet « idéal ».

— règles du jeu techniques,

— règles du jeu sociales,

— règles du jeu psychologiques,

— règles du jeu économiques,

— règles du jeu politiques,

etc.

C'est-à-dire, dans les cas les plus complexes, un *système* de règles du jeu (mais un simple changement de technique entraîne forcément une recherche sur de nouvelles règles du jeu économiques, sociales, etc.).

Par exemple, dans le cas du rasoir, on transformera la règle du jeu « lame animée par la main d'un mouvement latéral » par :

— lame tournant grâce à un moteur,

— lame vibrant grâce à un moteur,

mais aussi :

— procédé chimique externe,
— procédé chimique interne,
— procédé électronique,
etc.

Lorsqu'on aura ainsi imaginé le maximum de règles du jeu possible (le lecteur pourra utilement se reporter au chapitre 11), on passera à *l'étape 11.*

Etape 11 : imaginer des idées d'innovation.

Dans cette étape il s'agira, en utilisant toutes les techniques de créativité étudiées au chapitre 11, d'extraire de ces règles du jeu toutes les *idées d'innovation* possibles.

Par exemple, le rasoir mécanique deviendra le rasoir électrique à lames rotatives ou à lames vibrantes mais aussi la gomme à effacer la barbe, la pilule qui empêche la barbe de pousser, le micro-laser de rasage, etc.

Etape 12 : définir les moyens de réalisations de ces idées.

Au cours de *l'étape 12*, le groupe, auquel il est très utile que se joignent des spécialistes de différentes disciplines, va reprendre les idées d'innovation émises à l'étape précédente et cherchera quels sont les *moyens de réaliser* ces idées.

Par exemple, l'idée de « gomme à effacer la barbe » pourra donner lieu aux propositions de réalisation suivantes :

— gomme adhésive arrachant la barbe (analogie : brosse pick-up),
— produit chimique dévorant la barbe (analogie : le désherbant),
— système d'usure mécanique de la barbe (analogie : la ponceuse),
— « gomme » fonctionnant à partir d'organismes vivants qui « mangent » la barbe (analogie : les enzymes des lessives),
— système de gommage de la barbe par haute fréquence,
— la gomme à barbe cache la barbe sous une couche de « quelque chose » (analogie : le *typex* pour machines à écrire),
etc.

Dans cette étape, où l'on se rapproche des possibilités de réalisation, il est essentiel de conserver toute l'ouverture d'esprit, toute l'attitude d'accueil aux idées nouvelles qui ont présidé aux étapes précédentes de la recherche.

Avant de rejeter une solution, il est nécessaire de l'examiner avec attention et de ne pas la rejeter avant d'avoir véritablement cherché s'il ne se dissimule pas dessous une innovation intéressante.

Il est évident que la proposition d'un adhésif arrache-barbe va d'abord faire rire et amener le groupe à pousser des cris de souffrance. On est alors tenté de la considérer comme pas sérieuse et de la négliger. Or, c'est précisément ce type d'idée d'apparence inintéressante qu'il convient de considérer avec intérêt. C'est-à-dire qu'il faudra d'abord se renseigner auprès de spécialistes des adhésifs s'il n'existe pas un système, si un système nouveau n'est pas concevable, qui permettrait de réaliser efficacement ce type de réponse.

On est souvent surpris de voir que le spécialiste consulté, au lieu de s'esclaffer, prend l'idée en considération et parvient à lui trouver un procédé d'application (je parle évidemment d'un spécialiste « ouvert »).

Etape 13 : définir les solutions avec leurs critères d'évaluation.

On reprend toutes les conceptions de l'étape précédente et on les compare à « l'idéal » défini à l'étape 10 pour voir dans quelle mesure elles permettent de l'atteindre. Certaines propositions peuvent d'ailleurs être réunies pour former une proposition plus complète donc plus satisfaisante.

C'est le critère de *qualité* qui permet déjà de discerner les propositions qui ne répondent que partiellement au problème et celles qui, au contraire, semblent apporter des réponses très satisfaisantes. Ce, en considérant l'aspect technique du problème, mais aussi ses aspects psychosociologiques et affectifs (ceux qu'on oublie souvent et qui déterminent en grande partie le succès ou l'échec d'un produit, d'une organisation, d'un service, etc.).

Lorsque les propositions ont été ainsi resserrées et sélectionnées, on les classe en appliquant les critères suivants :
— *faisabilité* immédiate, à moyen ou à long terme,
— *acceptabilité* forte, moyenne ou faible (on entend par là, principalement, leur acceptabilité compte tenu des contraintes psychologiques et sociales),
— *coût* fort, faible ou moyen (en particulier, les investissements exigés).

Ces critères ne sont pas limitatifs. Chaque problème exige qu'on définisse ses propres critères d'évaluation.

On aboutit ainsi à une *proposition générale de solutions* comportant :

— *les solutions réalisables à court terme* : les techniques et les moyens existent. L'acceptabilité est bonne,

— *les solutions possibles à moyen terme* : la technique existe mais n'est pas encore au point. L'acceptabilité demande, pour être bonne, une évolution des habitudes et des mentalités. Etc.,

— *les solutions envisageables à long terme* : la technique nécessaire n'existe pas encore ou se situe au niveau de la recherche. Les mentalités sont farouchement opposées à ce type de solutions. Etc.

A travers les solutions proposées à l'étape 8 et celles proposées ici, c'est un véritable *plan de développement* qui se dessine.

Reprenons l'exemple de notre tableau papier.

Au terme de cette recherche, le fabricant sait maintenant quelles sont les insatisfactions ressenties par les utilisateurs de son produit par rapport à ce qu'ils attendent de lui. Il sait également quelles doivent être les caractéristiques d'un « système » supprimant toutes ces insatisfactions.

Il possède un catalogue d'idées permettant d'améliorer *le produit existant* sans en modifier fondamentalement la conception et l'utilisation. Il peut mettre en œuvre immédiatement ces idées et sortir un produit qui présente, par rapport aux produits concurrents, d'appréciables avantages.

Il possède également des idées et des moyens techniques pour réaliser des *produits nouveaux* totalement différents du produit actuel et répondant beaucoup mieux aux fonctions qu'on attend de lui.

Certaines peuvent être mises en œuvre dès maintenant. Ce serait le cas, s'il n'existait déjà, du rétro-projecteur.

D'autres demandent une étude poussée à partir de techniques existantes. Par exemple, un système à base d'ordinateur et de terminals. Ils exigent de la part du demandeur une conversion industrielle et mentale.

Les propositions de la troisième catégorie exigent une recherche fondamentale dont les résultats sont aléatoires et se situant dans un avenir non mesurable. Elles peuvent être mises en réserve en attendant que les moyens de réalisation soient découverts.

Ce serait le cas d'un système de transmission d'informations par télépathie.

On peut représenter cette démarche par le schéma suivant (pour faciliter la compréhension, il s'agit ici d'un produit-objet) :

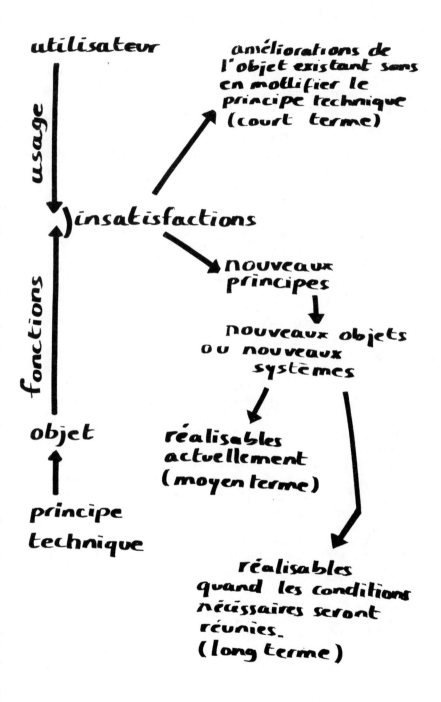

utilisateur

améliorations de
l'objet existant sans
en modifier le
principe technique
(court terme)

usage

)insatisfactions

nouveaux
principes

nouveaux objets
ou nouveaux
systèmes

fonctions

objet

réalisables
actuellement
(moyen terme)

principe
technique

réalisables
quand les conditions
nécessaires seront
réunies.
(long terme)

Le demandeur est donc en possession de tous les matériaux nécessaires pour prendre ses décisions. Il peut maintenant considérer son problème sous des angles originaux qu'il ne soupçonnait pas (ce qui aura une influence sur sa décision).

On entre alors dans un domaine qui n'appartient plus à la créativité proprement dite mais à la recherche expérimentale, aux études de marché, au marketing, à la gestion, etc.

A moins que l'on juge utile d'entamer une nouve.e recherche en créativité dont l'objectif est de trouver les moyens de faire accepter les idées estimées bonnes par le milieu auquel elles sont destinées. C'est ce qu'on pourrait appeler le *marketing de l'innovation*. On utilisera pour cela, une nouvelle fois, le *chemin d'invention*.

Cette courte description du *chemin d'invention* aura montré au lecteur qu'une recherche est avant tout un *cheminement de la pensée*. Non pas un cheminement rectiligne passant imperturbablement d'une étape à l'autre par des enchaînements logiques mais, pourrait-on dire, une succession de démarches « montantes » et « descendantes » caractérisées par de fréquents retours en arrière, des changements de rythme et de nature, parfois des effacements et de nouveaux départs « à zéro ».

Il y a une notion de *va-et-vient* dont le schéma ne donne que faiblement l'idée et qui est capitale dans la mesure où chacun de ces retours en arrière permet à la recherche de se charger de nouveaux matériaux et de prendre d'autres dimensions.

Encore une fois, il ne s'agit pas de confondre la carte et le territoire. Le parcours proposé ici n'est qu'une sorte de schéma directeur sur lequel toutes les variations sont permises; plus encore, sollicitées.

Dans la pratique, les étapes se télescopent et se chevauchent. Un point, qui semblait pourtant traité à fond, apparaît devoir être examiné d'une autre manière à mesure que la recherche avance. Il semblait qu'on l'ait épuisé et voici qu'il en surgit de nouvelles richesses qui vont modifier la recherche et peut-être lui donner un cours nouveau.

Modifier les choses, c'est se changer soi-même. En parcourant un chemin, des paysages nouveaux apparaissent, des points de vue, des perspectives qu'on ne soupçonnait point.

Et l'effort qu'on a fait pour parvenir jusqu'à eux leur donnent une autre couleur, leur confèrent un autre pouvoir.

Le peintre, en recouvrant sa toile avec des couleurs, puis en enlevant celles-ci, puis en appliquant de nouvelles fait apparaître peu à peu le tableau qu'il cherchait et qui ne ressemble en rien à celui qu'il imaginait au départ de son travail. «Je ne cherche pas, je trouve », disait Picasso.

Il en va de même ici. On était parti pour traiter tel problème, en apparence bien délimité et l'on s'aperçoit, en cours de route, que le problème change de nature.

Mais est-ce vraiment le problème qui a changé? N'est-ce pas plutôt le chercheur?

L'un et l'autre sans doute dans leur relation réciproque. Et le regard que le chercheur posait sur son problème. « Que *l'importance*, disait Gide, soit dans ton regard, non dans la chose regardée. »

En ce sens, le *chemin d'invention* pourrait être défini comme un modificateur de perception ou, plus exactement, comme un multiplicateur de perceptions. En variant les éclairages et les perspectives, il permet au groupe en recherche de modifier peu à peu l'idée qu'il se faisait de l'objet et des buts de sa recherche.

D'un point de vue pratique, disons que tout problème ne mérite pas la mise en œuvre d'un processus aussi complexe et aussi lourd à manier. Certaines questions peuvent être résolues en quelques dizaines de minutes par groupe de brainstorming. Des sujets simples et bien définis peuvent trouver leur réponse par l'utilisation directe d'une approche analogique. Mais, dès qu'il s'agit d'un ensemble un peu complexe, comportant un nombre important de « variables dépendantes », il est nécessaire d'appliquer un tel processus.

Il faut se méfier cependant des « petits problèmes » car bien souvent ils en cachent de beaucoup plus importants que seule une analyse approfondie peut révéler.

Avant de choisir une solution, il vaut mieux « perdre » une heure en recherche que de prendre une décision à la hâte parce qu'elle semble la seule possible et la seule « logique ».

Combien de conflits, de tensions, d'échecs techniques et commerciaux, seraient évités si les décideurs avaient l'intelligence de procéder d'abord à ce type de recherche avant de trancher et d'imposer *leur* solution.

Il y a là, je pense, un sujet de réflexion fécond pour tous ceux qui pensent encore que décider c'est choisir entre le blanc et le noir sans avoir, au préalable pris en compte tous les éléments du problème et imaginé toutes les solutions possibles.

Si l'on veut, le *chemin d'invention* est un partage entre le manichéisme autoritaire et l'attitude véritablement créative.

15.
comment se forme et fonctionne un groupe de créativité

« Il y a une espèce de postulat de la création : l'inquiétude constante. »

Edouard PIGNON (*Contre Courant*)

Dans l'entreprise et, en plus général, dans une organisation quelconque, la créativité va d'abord être introduite par la constitution d'un groupe restreint — en principe, une dizaine de personnes.

Cette « cellule » de base aura pour premier objectif de se former, aussi complètement que possible, aux techniques de créativité.

L'apprentissage aura lieu d'abord avec des exercices pris dans différents domaines puis, progressivement, avec des problèmes apportés par les participants et se rapportant à leurs préoccupations « réelles ».

Lorsque la cellule se sentira assez forte, elle commencera d'intégrer des éléments extérieurs qu'elle formera à ses propres démarches et méthodes.

Ce grossissement aura pour effet de l'amener à se scinder en plusieurs groupes qui traiteront leurs problèmes propres, chercheront des réponses aux problèmes apportés par les autres groupes, échangeront leurs membres pour travailler sur une question donnée, traiteront les différents aspects d'un problème jugé trop vaste pour être pris en charge par un seul groupe, etc.

Il s'agit donc, par une série d'opérations d'osmose et de symbiose (on peut penser ici à l'analogie de l'amibe) d'amener une entreprise entière à devenir apte à traiter les problèmes qui se posent à elle en utilisant les techniques de créativité. Ce qui entraînera cette entreprise à devenir elle-même une unité créative (ce que, du reste, l'entreprise n'aurait jamais dû cesser d'être).

Pourquoi cette approche, décrite ici sous sa forme idéale, plutôt que celle préconisée par certains experts qui consiste à créer au sein de l'entreprise une cellule de créativité à qui l'on vient poser les problèmes que les autres services n'arrivent pas à résoudre?

D'abord pour une raison de conviction profonde : la créativité, comme l'économie, doit être l'affaire de tous. Il est absurde et malsain de la réserver à des spécialistes qui deviennent, en quelque sorte, des « technocrates de l'imagination ».

Le but profond de l'introduction de la créativité dans une organisation (entreprise, municipalité, hôpital, établissement administratif, syndicat, parti politique, école, etc.) est d'amener *tous* les membres de cette organisation à développer « leurs aptitudes à concevoir de nouvelles combinaisons » dans tous les domaines et non pas à créer une caste de privilégiés dont la fonction serait de trouver des réponses aux problèmes des autres.

Cette position de principe — diffuser aussi largement que possible les méthodes de créativité au sein d'un organisme et amener le plus grand nombre d'individus à leur donner une application pratique — ne va pas sans poser des problèmes et susciter des réactions parfois violentes.

Elle suppose, en effet, qu'il n'y a pas de différence *de nature* entre le P.D.G. et l'O.S., le cardinal et le curé de campagne, le secrétaire général et le militant de base.

Elle suppose aussi que l'on introduise la possibilité de communiquer de façon permanente et efficace entre individus et non plus de manière indirecte et hiérarchique à travers un système de directives, notes de service, etc. C'est-à-dire qu'il s'agit de concevoir une nouvelle organisation, non plus fondée sur les rapports de force, de pouvoir, d'autorité *a priori* en fonction de données établies une fois pour toutes, mais sur des notions de dialogue, d'objectifs communs, de collaboration à la création de relations nouvelles. C'est-à-dire, pour résumer, une transformation en profondeur des hommes et des relations qui constituent cette organisation.

La deuxième raison de privilégier cette manière d'introduire la créativité est essentiellement *stratégique*.

En effet, toute structure a une forte tendance à se maintenir en l'état. Ses réactions de rejet envers l'innovation sont d'autant plus fortes que cette innovation est plus fondamentale et remet en cause les situations acquises.

Au niveau individuel, chacun clame qu'il faut tout changer, que les choses ne peuvent plus durer ainsi mais chacun résiste opiniâtrement à se changer soi-même, c'est-à-dire à remettre en cause ses comportements et ses règles du jeu.

On l'a vu, par exemple, lors de l'introduction de l'informatique dans les entreprises.

La mise en place de la créativité, donc d'un élément de changement important, si elle enthousiasme quelques-uns, indispose beaucoup d'autres. Elle est ressentie comme une menace. On va devoir rompre avec ses habitudes, débattre de problèmes que l'on a pas intérêt à voir étalés au grand jour, travailler de façon différente, revoir ses méthodes d'organisation, mettre en cause des produits auxquels on est attaché... Bref, changer.

Si le groupe de créativité ne fait pas un effort important pour intégrer le plus grand nombre de personnes à ses démarches et à ses recherches et ne se pose pas, au départ, un but de diffusion dans l'organisation où il est, il risque de se trouver rapidement isolé et de voir ses propositions (surtout si elles sont bonnes) poliment enterrées ou rejetées avec force.

Il deviendra alors une sorte d'excroissance sans efficacité réelle, un rameau mort de l'organigramme.

Cela, ce sont les préalables méthodologiques à l'introduction d'un groupe de créativité dans l'entreprise (une organisation quelconque).

Il est certain que la pratique va révéler d'importants écarts entre ce qu'on souhaite faire et ce que l'on peut effectivement réaliser.

Annoncer, sans préparation préalable, à un chef d'entreprise que le but de l'opération qu'il déclenche est beaucoup moins de trouver de nouveaux produits que d'introduire dans sa firme un changement profond, le fermera sûrement et lui fera abandonner son projet. Car changement est aisément assimilé à pagaille, anarchie, destruction.

Il est donc nécessaire d'avancer prudemment, tant en paroles qu'en actes. C'est là une précaution élémentaire : tout changement (méthodes, systèmes, etc.), qui ne s'accompagne pas d'une transformation des mentalités, est voué quasi certainement à l'échec. Ou, du moins, a toutes les chances de rencontrer des freins considérables propres à décourager les meilleures volontés.

Le premier conseil que l'on puisse donner à un groupe de créativité qui s'implante dans une organisation est donc de modérer son enthousiasme. De ne pas vouloir aller trop vite, trop loin. De procéder sans cesse à des analyses et de réfléchir en permanence sur les moyens d'introduire le changement dans la structure où il opère.

Le deuxième conseil, qui découle du précédent, est de commencer par prouver son efficacité en résolvant de « petits » problèmes très concrets qui se posent à l'entreprise.

Par exemple (ce sont des cas réels) : réorganisation d'un service courrier, mise au point d'un système d'approvisionnement en fuel de bétonnières de location, rédaction d'argumentaires pour faire accepter aux clients une nouvelle démarche commerciale.

En procédant ainsi, le groupe de créativité prouve ses aptitudes à trouver des réponses aux problèmes qu'on n'arrivait pas à résoudre par les moyens traditionnels, se donne confiance en lui-même et perd son image de songe creux dont il est si facile de l'accabler.

— Autant que possible (mais on se heurte ici à bien des résistances), le groupe de créativité doit comporter un large échantillon des différents services représentatifs de l'entreprise.

Ce seul mélange est un élément extrêmement favorable à la création. Il permet le dialogue entre des gens qui, le plus souvent, ignorent les problèmes des *autres* et ont une vision très particulariste de l'entreprise.

Mêler des informaticiens et des publicitaires, des techniciens et des commerciaux, des gestionnaires et des comptables voilà qui, au départ, créera des échanges et des affrontements dont risquent fort de sortir des idées nouvelles.

— Il me semble essentiel, après une préparation des esprits sérieusement menée, de mélanger les différents niveaux de la hiérarchie.

A la limite (souhaitée), le P.D.G. et l'O.S. doivent pouvoir travailler ensemble et apporter, de manière efficace, des idées à partir d'un problème.

Cette vue des choses peut sembler utopique : ce type de groupes de recherche existe déjà dans quelques entreprises. Il fonctionne bien. Mais il rencontre, on s'en doute, l'opposition systématique du patronat, des cadres et des syndicats dans la mesure où il remet en cause des règles du jeu établies depuis plus d'un siècle.

Voilà quelques principes de base. Plutôt que de faire un catalogue des « règles » nécessaires au bon fonctionnement d'un groupe de créativité (ces règles n'ont qu'une valeur relative et demandent à être réexaminées avec chaque cas concret), je préfère décrire, avec quelque détail, deux exemples de groupes de créativité qui fonctionnent actuellement dans une administration et une entreprise privée.

Ils permettront au lecteur de mieux prendre conscience des différents problèmes tels qu'ils se posent dans la réalité.

DEUX EXEMPLES DE GROUPES DE RECHERCHE EN ACTION

Les deux cas que j'ai choisi pour illustrer ce chapitre sont, à dessein, aussi différents que possible.

Le premier se situe dans une entreprise privée de moyenne importance, le second dans un établissement public de 2 500 personnes dépendant d'une grande administration.

Je pense que le lecteur ne m'en voudra pas si je ne donne pas le nom véritable de l'entreprise privée. En effet, celle-ci préfère garder l'incognito pour des motifs qui lui sont propres (peut-être pense-t-elle que la créativité doit être considérée comme une arme secrète vis-à-vis de la concurrence). Pour des raisons de secret professionnel j'ai donc dû brouiller un peu les pistes tout en ne rapportant que des faits strictement exacts.

Du reste, je pense que beaucoup d'entreprises se reconnaîtront dans cet exemple car les problèmes évoqués à propos de celle-ci sont très fréquents tant dans les entreprises de production que dans les entreprises de services.

1. UNE ENTREPRISE PRIVEE.

Comment naît le désir de créativité.

Lorsqu'une entreprise ressent le désir d'introduire la créativité en son sein, ce n'est pas le fait du hasard mais le fruit d'une suite d'événements, d'évolutions et de réflexions. La décision d'utiliser les techniques de créativité apparaît comme l'aboutissement d'un processus dont le déclencheur final est souvent un stage de formation ou un séminaire.

Voici le témoignage d'un chef d'entreprise moyenne, identique à celle décrite ici :

« A la suite de différents séminaires de formation et de recyclage auxquels j'ai participé, j'ai été amené à découvrir un certain nombre de techniques et d'idées nouvelles en matière de gestion. J'ai été surtout amené à me poser des questions sur l'évolution de mon entreprise.

En particulier, j'ai compris quel énorme potentiel d'imagination et de création représentait l'ensemble du personnel d'une entreprise. Or on utilise très peu et très mal les capacités inventives des gens (on dit qu'en général 20 % seulement de ce potentiel est utilisé). Sans doute parce qu'on pense, *a priori,* qu'ils n'en ont pas — et cela est d'autant plus vrai qu'on descend dans l'échelle hiérarchique — et parce qu'on ne leur laisse pas la possibilité de s'exprimer.

J'ai également beaucoup réfléchi sur les problèmes de relations humaines à l'intérieur de l'entreprise. Je pense qu'elles ont une importance capitale pour son bon fonctionnement et son développement harmonieux. Il est maintenant nécessaire que les individus apprennent à travailler en groupe, acquièrent un esprit d'équipe et arrivent à mettre en commun leurs individualités pour réaliser une création collective.

C'est ainsi qu'après avoir monté moi-même des groupes de travail dont les résultats ont été un peu décevants, j'ai pensé systématiser la chose et donner à ces groupes un état d'esprit particulier, fondé sur l'imagination et la remise en cause des méthodes et des produits existants.

Au départ, la notion de créativité était liée pour moi à la recherche de nouveaux produits. Or, bien sûr, nous cherchons de nouveaux produits. Mais, à la suite de discussions, de réflexions personnelles et de lectures, j'ai senti que la créativité allait bien au-delà de la recherche de nouveaux produits et qu'elle permet, en fait, l'introduction d'un nouvel état d'esprit au sein de l'entreprise. C'est avant tout ce que je recherche. Non pas des résultats immédiats et chiffrables mais d'amener le groupe constitué par mes cadres et moi-même à remettre systématiquement en cause les méthodes que nous utilisons, tant au point de vue de la gestion qu'au point de vue de la démarche commerciale, les produits que nous fabriquons, les techniques que nous utilisons, etc.

Enfin, je voudrais que la créativité ne reste pas l'affaire d'un petit groupe de privilégiés, les cadres en l'occurrence. Il me semble essentiel qu'elle se diffuse le plus rapidement possible à l'ensemble de l'entreprise et que l'on arrive à ce que les cadres, les agents techniques, les ouvriers puissent travailler ensemble dans des groupes de recherche. »

Une telle attitude, qui était exceptionnelle voici quelques années, se rencontre maintenant de plus en plus souvent. Il y a là une incontestable évolution. Pour être franc, il faut ajouter que derrière ces nobles discours se dissimule souvent une préoccupation plus immédiate : la conjoncture économique difficile a joué pour beaucoup d'entreprises le rôle d'une douche glacée qui les tirerait d'un agréable sommeil.

Comme disent les gens du marketing, le marché était « porteur ». Alors on se laissait porter sans prendre garde que les choses pourraient un jour changer et qu'il faudrait alors faire preuve d'imagination pour trouver des solutions adaptées à cette nouvelle et pénible situation.

Brutalement réveillées, les entreprises (bien sûr, il y a de remarquables exception) ont pris conscience de cette carence imaginative et innovatrice. C'est alors que la créativité, dont on ne prenait ni les techniques ni les méthodes au sérieux, apparaît comme le moyen providentiel de faire face aux avatars d'un marché qui se dérobe, à l'agressivité de concurrents qui se déchaînent, etc. On prend alors la décision d'engager un processus de réanimation imaginative de l'entreprise...

La définition des actions à entreprendre.

Voici donc une entreprise moyenne (appelons-la l'entreprise Curtis) qui emploie trois cents personnes. Le siège, qui comporte la direction générale, les services commerciaux et administratifs, se trouve à Paris; l'usine de fabrication est en province.

Cette entreprise fabrique des produits destinés au grand public et des produits destinés aux professionnels.

Un jour, le directeur du marketing reçoit de la Fédération professionnelle dont dépend l'entreprise, la proposition de suivre un séminaire de créativité. Comme il avait lu les articles sur le sujet parus dans *La Revue de l'Entreprise*[1] et que ceux-ci avaient excité sa curiosité, il s'inscrit, « pour voir ». Il faut croire que ce séminaire l'intéressa puisqu'à quelque temps de là, il me demanda de rencontrer le patron de l'entreprise pour examiner avec lui les possibilités d'une action à entreprendre.

Au cours de cette réunion, on aborda différents aspects de la question, à savoir : les motivations qui entraînaient l'entreprise à entamer une telle action (elles étaient sensiblement les mêmes que celles du chef d'entreprise cité plus haut), les objectifs de cette action, les prolongements possibles et les modalités de l'intervention.

En ce qui concerne les objectifs, il apparut :

— que l'entreprise, qui avait fort bien vécu jusqu'ici avec quelques produits sans véritables concurrents, s'était un peu endormie sur ses lauriers et n'avait pas cherché à innover. Pendant ce temps, la concurrence faisait preuve d'imagination et lançait sur le marché des produits nouveaux gênants pour Curtis (si l'on veut, une situation comparable à celle de Moulinex par rapport à SEB). Il paraissait donc nécessaire d'améliorer les produits existants et de trouver de nouveaux produits permettant de reprendre l'avance perdue.

— qu'il était important, pour que cet effort imaginatif se réalise, de faire collaborer les gens du siège et les gens de l'usine qui vivaient, jusqu'ici, dans des univers séparés (cas très fréquent et créateur de tensions, de préjugés, d'inefficacité),

— qu'il fallait également poursuivre, parallèlement à l'action sur les produits, une action au niveau commercial. En particulier, il était nécessaire de développer la créativité des représentants,

— qu'on souhaitait enfin, lorsque le groupe se sentirait suffisamment fort, s'attaquer à des problèmes de production et trouver des idées originales pour réduire des coûts de fabrication.

La direction précisa également qu'elle apporterait tout l'appui nécessaire au groupe de créativité et que celui-ci serait associé à la mise en place des idées acceptées. De son côté, le groupe s'engageait à fournir des résultats suffisamment élaborés pour qu'il y ait possibilité d'une véritable prise de décision de la part de la direction. Le principe des *fiches d'idées* (voir plus loin), fut retenu.

La constitution du groupe.

Le groupe de départ est constitué par le chef d'entreprise et ses principaux collaborateurs, soit une douzaine de personnes. Il est convenu

---

1. Où j'ai publié une série d'articles sur la créativité.

qu'après la période de formation, le patron ne participera pas aux travaux du groupe de créativité afin de laisser à celui-ci son entière liberté d'esprit. Mais il est important qu'il suive cette première période, afin de pouvoir comprendre les démarches futures du groupe.

La moyenne d'âge du groupe est, à quelques exceptions près, peu élevée. La composition en est très variée : des commerciaux, des gestionnaires, des techniciens. On a essayé d'équilibrer la répartition entre gens du siège et gens de l'usine.

L'atmosphère est plutôt bonne, le système hiérarchique étant peu développé dans l'entreprise (rapports de type fonctionnel) mais l'antagonisme siège-usine se fait immédiatement sentir.

Il est bien entendu que ce groupe est un *groupe de base* destiné à s'étendre. En aucun cas il n'est question de créer une « cellule de créativité » repliée sur elle-même et destinée à devenir le seul potentiel imaginatif de l'entreprise. Un des souhaits de la direction est que chaque membre du personnel puisse participer, s'il le désire, à des groupes de créativité.

En ce sens, il est prévu dans le programme de formation, des exercices d'animation qui permettront aux membres du groupe de démultiplier la créativité en organisant des groupes avec leurs collaborateurs.

On a estimé que cette première phase devrait comprendre une dizaine de journées d'intervention du conseil extérieur — soit une dépense d'environ 20 000 francs.

La période de formation.

Toute l'équipe se retrouve pour une durée de trois jours dans un hôtel à la campagne. Chacun a pris ses dispositions pour qu'aucun coup de téléphone ne vienne le déranger durant cette période.

La première journée est entièrement consacrée à la formation du groupe (aussi curieux que cela puisse paraître, certaines personnes ne s'étaient jamais vues). De multiples exercices destinés à faire connaissance et à améliorer les communications inter-personnelles sont proposés. D'abord un peu surpris, les participants entrent vite dans le jeu. A leur demande, ces exercices se poursuivent après le dîner jusqu'à une heure avancée.

.   Le lendemain, on aborde les techniques de créativité proprement dites : brainstorming, concassage, méthodes combinatoires, approche analogique. Un heureux hasard permet au groupe de tester immédiatement l'utilité de ces techniques : Curtis va sortir un *nouveau produit*, destiné aux professionnels, et cherche un nom pour celui-ci. Le groupe se livre à deux heures de brainstorming et produit quelques trois cents noms. Ceux-ci sont mis en réserve.

Au début de la troisième journée, le groupe indique les noms dont il se souvient (test de mémorisation). Parmi la vingtaine ainsi retenue, on opère une sélection, compte tenu du message que l'on veut faire passer et l'on retient trois noms possibles (test d'image). Ils seront présentés ensuite aux clients. L'un deux sera effectivement retenu.

Ensuite, on aborde les *problèmes d'analyse* : comment bien poser un problème, faire une analyse défectuologique, généraliser, etc. Toutes ces données sont intégrées dans le déroulement complet d'une recherche créative (*Chemin de l'invention*).

Au terme de ces trois journées, les membres du groupe ne cachent pas leur enthousiasme : pour la première fois, ils ont le sentiment de participer à des réunions véritablement constructives, de s'exprimer librement, de faire travailler leur imagination. Chacun éprouve de l'impatience à attaquer des problèmes d'entreprise.

Il est donc convenu d'établir une liste des problèmes susceptibles d'être traités par ces méthodes et de commencer leur résolution le plus tôt possible.

La mise en pratique.

Le groupe se retrouve ensuite à intervalles réguliers (environ une journée par mois) pour traiter des problèmes apportés par tel ou tel participant.

J'insiste, au passage, sur le fait qu'un groupe de créativité n'est pas un groupe de *prise de décision*. Il n'est pas dans ses attributions d'apporter la solution au demandeur, exclusive de toute autre. Non, un tel groupe est *un groupe de propositions*. Son rôle essentiel, face au problème posé, est d'abord de le considérer sous des angles originaux qui, la plupart du temps ont échappé au demandeur (ce qui est normal car celui-ci, totalement imprégné par son problème n'est plus capable de prendre du champ) puis de lui apporter le plus grand nombre de solutions possibles. C'est parmi celles-ci que le demandeur devra faire son choix, après les avoir développées, évaluées et testées.

Le groupe de créativité, contrairement à ce que craignent certains, ne cherche pas à déposséder le spécialiste de son « pouvoir » mais constitue, au contraire, un organisme d'aide en lui apportant des idées. Idées dont l'originalité provient en grande partie de la composition pluridisciplinaire du groupe.

Chez Curtis, le groupe eut à traiter successivement les problèmes suivants :

— Trouver de nouvelles idées d'utilisation d'un produit existant pour des applications spécialisées et des applications grand public.

— Trouver des idées de promotion pour un produit grand public.
— Imaginer des conditionnements originaux pour un produit nouveau destiné au grand public.
— Imaginer de nouveaux systèmes, totalement originaux, devant donner naissance à un produit nouveau destiné à remplacer le « produit vedette » de l'entreprise.
— Trouver les moyens permettant de réduire de façon appréciable le pourcentage de produits défectueux sur une chaîne de fabrication.
— Trouver les moyens de réduire de façon appréciable le coût de fabrication d'un des principaux produits de l'entreprise.

On le voit, les sujets proposés au groupe avaient le mérite de la diversité. Certains étaient relativement simples (diversification, promotion) et constituèrent d'excellents apprentissages de nouvelles techniques (par exemple, *les matrices de découverte*). Ils permirent également aux membres du groupe de se former aux *techniques d'animation*.

D'autres exigèrent l'introduction de techniques complémentaires (entre autres, *l'analyse de la valeur*) : réduction des coûts de fabrication, par exemple. Les résultats obtenus (20 % d'économies réalisées) incitèrent le groupe et la direction à étendre l'expérience et à aborder des sujets plus complexes comme la recherche de nouveaux systèmes techniques.

Il s'agissait là d'une recherche beaucoup plus ardue et plus longue. On en profita pour élargir le groupe et y introduire de nouveaux éléments comportant des agents de maîtrise, des ouvriers et des secrétaires.

Dans cette recherche, toutes les techniques de créativité furent utilisées avec une nette prédominance des *techniques analogiques*. Le groupe s'efforça de pousser les idées aussi loin qu'il le pouvait, en faisant éventuellement appel à des spécialistes extérieurs. Chaque idée produite donna lieu à une *fiche d'idée* (voir chapitre précédent).

Cette fiche, communiquée à la direction, revenait au groupe avec les appréciations suivantes :
— Idée à mettre en œuvre.
— Idée à creuser et à discuter.
— Idée à rejeter (avec les motifs).

Ainsi, de part et d'autre, se forçait-on à une rigueur certaine dans l'élaboration des idées et la discussion de celles-ci.

Parallèlement à l'action de ce groupe de créativité, une action fut entreprise au niveau des *représentants*. Il s'agissait de faire prendre cons-

cience à ceux-ci que la vente n'est pas une action stéréotypée mais demande de faire preuve de créativité :
— au niveau des relations,
— au niveau des arguments,
— au niveau des méthodes.

De plus, il apparut que les représentants, véritables contacts de l'entreprise avec sa clientèle, étaient riches d'informations et d'idées que l'on exploitait très mal (eux-mêmes n'étaient pas conscients de cette richesse). Ce groupe élabora donc des méthodes permettant de tirer le maximum des informations recueillies par chacun et d'aboutir à la conception de nouveaux produits, de nouvelles utilisations des produits existants, etc.

A ce stade, la jonction se fit naturellement entre les deux groupes.

Le bilan de l'expérience.

Aujourd'hui, l'entreprise Curtis se porte bien. Alors que beaucoup d'entreprises comparables ont accusé un sérieux recul l'année passée, celle-ci a confortablement progressé.

Contrairement à ce que prédisaient certains augures, l'introduction de la créativité n'a pas amené le trouble et l'anarchie. Bien au contraire, elle a sensiblement modifié les relations entre les membres de l'entreprise; en particulier, les rapports entre les gens de l'usine et les gens du siège se sont considérablement améliorés.

Actuellement, une trentaine de personnes ont reçu une formation suffisante pour fonctionner sans l'aide de conseil extérieur, animées par des membres de l'entreprise. Il n'y a plus, à proprement parler, de groupe de créativité, mais une sorte de « réservoir » d'individus qui peuvent être réunis pour travailler sur un problème.

L'attitude de la direction a fortement contribué à ce succès. En effet, les participants des groupes de créativité se sont constamment sentis soutenus. Le fait qu'ils sentent qu'on attendait vraiment quelque chose d'eux a été une puissante motivation pour poursuivre leurs recherches.

La mise en application des idées retenues a encore accru cette motivation (contrairement à certaines entreprises où les groupes de créativité s'éteignent parce que las de ne jamais voir leurs idées se transformer en réalités).

Plus profondément encore, s'est développée dans l'entreprise une aptitude permanente à s'adapter aux transformations de l'environnement. L'action sur les mentalités a permis d'introduire cette *aptitude au changement* sans laquelle toute organisation est vouée à une mort plus ou moins rapide.

Cette nouvelle mentalité a amené l'entreprise à s'interroger sérieusement sur son futur. On est alors passé au *stade de la prospective*. Actuellement, des groupes réfléchissent sur l'avenir de l'entreprise et tentent de mettre au point des outils méthodologiques qui lui permettront de saisir les changements du marché, des habitudes de consommation, etc. et d'y apporter les réponses les plus efficaces.

En ce sens, Curtis a retrouvé ce que devrait être toute réelle entreprise : une création permanente.

2. UN ETABLISSEMENT PUBLIC

Dans la première édition de ce livre, j'avais décrit la création et le fonctionnement d'un groupe de créativité au sein d'un établissement de recherches techniques de la Délégation Générale à l'Armement (D.G.A.).

Pour donner une idée de l'impact de la créativité dans cet établissement, je citerai seulement quelques extraits d'un article publié par l'animateur du groupe, dans la revue de l'établissement :

« (Le groupe) sait maintenant analyser et poser les problèmes correctement; il peut élaborer un grand nombre d'idées sur une question précise en un temps restreint. »

Les résultats du travail qui ont été fournis aux demandeurs les ont à chaque fois satisfaits, qu'il s'agisse seulement de l'analyse d'un problème, de la fourniture d'idées brutes ou d'un catalogue d'idées plus élaborées.

A l'heure actuelle, le groupe essaie de mettre sur pied une sorte de service après-vente de ces idées pour assister le demandeur dans la mise en œuvre éventuelle de ses solutions et augmenter la qualité du service rendu par le groupe...

... Le groupe ne cherche pas à devenir une caste dans l'Etablissement, mais au contraire, veut diffuser le plus largement possible ses méthodes et ses moyens : par exemple en incluant plus ou moins temporairement de nouveaux membres compétents pour traiter des problèmes particuliers.

Enfin, un résultat secondaire de la mise en œuvre de la créativité doit être souligné : les membres du groupe sentent, après un an de pratique, leur mentalité modifiée : meilleure confiance en soi (on n'est plus à court d'idées), remise en cause plus facile de l'individu ou de ses préjugés, habitude de l'analyse fine des problèmes.

Ces modifications secondaires sont si importantes que certains membres aspirent à faire bénéficier leur entourage de leur enrichissement. »

Durant la seconde année de son fonctionnement, le groupe de créativité s'attaqua à une importante étude prospective sur des matériels et systèmes nouveaux. Pour la mener à bien, il dut intégrer deux spécialistes extérieurs qui, la première surprise passée, participèrent avec beaucoup d'efficacité et d'enthousiasme à la recherche.

En utilisant toutes les ressources des méthodes de créativité pratiquées durant la première année et, point important, en inventant ses propres méthodes, le groupe mena sa tâche à terme. C'est-à-dire qu'il fournit au demandeur une étude extrêmement charpentée qui, suivant le *Chemin d'invention,* comportait une analyse multidimensionnelle du problème, en partant des causes d'apparition de ce problème, une analyse défectuologique de la situation présente, et un ensemble de solutions argumentées présentées sous la forme de *fiches descriptives* comprenant :
— le principe de base,
— un exemple de réalisation,
— les variantes possibles,
— la faisabilité,
— les avantages,
— les inconvénients.

L'ensemble de ces fiches descriptives de matériels nouveaux étaient ensuite regroupées pour donner naissance à des *systèmes,* eux-mêmes présentés avec leurs avantages et leurs inconvénients.

A mon sens, il s'agissait là d'une étude modèle.

Je comptais décrire, dans cette nouvelle édition, la progression de ce groupe mais son animateur a été appelé dans un autre établissement pour prendre la responsabilité d'un important département de production.

Fort de son expérience précédente, il m'a demandé de monter avec lui un groupe de créativité dans cet établissement. C'est de cette nouvelle expérience que je parlerai ici.

La toile de fond.

Il s'agit d'un établissement ancien, une « manufacture », implantée au cœur d'une ville de province. Il est fortement marqué par le passé et la tradition : bâtiments tirés au cordeau, larges avenues intérieures, permanence d'un état d'esprit particulier (on est « manuchard » de père en fils). Chaque jour la sirène de la « Manu » rythme la vie des habitants proches de la manufacture.

Mais dans cet établissement souffle depuis quelques années, sous l'impulsion du directeur et de son équipe, un vent résolument nouveau. Une vaste opération de décentralisation des pouvoirs de décision, réalisée avec l'aide d'un cabinet extérieur, a été mise en route. Cette opération avait pour but d'améliorer l'efficacité de la manufacture en passant par les relations et les communications entre les différents personnels afin d'introduire une nouvelle mentalité débouchant sur un accroissement important de l'autonomie des différentes unités, cette autonomie se ressen-- tant au niveau des équipes, des ateliers, des divisions, etc. Si l'on ne peut à proprement parler d'autogestion (encore faudrait-il définir ce mot à la mode), on peut dire qu'il s'agit là d'un pas fondamental vers une large autonomie des différents partenaires de l'entreprise.

En ce qui concerne la direction de l'établissement, *une équipe de direction* a été créée, à l'intérieur de laquelle les rapports sont particuliè- rement souples et détendus. Cette équipe se réunit régulièrement, suit des séminaires de formation et a décidé, après un an de pratique de la créativité dans la manufacture, de participer à un séminaire de créativité.

La création du groupe.

Pour créer un groupe de créativité à l'intérieur d'une organisation donnée, il y a l'approche théorique et l'approche réaliste.

En théorie, en effet, il serait indispensable de constituer le groupe selon des principes de sélection « rigoureux » établis en fonction d'un certain nombre de critères déterminés par la recherche expérimentale.

On exige principalement des membres du groupe :
— d'avoir une large variété d'intérêts dans des domaines très divers,
— d'être de même niveau intellectuel,
— d'être aptes à pratiquer le travail en groupe,
— d'avoir une attitude ouverte envers les autres,
— de ne pas juger les gens en fonction de leurs diplômes, de leur rang hiérarchique, de leur grade ou de leur statut social,
— d'avoir le sens de l'humour,
— d'être aptes à transposer (utilisation des analogies, des méta- phores, etc.),
— d'être aptes à penser par abstraction.

(On retrouve ici les aptitudes étudiées chez Gaston Lagaffe au cha- pitre 6.)

La première opération consistera donc à déceler par des tests, des entretiens et des travaux de groupe, les individus possédant cet ensemble de qualités. C'est-à-dire les sujets « créatifs ».

La réalité est souvent bien différente. Le groupe est plus ou moins donné au départ, en fonction de critères qui n'ont rien à voir avec la créativité. En fait, on propose au consultant un certain nombre de personnes travaillant, ou devant travailler, ensemble et on lui demande de transformer cet amalgame en un groupe capable d'apporter des solutions aux problèmes qu'on lui demandera de résoudre. A lui de leur faire acquérir les qualités énumérées ci-dessus...

On peut se demander, du reste, si la constitution d'un groupe modèle, à partir de tests et d'expérimentations, ne dissimule pas une nouvelle forme de ségrégation élitiste (les « créatifs » et les autres) et n'aboutit pas à une démission des autres membres de l'entreprise qui ont tendance à se retourner vers le groupe de créativité comme vers une entité-miracle plutôt que de s'efforcer, par eux-mêmes, de monter des groupes de recherche pour résoudre leurs propres problèmes.

On peut également s'interroger sur la validité des tests de créativité.

L'expérience révèle de telles divergences par rapport aux modèles théoriques (eux-mêmes mis en cause par d'autres spécialistes) et réserve de telles surprises, qu'ils paraissent extrêmement fragiles et incertains.

Par exemple, Gordon recommande de prendre des individus entre 25 et 45 ans. En vertu de quoi? J'ai maintes fois fait l'expérience que des personnes de 60 ans et davantage apportaient à des groupes de recherche une dimension créative très élevée alors que des individus autour de la trentaine faisaient montre d'une incroyable résistance à toute idée de changement et de remise en cause. Il y aurait beaucoup à dire, du reste, sur ma génération (35-40 ans) qui me paraît être particulièrement bloquée.

A la manufacture, compte tenu de la précédente expérience dans un autre établissement et des objectifs du groupe, celui-ci fut constitué en tenant compte des critères suivants :

— varier au maximum l'âge des participants afin de mêler les « anciens » et les « nouveaux »,
— varier les fonctions : avoir des gens des études, des gens de la production et des gens de l'assistance technique,
— varier au maximum les degrés hiérarchiques.

En partant de ces critères, on recruta une douzaine de personnes en tenant essentiellement compte de leur envie de participer à un tel groupe (certains avaient déjà suivi un de mes séminaires, d'autres avaient participé à des groupes d'analyse de la valeur).

Vainement, on recherca des femmes, afin d'éviter ce caractère purement masculin qu'ont beaucoup de groupes dans les entreprises de production (oh! sexisme des entreprises françaises...). Finalement, on choisit une jeune ouvrière (OS 4 faisant fonction de chef d'équipe).

Le groupe de départ comprenait donc : un ingénieur de l'armement (polytechnicien), un ingénieur en chef (d'origine militaire) chargé d'études, des ingénieurs civils, un chargé d'études (ancien ouvrier), un agent de maîtrise (ces deux derniers représentant les « manuchards »), un responsable des travaux de génie civil et une ouvrière.

Par la suite, un autre ingénieur de l'armement vint se joindre au groupe.

Il fut précisé au départ que le groupe n'était pas fermé. Au contraire, il devait imaginer les moyens pour s'élargir, intégrer de nouvelles personnes et éclater en plusieurs autres groupes.

La règle du jeu fut que chacun pouvait quitter librement le groupe sans que personne n'ait le droit de lui adresser le moindre reproche.

Les objectifs du groupe.

Contrairement à d'autres entreprises où l'on constitue un groupe de créativité sans objectifs précis, à la manufacture, l'introduction de la créativité correspondait à un besoin clairement identifié : proposer, parallèlement à ce qui serait fait en utilisant les méthodes rationnelles, des *schémas d'implantation industrielle* de la manufacture.

Il peut paraître étrange, *a priori,* que l'on invite un groupe de créativité à produire des idées sur un tel sujet, qui semble beaucoup plus du ressort des spécialistes de la recherche opérationnelle que d'une équipe formée à produire des « idées folles ».

En fait, l'intention qui présidait à cette mise en œuvre de la créativité sur un problème de réimplantation industrielle, était précisément d'attaquer cette action sous des angles aussi différents que possible afin de dégager des options qui prendraient en compte les relations humaines, les communications, les aspects affectifs et le développement de l'imagination au sein de l'entreprise.

Ensuite, les propositions du groupe de créativité et celles du groupe des « logiciens » seraient confrontées pour aboutir à un projet définitif.

Inutile de dire qu'une telle recherche me remplit d'enthousiasme. Enfin, on en arrivait à considérer qu'un groupe de créativité pouvait aller bien au-delà des recherches de produits nouveaux ou de slogans pour intégrer un vaste ensemble de données (techniques, économiques, humaines, etc.) et bâtir un nouveau type d'organisation.

Dès le départ de cette recherche, le groupe fixa un *calendrier* de son action et une succession d'objectifs dont il devrait rendre compte à la Direction. Ce point est particulièrement important : en effet, dans de nombreux cas, les groupes de créativité sont livrés à eux-mêmes par le demandeur principal, sans objectifs précis, sans contraintes de production sous le prétexte qu'il faut donner une liberté totale aux individus pour qu'ils puissent « créer ». Or, le plus souvent, cette soi-disant liberté n'est que la traduction du désintérêt de la direction vis-à-vis du groupe. Il s'agit alors d'un « groupe-alibi » qui donne bonne conscience à l'entreprise (« mais oui, nous avons une politique d'innovation. La preuve, un groupe de créativité fonctionne ») mais dont les membres, lorsqu'ils comprennent que l'on n'attend pas véritablement une production de leur part, perdent leur foi et leur motivation. Le groupe alors meurt doucement, dans l'indifférence générale.

Dans le cas de la manufacture, le groupe sentit constamment qu'il devait répondre à une *attente* de la part de la direction, ce qui explique en partie son acharnement à poursuivre une recherche souvent difficile et contraignante [1].

Le fonctionnement du groupe.

Au départ, il s'agissait d'apprendre aux membres du groupe à travailler ensemble, à utiliser efficacement les techniques de créativité, de les aider à résoudre un certain nombre de conflits et à réduire les gênes et les tensions que la diversité des individus risquait d'engendrer.

Une telle démarche paraît évidente. Or, elle est bien souvent négligée et explique l'échec d'un certain nombre d'expériences d'analyse de la valeur et de créativité dans les entreprises. Il ne s'agit pas, comme je l'ai vu pratiquer dans des organisations, de « former » en deux ou trois jours des « animateurs » de créativité et de leur confier ensuite des groupes non préparés en leur demandant d'obtenir le plus vite possible des résultats.

Il s'agit, pour prendre une image, d'apprendre aux membres du groupe, avant de se lancer dans l'exécution d'un concerto, à faire des gammes et à jouer ensemble.

Ici, la période de formation se fit sur une durée de cinq jours : deux jours d'entraînement aux techniques de créativité à partir de jeux et d'exercices, une journée consacrée à la communication et à l'expression avec l'aide d'un magnétoscope et deux jours de mise en pratique à partir de sujets techniques apportés par les participants.

Après cette première période, le groupe fit quelques exercices d'entraînement sans animateur extérieur (recherche de noms, etc.).

Il fut alors convenu que le groupe se retrouverait deux jours par mois pour travailler sur les nouveaux schémas d'implantation.

Les résultats déjà acquis.

Après un peu plus d'un an de fonctionnement, on peut déjà tirer un premier bilan de cette expérience :

---

1. De plus, le groupe devait rendre compte régulièrement de son évolution et de ses travaux au Bureau des Méthodes et Technologies Modernes qui finançait l'opération.

— Au niveau des personnes.

— Des relations privilégiées se sont établies entre les membres du groupe et la communication ne pose plus de problème. Du fait de la très grande diversité hiérarchique et intellectuelle du groupe, cette communication a posé, au début, quelques problèmes. Certaines personnes, peu habituées à penser par abstractions et impressionnées par celles qui se mouvaient avec aisance dans ce type d'approche, ont mis du temps à perdre leur peur de « dire des bêtises ». Maintenant, personne ne fait plus de complexe en ce domaine.

— Les blocages dus à la diversité hiérarchique se sont fortement estompés. Les membres du groupe ne se considèrent plus selon leur *position* dans l'entreprise mais en tant qu'individu.

Je préciserai, à ce propos, que je n'ai jamais cherché à forcer les choses, laissant les évolutions inter-personnelles se faire d'elles-mêmes. Je considère qu'ainsi elles sont beaucoup plus vraies et beaucoup plus profondes.

Je pense qu'il est tout à fait artificiel, ainsi que le pratiquent certains animateurs, d'imposer au groupe, dès le départ, un certain style de rapports (on se tutoie, on s'affuble de sobriquets, on se « dit tout » : je t'aime, je ne t'aime pas...). On espère ainsi, en forçant les gens à se « libérer » (mais de quoi?) par des signes extérieurs, transformer leurs relations interpersonnelles.

Une expérience, parmi d'autres, me fit fortement douter du bien-fondé d'une telle systématique : ayant assisté au séminaire d'un confrère, j'ai vu, trois jours durant, des cadres supérieurs et de hauts fonctionnaires danser sur l'herbe, en chaussettes et sans cravate, au son d'une musique hindoue. Le général était devenu « musaraigne renfrognée », l'inspecteur d'Académie « hibou jovial », etc.

Mon confrère était ravi de me prouver, *de visu,* l'excellence de cette méthode de libération des individus.

Mais une fois la fête terminée, chacun remit ses chaussures et sa cravate, endossa son veston et son statut social. Au moment des adieux, il n'était plus question de musaraigne renfrognée ni de dromadaire facétieux. Le général disait au revoir à l'inspecteur qui saluait gravement le délégué ministériel. La parenthèse était fermée, on rentrait dans l'univers « sérieux ». Et je gage que ces personnes, lorsqu'elles se rencontreront, évoqueront avec une petite gêne amusée cet intermède de leur vie comme un moment de folie, quelques jours de détente dans un club de vacances. Et puis?

Il me paraît donc bien préférable de laisser le groupe poser ses problèmes internes et chercher les solutions à y apporter plutôt que d'imposer un conditionnement superficiel et forcé.

— Les membres du groupe, dont certains au début estimaient que la création ne peut être que le fait d'individualités, ont pris conscience de l'extraordinaire puissance imaginative d'un ensemble de personnes utilisant les techniques de créativité. Il résulte de cela une certaine impression d'euphorie et de force. Les participants aiment se retrouver, éprouver leur capacité créatrice face à des problèmes de plus en plus ardus. Un membre du groupe déclare un jour : « J'éprouve comme une boulimie de créativité. A chaque fois c'est comme si l'on m'enlevait d'un bon repas alors que j'en suis au plat de résistance. »

Ce plaisir d'imaginer ensemble est à mettre en relation avec la réflexion du membre le plus âgé du groupe qui, au début, avouait être complètement perturbé par nos démarches car, disait-il, « depuis trente ans on me demande de ne pas avoir d'idées et, depuis quelques jours, on me pousse constamment à en avoir ».

— Les membres du groupe, de formation essentiellement technicienne, ont acquis une aptitude certaine à généraliser les problèmes et à sortir du cadre étroit des solutions évidentes ou purement techniques. Le sujet d'étude abordé les a amenés, en outre, à considérablement étendre le champ de leurs réflexions et à prendre conscience de problèmes qu'ils ne s'étaient jamais posés (en particulier au niveau sociologique et psychologique).

— Progressivement, ils ont acquis leur autonomie par rapport à l'animateur. Désormais, celui-ci participe au groupe à égalité avec les autres membres, chacun animant le groupe à son tour. Parfois, dans les moments difficiles, il reprend la barre mais beaucoup plus en tant que *méthodologue* qu'en tant qu'animateur.

Enfin, le groupe est maintenant capable de fabriquer ses propres méthodes de travail et de recherche. Il n'est plus « enfermé » dans les techniques et les méthodes apportées par l'animateur mais apte à utiliser celles-ci pour trouver son propre cheminement. C'est là, à mon sens, le but qu'on doit assigner à tout groupe de créativité : être capable d'intégrer les apports extérieurs pour produire sa démarche spécifique (ce qui explique mon refus des « méthodes » fermées sur elles-mêmes, auxquelles on ne doit pas toucher sous peine d'excommunication et qui, à un certain point d'évolution du groupe, deviennent elles-mêmes des freins).

— Au niveau de la production.

Compte tenu du sujet abordé, il est difficile de donner des exemples de la production du groupe. Il est beaucoup plus aisé de faire s'émerveiller les lecteurs avec la description de produits nouveaux qui parlent à l'esprit.

Disons qu'au moment où j'écris, le groupe a rempli son contrat vis-à-vis du demandeur. C'est-à-dire qu'il lui a fourni un certain nombre de rapports puis de plans propre à aider la Direction à choisir ses orientations et à prendre ses décisions.

Mais, au-delà des réflexions, le groupe a également fourni des *outils* originaux permettant de réaliser l'opération prévue. Il y a eu un double effort du groupe :

— effort d'analyse du problème en prenant en compte une masse d'éléments hétérogènes et en établissant des liaisons entre ceux-ci, compte tenu de *critères fondamentaux* établis en fonction de l'opération de décentralisation des pouvoirs de décisions,

— effort de création d'instruments opérationnels permettant de juger, de manière quantifiable, les avantages et les inconvénients de telle ou telle solution.

Enfin, le groupe s'est attaché à l'aspect *pédagogique* de l'opération, dans la mesure où celle-ci doit être comprise par tous et mise en œuvre dans une ambiance hautement participative.

A ce point de sa démarche, le groupe est maintenant apte à intégrer de nouveaux membres (ce qu'il a commencé de faire) et de se *démultiplier*. C'est-à-dire que chaque membre du groupe peut monter des groupes de créativité pour traiter des problèmes divers. Du reste, cela a déjà commencé, puisque certains ont engendré des groupes pour traiter de problèmes techniques.

Les difficultés rencontrées. Les problèmes posés.

L'introduction d'un groupe de créativité dans une structure, quelle qu'elle soit, entraîne un certain nombre de phénomènes de suspicion ou de rejet, dans la mesure où il dérange les habitudes, remet en cause les méthodes, cherche à introduire des innovations qui rendent caducs les produits ou les procédures existants, etc.

Ces phénomènes seront d'autant plus importants que le groupe de créativité restera replié sur lui-même et apparaîtra comme une sorte de club ou de secte dont les autres membres de l'entreprise sont exclus. D'autre part, le fait que la direction soutienne le groupe et encourage ses initiatives ou au contraire ne montre à son égard qu'une tiède approbation aura une répercussion importante sur l'attitude des personnes extérieures au groupe.

A l'intérieur du groupe, au cours de son fonctionnement, apparaissent des obstacles dus principalement à :

— la baisse de l'enthousiasme. Au départ, la créativité apparaît comme un jeu séduisant. Mais lorsqu'on entreprend de traiter des problèmes réels, la recherche prend un tour beaucoup plus pénible. Souvent elle « patine » et le groupe a tendance à se décourager. D'où la nécessité d'un élément dynamiseur venu de l'extérieur, qui a pour tâche de rendre au groupe sa confiance en soi. Cela est d'autant plus vrai pour les recherches longues et difficiles comme celle entreprise à la manufacture.

— la conscience de la difficulté de créer. Le groupe, au départ, s'imagine que tout va être facile et amusant. Or, toute création demande des efforts, de l'obstination. Les techniques de créativité sont des aides, non des remèdes miracles.

La création suppose aussi que l'on ait le courage de détruire ce qu'on a eu beaucoup de mal à édifier, comme le peintre efface une toile sur laquelle il peinait depuis des jours. Et de prendre conscience que cette destruction n'est pas du temps perdu mais, au contraire, un cheminement.

Dans cette recherche sur la réimplantation (qui est loin d'être achevée) on ressentit particulièrement cette difficulté. Durant des jours, le groupe accumula des éléments, des systèmes de relations, édifia des outils qui furent ensuite remplacés par d'autres.

— la difficulté de se modifier soi-même (qui est le but de la créativité), c'est-à-dire de transformer ses manières de penser, d'aborder les problèmes, de réagir devant une idée nouvelle, etc. Cette difficulté, très sensible en ce qui concerne les produits, l'est encore plus lorsqu'on aborde les problèmes de relation et d'organisation, car il s'agit alors d'inventer de nouvelles *règles du jeu* qui mettent en cause ses propres manières d'agir, de réagir, d'éprouver, etc. Dans un problème tel que celui d'une réimplantation industrielle, inutile de dire qu'un tel phénomène se produisit souvent,

— la difficulté à faire comprendre à l'extérieur le sens du travail accompli par le groupe. Son comportement, ses méthodes de travail, ses interrogations apparaissent soit comme manquant de sérieux soit comme une perte de temps. On lui reproche ses détours, ses hésitations à prendre en considération des éléments qui n'ont rien à faire avec le problème. Sans même chercher à pénétrer dans sa démarche (qui, bien évidemment, diffère profondément des démarches traditionnelles) on l'accuse de manque de réalisme. On voudrait qu'il soit immédiatement capable de dire où il veut en venir, c'est-à-dire qu'il propose une solution avant d'avoir commencé sa recherche.

D'où la nécessité de faire participer au maximum les personnes extérieures à sa démarche afin qu'ils puissent en percevoir la richesse et en tirer des principes d'action.

— la difficulté de rendre concrètes et tangibles les idées émises par le groupe. Comment faire passer la création au stade de l'innovation — c'est-à-dire transformer les idées en projets de réalisation — telle est la question que se pose le groupe devant la masse d'idées trouvées.

Il y a là un problème de communication (et en particulier de rédaction des rapports de recherche, extrêmement difficile) et un problème d'acceptation des idées nouvelles par la structure, par principe réfractaire à l'innovation.

En plus de la production d'idées, le groupe va donc devoir se livrer à un véritable « marketing de l'innovation » afin de faire admettre ses idées et d'amener l'extérieur à les prendre suffisamment en considération pour les mettre en application.

Très souvent on entend dire qu'il est impossible d'introduire la créativité dans une structure de type administratif. On prétend que les habitudes y sont tellement ancrées, les procédures si lourdes, les résistances au changement si fortes, les motivations des individus si faibles qu'une telle opération est proprement impensable.

L'exemple de la manufacture (mais il n'est pas unique), montre tout ce que cette assertion a de stéréotypé. Il est un peu facile, et un peu niais, d'opposer la bureaucratie étatique au dynamisme de l'entreprise privée. En fait, il suffit qu'un petit groupe d'individus ait véritablement la volonté d'introduire le changement et prenne les moyens pour cela, pour que ce changement se réalise effectivement.

Cela est vrai dans le secteur public comme dans le secteur privé. Mais, contrairement à l'opinion reçue, si les freins sont plus lourds dans un système administratif, les possibilités d'action des individus sont plus grandes dans la mesure où ceux-ci craignent beaucoup moins que dans le privé d'être sanctionnés pour leurs initiatives.

Il me semble qu'il y a là un sujet de réflexion important. Entre autres celui-ci : les barrières qui, semble-t-il, interdisent à l'individu d'innover et d'entreprendre, ne sont-elles pas d'abord à l'intérieur de lui-même? Et lorsqu'il accuse le poids des structures, du pouvoir, etc., ne cherche-t-il pas de bonnes raisons pour masquer sa crainte ou son refus de s'engager dans cette terre inconnue qu'on appelle création, innovation, changement?

On voit donc, à travers ces deux cas, qu'il n'existe pas de systématique d'intervention dans l'entreprise.

Chaque situation demande une analyse et une démarche particulières. Car ni les groupes ni les motivations du groupe et de la structure à laquelle il appartient ne sont identiques même si, au départ, ils apparaissent ainsi.

En allant plus loin, on peut dire que c'est au groupe, à l'entreprise, à l'organisme, etc. de définir tout au long de la recherche ses propres objectifs et ses propres méthodes.

De toute façon, il y aura transformation et évolution donc nécessité, de la part de l'animateur (comme je n'aime pas ce terme-là!) d'être en permanence à l'écoute du groupe et de son environnement pour répondre le mieux possible à ses attentes profondes.

Ce qui exige de sa part une attitude profondément créative...

16.
quelles sont les applications de la créativité? [1]

« Il l'accoutuma graduellement à la réalité. Une fois il lui ordonna de dresser un drapeau sur une cime lointaine. Le lendemain le drapeau flottait sur la cime. »

Jorge Luis Borges (*Fictions*)

Si l'on définit la créativité comme « l'art » de percevoir les problèmes, de les bien poser et de leur apporter des réponses efficaces et originales, il est certain que la créativité a des applications si nombreuses qu'il est impossible de les énumérer toutes.

Néanmoins, dans la mesure où la créativité se pratique essentiellement en groupe, on peut dire qu'elle trouvera ses principaux champs d'application là où des groupes cherchent, produisent, commercialisent, réfléchissent, préparent l'avenir, etc.

L'entreprise fut, dès l'introduction des techniques de créativité dans notre pays, le lieu privilégié de leurs applications.

La créativité trouve une utilisation évidente dans les *groupes de recherche* fondamentale ou appliquée. Elle permet aux chercheurs, qui ont tendance à s'enfermer et à s'isoler dans leur recherche, de se décloisonner l'esprit, d'acquérir une optique pluridimensionnelle et de saisir tout l'intérêt qu'ils peuvent trouver à introduire dans leur processus de découverte ces « naïfs » dont nous avons déjà parlé.

La créativité rend des services incontestables aux départements *commerciaux et de marketing*.

C'est du reste par l'intermédiaire du service marketing que la créativité pénètre le plus souvent dans l'entreprise. Car le marketing est sans cesse à la recherche de produits nouveaux, d'idées nouvelles pour la prospection, le lancement de produits et l'écoute du marché.

En contact constant avec l'environnement de l'entreprise, il est peut-être plus perméable aux idées et aux techniques nouvelles. Et puis,

---

1. Il s'agit là d'un rapide survol. Tous ces points seront analysés en profondeur dans *La créativité en action*, t. 2.

un service marketing bien conçu se pose des problèmes de *prospective;* il s'interroge en permanence sur l'avenir à moyen et long terme de l'entreprise et ne se contente pas de répondre en extrapolant les courbes passées. Il cherche à saisir les relations significatives entre des évolutions qu'il tente d'appréhender de manière permanente. Il s'efforce d'être constamment à l'écoute du marché.

Et, pour tout cela, les approches créatives lui apportent des instruments de recherche du plus haut intérêt.

Les *services techniques* ont souvent tendance à penser que la créativité ne les concerne pas. Ils opposent rêve et réalité, élucubrations et compétence technique.

Ce sont sans doute les services qui ont le plus grand besoin de sortir de leurs cadres rigides pour découvrir qu'il existe d'autres modes de pensée que ceux qu'on leur a inculqués dans les écoles spécialisées et que leur sens du « concret » a encore renforcés.

La créativité ne peut que leur être bénéfique dans la mesure où elle leur montre qu'un problème doit être posé de plusieurs manières, qu'il inclut toujours des éléments psychologiques et affectifs qui échappent à la règle à calcul et que les voies pour trouver des solutions novatrices sont beaucoup plus souvent des spirales que des lignes droites.

Un des effets non négligeables de la créativité sur les membres des services techniques est de leur faire prendre conscience que la séparation, si souvent infranchissable, entre techniciens et commerciaux est une absurdité qu'il convient d'abolir.

Et qu'il est nécessaire que ceux qui fabriquent et ceux qui vendent travaillent ensemble dans des groupes de recherche car de cette rencontre ont toutes les chances de jaillir des idées nouvelles, tant techniques que commerciales.

Les *services administratifs* ont besoin de créativité : sans cesse accusés d'être les freins, les empêcheurs d'aller de l'avant, etc., ils doivent faire preuve d'imagination pour adapter leurs procédures aux besoins des « productifs » et pour donner à ces procédures la souplesse et l'efficacité nécessaires au développement harmonieux de l'entreprise.

Les *services informatiques* qui ont une nette tendance à s'enfermer dans la supériorité hautaine des experts infaillibles aux décisions desquels tout doit se plier, ont le plus grand intérêt à participer à des recherches créatives avec les techniciens et les commerciaux.

Il est bien évident que la créativité ne peut s'introduire dans une entreprise qu'avec l'accord de la *direction générale.* Il est rare que celle-ci participe (du moins au début) aux groupes de recherche. « Je pratique la créativité sans le savoir depuis 20 ans (ou 30, ou 40, ou 50...) » me répondent souvent des chefs d'entreprise. Car, bien sûr, eux sont créatifs *de nature!* Or, quand tout va bien, que l'expansion se poursuit sans heurts, on peut se contenter de sa faible imagination. Comme le disait Galbraith, en période de hausse de la bourse, il n'y a que des petits génies boursiers.

Mais que la conjoncture change, que l'expansion se ralentisse et voici les créatifs de nature qui ne savent plus de quel côté se tourner pour trouver des idées de rechange et des moyens de sauvetage.

En résumé, on peut dire que l'introduction de la créativité dans l'entreprise aboutit aux résultats suivants :
— découverte de produits, de service, de méthodes, etc.,
— introduction d'un *langage commun* entre spécialistes qui parlent des langages différents,
— introduction d'une *mentalité de complémentarité* à la place d'une mentalité d'opposition. Ce qui se traduit par la création de groupes de recherche *pluridisciplinaires,*
— transformation de l'approche des problèmes et des méthodes de travail,
— développement de *l'aptitude à changer* de l'entreprise, de son aptitude à évoluer, à muter et à se mettre en cause de façon permanente et constructive,
— meilleure saisie des évolutions économiques, sociales, psychologiques, etc., et des relations entre ces évolutions,
— développement de *l'aptitude à prévoir* et à agir sur le futur de telle sorte que l'entreprise devienne *créatrice de transformation* et ne se contente pas seulement de s'adapter avec peine à des transformations qu'elle n'a point provoquées.

Dans l'administration.

Introduire la créativité dans *l'administration* ne relève pas, comme certains le pensent, de l'utopie.

J'ai cité, au cours de cet ouvrage, plusieurs exemples de création de cellules de créativité dans des établissements administratifs.

Il est certain que les insatisfactions des membres et des utilisateurs de l'administration sont fort nombreuses. Il est vrai aussi que les freins psycho-sociologiques et structurels y sont particulièrement lourds. Mais il n'est pas moins vrai qu'il existe dans la nouvelle race de fonctionnaires un désir et un besoin de modifier les règles du jeu, d'adapter l'outil à son « marché » qu'on aimerait rencontrer dans beaucoup d'entreprises du secteur privé.

Je pense (je ne suis heureusement pas le seul) que l'administration est sans nul doute un terrain privilégié pour la créativité : elle en a le plus pressant besoin, elle en ressent l'impérieuse nécessité.

Les expériences que j'y mène actuellement montrent que la créativité apporte un *changement de mentalité* évident, donne aux individus qui la pratiquent une profonde envie de transformer quelque chose et les sort de cette espèce de cercle vicieux, fort débilitant, qui s'exprime par « on ne peut rien faire », « il faut d'abord changer les structures ».

Car la créativité leur permet de bien poser les problèmes et les entraîne *à imaginer des moyens par eux applicables* pour mettre en place les solutions à ces problèmes.

De critiques moroses et désarmés, ils deviennent peu à peu acteurs impatients de constater les résultats de leur action.

En pratique, pour que cette action soit efficace, il est nécessaire qu'elle touche les plus hauts échelons de la hiérarchie. C'est une difficulté, non une impossibilité.

Si j'en juge par mes expériences, l'action de créativité commence par les échelons moyens puis remonte assez rapidement vers le haut. Devant les résultats obtenus et les transformations observées, les supérieurs hiérarchiques quittent l'attitude qui consiste à prétendre qu'ils n'ont plus rien à « apprendre car leur poste, leurs diplômes (il y aurait, à ce propos, beaucoup à dire sur les Enarques), leur importance, impliquent qu'ils sont infaillibles et omniscients — pour concevoir qu'il peut exister d'autres règles du jeu, que les subalternes peuvent avoir de bonnes idées, que les administrés ont leur mot à dire, etc. A partir de ce moment-là, le mouvement décisif est engagé.

A l'école.

J'ai déjà longuement insisté sur les problèmes de *l'enseignement et de l'éducation.*

Il est tellement évident que la créativité à sa première place à l'école qu'on s'étonne qu'elle y pénètre avec une telle lenteur.

Les quelques expériences pédagogiques de grande valeur qui sont menées actuellement rencontrent ou l'indifférence ou l'hostilité ouverte.

Le corps enseignant (à d'heureuses exceptions près), sous des apparences contestataires et novatrices est un des corps constitué le plus fermé à l'innovation et le plus soucieux de ne remettre en cause aucune des règles du jeu sur lesquelles il a fondé son existence et sa philosophie. C'est dire quel champ immense s'ouvre à la créativité en ce domaine !

Il faut cependant reconnaître qu'une certaine évolution se produit en ce domaine.

Non seulement certaines écoles introduisent des actions de créativité dans leurs programmes mais les enseignants eux-mêmes demandent à participer à des séminaires identiques à ceux qu'ont suivis les élèves.

Plus rarement, car la peur de perdre son statut, de ne pas se montrer à la hauteur, etc. est encore très forte, élèves et professeurs se retrouvent ensemble pour découvrir les techniques de créativité.

Dans les organismes sociaux et politiques.

Parmi les autres secteurs où la créativité peut avoir d'heureuses applications et commence à faire de timides percées, je citerai *les syndicats* et les *partis politiques* dont les structures hiérarchiques, pesantes et contraignantes commencent d'être de plus en plus mal acceptées des jeunes générations. Eux aussi, dans la période de mutation que nous vivons, s'interrogent sur les formes nouvelles qu'ils pourraient prendre dans une société qui ne ressemble plus à celle du XIXe siècle mais un peu, déjà, à celle du XXIe siècle.

Mais dans ce milieu la créativité, sous des prétextes divers (idéologiques, politiques, etc.) est jusqu'ici rejetée car elle apparaît comme une menace confuse pour un ordre établi et un système de règles du jeu qu'on ne veut pas reconnaître en tant que tels.

Je citerai aussi les *structures religieuses* (où j'ai déjà eu l'occasion d'intervenir) qui sentent la nécessité de faire preuve d'imagination sous peine de périr de leur belle mort [1].

En généralisant, on peut dire que la créativité trouve des applications fructueuses dans chaque groupe ou organisme qui se soucie de son dynamisme et de son efficacité.

En voici quelques-uns (la liste n'est pas exhaustive) où je suis déjà intervenu :

— des organismes professionnels et inter-professionnels,
— des groupements de commerçants et d'artisans,
— des syndicats d'initiative,
— des groupements de copropriétaires,
— des conseils municipaux,
— des associations de parents d'élèves,
— des groupes de travailleurs sociaux,
— des responsables de mouvements de jeunes,
— des associations culturelles diverses,
— des comités d'entreprise.

---

1. A ce sujet, on pourra lire le récit d'une session de créativité réalisée dans le cadre d'un ordre religieux féminin dans la revue *Christus* de juin 1976.

Dans ces groupes, la créativité a pour premier effet d'apprendre aux participants à *travailler et à imaginer ensemble* au lieu de passer le plus clair de leur temps à s'agresser et à critiquer les idées émises.

Cela se traduit par un *gain de temps* appréciable, une amélioration étonnante du *climat psychologique,* un accroissement de la *productivité* considérable ce qui entraîne un regain d'intérêt pour les réunions qui, enfin, débouchent sur quelque chose et quelque chose de commun.

L'effet a plus long terme est d'amener ces groupes à sortir des routines et des habitudes de pensée pour voir plus largement les problèmes et quitter les particularismes étriqués pour penser en termes de prospective et d'évolution.

Dans la vie personnelle.

Pour terminer, j'insisterai sur *l'influence de la créativité sur la vie personnelle* de ceux qui la pratiquent dans un groupe quelconque de production d'idées.

Sans même qu'ils s'en rendent compte de façon consciente, cette pratique régulière des techniques de créativité en groupe entraîne un profond changement de leur personnalité entière.

Leur esprit s'ouvre aux autres et au monde. Ils apprennent à écouter, à considérer les autres non plus comme d'incurables imbéciles (lorsqu'ils ne sont pas du même avis) mais comme des êtres par essence *différents* donc passionnants à découvrir et à comprendre.

Leurs certitudes, ils les regardent d'un œil neuf, ce qui les amène souvent à les considérer dans leur aspect relatif donc à élargir leurs horizons et assouplir leurs positions.

Ils abandonnent peu à peu ce côté manichéiste (ou binaire) qui est une des insuffisances notoires de notre pensée pour penser en plusieurs dimensions.

Le maniement des analogies, en particulier, permet à l'esprit d'opérer une sorte de révolution : au lieu de chercher les différences radicales entre les êtres et les situations, il conduit à trouver les points de ressemblance et de contact. Ce qui développe, de façon incontestable, l'aptitude à accueillir, à tolérer, à se rapprocher.

Une telle transformation a des répercussions appréciables sur le comportement de l'individu dans la société, à l'intérieur de son couple (s'il n'a pas jugé bon d'établir une autre règle du jeu que celle du couple) et dans sa cellule familiale.

Elle a aussi des répercussions majeures sur sa manière de concevoir sa vie professionnelle, familiale, ses loisirs, etc. Parfois, elle entraîne chez lui des mises en question profonde qui pourront l'entraîner dans des directions qu'il n'avait pas même soupçonnées auparavant.

On pourrait regrouper cela sous le terme général *d'élargissement du moi*. L'individu s'ouvre aux autres, à leurs idées, à leurs actions. Il se sent mieux avec lui-même, il se délie, se dénoue. Il perd son attitude passive pour devenir actif. Il veut changer les choses. Bref, en développant sa dimension créative il s'épanouit lui-même.

Ce passage de la notion *utilitariste* de la créativité(produire des idées nouvelles) à la dimension *existentielle* (être nouveau soi-même) ressemble fort à la démarche de l'alchimiste qui, en cherchant à fabriquer de l'or trouvait, au terme du voyage, la véritable sagesse.

En ce sens, la créativité pourrait aussi être considérée comme une alchimie de l'être.

17.

quelles sont les limites des techniques de créativité ?

*« Il le faut bien, dit Arlette avec foi.
Le succès est fait d'une série d'échecs
qu'on dépasse. »*

Robert MERLE (*Un animal doué de raison*)

On ne s'étonnera pas, je pense, que ce chapitre soit de dimensions plutôt réduites. Tout d'abord parce que j'ai en partie traité ce sujet au cours du chapitre 4 en montrant tout ce que n'était pas la créativité. Ensuite parce qu'il n'est jamais très agréable de reconnaître que les méthodes que l'on prône et auxquelles on croit ne sont pas d'une portée universelle.

Je tenterai néanmoins ici de décrire quelques-uns des obstacles qui risquent de faire échouer la créativité au sein d'une structure.

Le manque d'objectifs communs.

Pour être tout à fait sincère, je dois reconnaître qu'il arrive à la créativité de rencontrer des échecs. En voici un que j'ai personnellement essuyé : un organisme de formation me demande d'animer pendant trois jours un groupe de recherche comprenant le directeur et les formateurs de l'organisme plus des participants choisis en fonction de leur intérêt pour les problèmes de formation et de leur compétence professionnelles. Il y a là un architecte, un professeur de l'université locale, un militant syndicaliste C.G.T., un ingénieur, un membre d'organisations agricoles, etc.

L'objectif de la recherche est ainsi défini : « Trouver de nouveaux produits de formation susceptibles d'être mis en œuvre par l'organisme. »

Apparemment, c'est presque le groupe idéal par la qualité et la diversité de ses membres. Les résultats qui vont en sortir, pensé-je au départ, seront d'excellente qualité.

Or, à mesure que les séances se déroulent, une sorte d'engourdissement et de lassitude assez débilitante fait place à l'enthousiasme du début. Très vite, une scission apparaît dans le groupe : d'un côté les formateurs, de l'autre les « extérieurs ».

Les formateurs, semble-t-il, ont chacun une raison différente de participer à cette recherche. L'un veut véritablement trouver de nouveaux produits, l'autre espère acquérir suffisamment d'informations, au cours de ces trois jours, pour pratiquer à son tour les techniques de créativité, le troisième cherche à démontrer que la créativité n'est qu'une mode de plus, etc. Les « extérieurs », au contraire, se passionnent et tentent de creuser le problème, proposent des méthodes, des idées. Pendant que les formateurs partent jouer au ballon « pour se détendre », ils poursuivent la recherche en petit groupe. Peu à peu, la tension monte en même temps que le désenchantement se fait plus évident.

Des « petites phrases », lancées par les formateurs, font entrevoir que l'objet primitif de la recherche n'est sans doute pas le véritable problème. Il est peut-être question d'autre chose que de produits. Mais tous les efforts que je fais (avec une énergie insuffisante, sans doute) pour entamer une analyse en profondeur se heurte à un refus des formateurs qui proclament qu'ils en ont assez des analyses et des bavardages et qu'ils veulent être « opérationnels ».

Enfin, mais c'est au terme du troisième jour, ce qui était jusqu'ici dissimulé (« on a l'impression qu'on ne voit que la partie émergée d'un iceberg » répète à plusieurs reprises un « extérieur ») apparaît : problèmes de relations d'autorité, de structures internes, de personnes, de concurrence, de commercialisation des produits existants et, d'une certaine façon, problème de survie de l'organisme. Tout cela, c'est ce que l'organisme qui sort d'une période troublée et dont le trouble n'est pas encore apaisé, refusait de mettre en lumière.

En fait, comme beaucoup d'entreprises mal en point, il attendait de cette recherche le produit-miracle qui lui aurait permis de passer outre à tous ses conflits souterrains et lui aurait assuré un nouveau et éclatant départ.

Or, ce produit n'existe pas. Pas plus que n'existe le remède magique pour résoudre en quelques heures de recherche tous les problèmes psychologiques qui affectent l'entreprise.

Plus encore : un produit excellent peut devenir un échec retentissant si toutes les conditions psychologiques adéquates ne sont pas réunies au sein de l'entreprise pour une promotion, un lancement et une commercialisation réussis.

Dans cet exemple, la recherche fut un échec (du moins en partie car beaucoup d'idées intéressantes furent produites). J'aurais dû refuser de me lancer dans une opération de créativité avant qu'il soit procédé à une « psychanalyse » de l'organisme grâce aux techniques de dynamique de groupe et d'analyse institutionnelle qui auraient permis à tous les conflits et à toutes les tensions d'éclater. A ce moment seulement il aurait été possible de construire du neuf et ne pas se laisser entraîner à des ratiocinations qui, finalement, jettent un doute sur l'efficacité de la créativité.

C'est là *une première limite* des techniques de créativité : elles ne sont vraiment efficaces que dans la mesure où elles sont pratiquées par un groupe visant les mêmes objectifs et ayant déjà surmonté ses plus fortes tensions internes.

Elles supposent donc, ainsi que je l'ai déjà souligné, une action préalable d'un spécialiste de la psychologie de groupe du moins lorsqu'il apparaît que le groupe en question refuse de s'engager dans une aventure de véritable recherche.

Sinon, le groupe risque de « patiner » durant des jours à la recherche de son identité, de son homogénéité et de ses buts. Il passera le plus clair de son temps à mettre en question les méthodes proposées sans jamais vouloir entrer dedans et, de ce fait, sera incapable de produire les idées demandées.

L'insuffisance de l'animation.

La deuxième limite vient de la nécessité d'avoir un *animateur très compétent.* J'ai plusieurs fois souligné ce point et montré comment le groupe peut, après un certain nombre d'expériences, se libérer progressivement de cette tutelle pour conquérir son autonomie. Mais vouloir trop vite se passer de cette aide entraîne toujours de cuisantes désillusions.

Or les bons animateurs en la matière sont rares face à une demande de plus en plus importante [1].

Le manque de diversité des groupes.

Pour être productif, le groupe de créativité *doit être hautement diversifié* et comporter des participants totalement étrangers au problème traité (les « naïfs »). Or, bien souvent en situation réelle, l'organisme demandeur impose des groupes très homogènes (des ingénieurs, des commerciaux, etc.) en prétextant que ces gens ont déjà l'habitude

---

1. Ce problème de l'animation est suffisamment critique pour que je me sois senti obligé de lui consacrer un ouvrage (*L'animation des réunions de travail en 60 questions*, à paraître aux Editions Chotard) dans lequel une part non négligeable traite de l'animation des groupes de créativité.

de travailler ensemble et refuse toute intrusion d'éléments extérieurs à l'entreprise en prétendant qu'il faut protéger les secrets professionnels.

C'est fixer là des limites très contraignantes aux techniques de créativité qui risquent ainsi de ne pas donner tous les résultats espérés.

Le refus du changement réel.

Je pense avoir suffisamment insisté sur *les freins à l'imagination et à l'innovation* pour ne pas y revenir ici. Il est incontestable que les structures des organisations et les mentalités de ceux qui les animent limitent souvent le rendement des techniques de créativité.

Tant qu'on a tendance à considérer la créativité comme un outil de production d'idées et non comme un moyen de changer les individus pour qu'ils parviennent à produire des idées originales et modifier les structures qui brident leur aptitude à créer, on pose le problème à l'envers et l'on risque d'être un peu déçu par les résultats immédiats.

Le manque de motivation du groupe.

C'est le cas de nombre d'entreprises ou d'organismes dans lesquels un groupe de créativité est formé pour des raisons diverses (mode, prestige, désir de se mettre en valeur) mais surtout pas dans le but de produire des idées nouvelles qui seront mises en application.

On assiste alors à une marginalisation progressive du groupe qui fonctionne en circuit fermé, sans aucune prise sur la structure dans laquelle il opère. Peu à peu cette situation inconfortable entraîne une lassitude et un désenchantement des participants qui, les uns après les autres, abandonnent. Devant cet échec, les autres membres de la structure pavoisent : « On savait bien qu'il s'agissait encore d'une de ces pratiques qui doivent tout révolutionner et qui sombrent rapidement dans l'oubli. »

La divinisation de la créativité.

La créativité opérationnelle a aussi ses *limites techniques*. Prétendre qu'elle peut tout résoudre à elle seule relève de l'utopie ou de la duperie.

En effet, si la créativité doit s'insérer dans toutes les disciplines pour y insuffler un esprit nouveau et y apporter de nouvelles méthodes, elle ne prétend aucunement pouvoir les remplacer.

C'est de *complémentarité réciproque* qu'il faut alors parler : la créativité, par exemple, a un rôle à jouer dans l'informatique de même que l'informatique peut apporter beaucoup aux techniques de créativité (du reste, des recherches sont en cours sur ce sujet). Il en va ainsi avec les mathématiques, la gestion, les statistiques, le marketing, etc.

Il ne s'agit pas là d'ailleurs de limites à proprement parler mais de *modestie*. La créativité peut ouvrir de nouveaux champs d'investigation et d'application à ces disciplines, elle ne peut en aucun cas s'y substituer.

Plus profondément, peut-être, les limites des techniques de créativité se trouvent *dans les individus qui les mettent en pratique.*

Au risque de paraître me contredire, je pense qu'on a une fâcheuse tendance à « diviniser » le groupe en le considérant comme l'instrument à tout faire et capable de tout faire.

Il est certain que les possibilités d'un groupe par rapport à l'addition des possibilités des individus isolés qui le composent sont considérables. Il se produit en son sein une émulation et un accroissement des potentialités individuelles qui surprend toujours les néophytes de ce genre de travail.

Mais enfin, le groupe aussi a ses limites et ce, quelles que soient les techniques qu'on lui applique. Car ces techniques ne peuvent aucunément être comparées à l'Esprit Saint descendant sur les apôtres lors de la Pentecôte. Elles ne font pas de miracles (même si les résultats semblent parfois miraculeux).

Elle permettent seulement aux membres du groupe de sortir de leurs routines, d'élargir leurs cadres de pensée pour développer leur « dimension créative ».

Cela est déjà énorme. Mais n'importe quel groupe n'est qu'une réunion d'individualités. Certaines sont extrêmement riches, d'autres beaucoup plus pauvres. C'est pourquoi les résultats obtenus d'un groupe à l'autre, malgré l'efficacité des méthodes et la compétence de l'animateur, varieront de façon considérable.

On entre alors dans les aléas de la création avec tout ce qu'elle comporte d'incontrôlé et de mystérieux. Heureusement...

18.
quel est le rôle du conseil en créativité?

« Le talent, dans la vie, c'est une sorte de décision. »

Brice PARAIN (*Sur la dialectique*)

Tout au long de cet ouvrage, on a vu se dessiner en filigrane comme un portrait du conseil en créativité. Il me suffira donc de préciser quelques traits pour que le lecteur s'en fasse une image assez ressemblante.

Comment devient-on conseil en créativité?

Ainsi qu'on a pu le voir au chapitre 3, mon propre itinéraire pour arriver à cette profession a été quelque peu détourné. Mais si je regarde celui de la plupart de mes confrères, il n'est guère moins tortueux. C'est dire combien il est difficile de répondre à une telle question. En fait, et c'est une des réponses (non satisfaisantes pour eux) que je donne aux jeunes gens qui viennent me voir, désirant se lancer dans cette activité, il n'y a pas une voie pour en arriver là mais c'est l'affaire de chacun de trouver son propre cheminement.

Actuellement, grâce à Dieu, il n'existe pas d'école de créativité. Néanmoins, celui qui veut se former dans cette discipline peut suivre des séminaires de formation d'animateurs pratiqués par certains cabinets ou essayer de se faire embaucher par ceux-ci.

Mais il me paraît dangereux d'entreprendre cette démarche si l'on n'a pas vécu auparavant plusieurs années dans une entreprise ou dans un organisme qui permette de se familiariser avec la vie de l'entreprise.

Ce n'est pas un hasard si tous les gens « sérieux » de la profession ont un passé dans l'entreprise qui dans les bureaux d'études, qui dans les services commerciaux, qui dans la gestion.

Sans cette formation préalable, on risque de passer à côté des problèmes essentiels et de se lancer dans des opérations suicidaires qui aboutiront fatalement à un rejet complet de la part des « clients ».

La créativité étant une discipline *carrefour,* il me paraît également impensable de vouloir la faire pratiquer aux autres si l'on ne possède pas soi-même de sérieuses connaissances en plusieurs matières. Autrement dit, il me paraît impensable d'être un « spécialiste de la créativité » et cela seulement.

Avant de se lancer dans ce métier, j'estime donc qu'il est nécessaire d'avoir vécu des expériences nombreuses et diverses puis de les avoir assimilées pour en tirer les lignes directrices de son « enseignement ».

En résumant, je dirais que le conseil en créativité doit présenter les caractéristiques suivantes :

— avoir une solide expérience vécue de l'entreprise,
— posséder une capacité certaine à animer les groupes les plus divers,
— être polyvalent dans ses connaissances et ses centres d'intérêt,
— être à la fois souple et tenace, ne pas avoir tendance à se décourager mais se trouver dans un constant état d'enthousiasme,
— avoir une bonne résistance physique et nerveuse,
— faire preuve d'un grand sens de l'humour.

Comment acquérir tout cela? D'abord en pratiquant la créativité dans des groupes de recherche au sein d'entreprises ou d'organisations. Puis en s'efforçant d'animer soi-même des groupes ayant des objectifs précis jusqu'au point où ils fournissent des résultats évidents. Enfin en analysant constamment ses défauts et ses échecs pour en tirer des enseignements constructifs.

Parallèlement à cela, profiter de toutes les occasions qui permettront d'approfondir la connaissance de soi-même : relations humaines, dynamiques de groupe, etc. Pour certains, une analyse s'imposera.

Mais peut-être me ferai-je mieux entendre par ceux qui veulent entreprendre cette aventure en précisant les différents rôles du conseil en créativité?

L'activité de formateur.

Etre conseil en créativité, c'est d'abord exercer une activité de *formation.* C'est-à-dire que l'on passe une partie de son temps à faire découvrir et pratiquer les différentes techniques de créativité à des groupes de néophytes en la matière.

Cela se fait de différentes façons : soit à travers des organismes de formation [1], soit directement à l'intérieur d'organismes (entreprises, administrations, etc.) .

---

1. C'est ainsi que j'interviens dans les différents CESI, à l'INFOP, à l'ECE, etc.

Dans le premier cas, la créativité est généralement intégrée dans un cycle de formation comportant des relations humaines, de la communication, de la gestion, de l'économie, etc.

Elle a pour but principal d'apporter aux stagiaires une ouverture d'esprit et des méthodes d'approche des problèmes et de saisie des phénomènes qui donnent une autre dimension à l'ensemble de leur stage.

La créativité peut également être introduite dans des cycles spécialisés consacrés, par exemple, à la prise de décision, à la résolution de problèmes, au marketing, etc. Elle apparaît comme une méthodologie nouvelle destinée à fournir des outils opérationnels aux participants.

Il serait beaucoup trop long de décrire ici toutes les manières dont la créativité peut s'introduire dans des cycles de formation, chaque organisme ayant ses approches spécifiques et ses clientèles particulières. Disons simplement qu'il est possible d'adapter une intervention de formation en créativité à n'importe quel type de cycle, même le plus technique car n'importe quel type de formation bien conçue doit marier l'apport de connaissances et l'ouverture d'esprit.

Il est également possible d'adapter cette discipline à n'importe quel type de public.

On a d'abord estimé que la créativité était réservée aux chefs d'entreprise et aux cadres supérieurs — ceux qui « pensent ». Une heureuse évolution s'étant produite (grâce aux actions de formation en particulier) on conçoit maintenant plus volontiers que la créativité puisse étendre son champ d'actions à d'autres couches de la population.

C'est ainsi que j'ai déjà eu l'occasion d'intervenir dans des cycles pour chefs d'entreprises, directeurs commerciaux et du marketing, directeurs du personnel, ingénieurs, chercheurs, cadres administratifs, professions libérales mais aussi agents techniques, représentants, agents de maîtrise et techniciens.

Dans des groupes de plus en plus nombreux il est maintenant admis de faire travailler ensemble des ingénieurs et des ouvriers.

Quelques établissements d'enseignement supérieur introduisent la créativité dans leurs programmes.

C'est ainsi que je suis enseignant dans les Ecoles Supérieures de Commerce de Paris, Rouen et Angers et que j'interviens dans plusieurs Facultés.

Il faut d'ailleurs espérer que la généralisation de la formation permanente mettra en contact, au cours des prochaines années, un public de plus en plus nombreux avec cette discipline.

L'activité de formation est, à mon avis, essentielle pour le conseil en créativité. Elle lui permet en effet de rencontrer une multitude de personnes venues d'horizons très différents, chargées d'expériences extrêmement diverses et approchant les problèmes de manières radicalement différentes.

A ce contact, il s'enrichit de façon permanente, remet sans cesse en cause ses méthodes, ses techniques, ses certitudes. Ainsi, il progresse.

De l'autre côté, on pourrait dire qu'un des apports principaux du conseil en créativité réside dans cette multiplicité de rencontres et de réflexions qui lui permet d'enrichir sa réflexion et de communiquer à chaque nouveau groupe qu'il anime les résultats de cette réflexion nourrie de la vie même.

Si je ne craignais pas le ridicule, je comparerais le conseil en créativité à une abeille qui va butiner de groupe en groupe et, des expériences accumulées fabrique un miel qui nourrira de nouveaux groupes.

Mais je crains le ridicule et l'image risque de faire ricaner...

Cette formation n'est souvent qu'une introduction ou une initiation à la créativité car elle est beaucoup trop brève pour permettre aux stagiaires de véritablement user des outils.

La brièveté tient au fait que les stagiaires et les organismes (pas tous) qui les forment croient encore qu'un bon cycle de formation doit comporter un maximum de matières et se terminer par un stère de notes.

Cette façon de voir, directement héritée de notre bon enseignement universitaire, est heureusement en train de s'atténuer. On commence à considérer qu'une formation intelligente doit être davantage centrée sur l'éveil et le développement des aptitudes personnelles et inter-personnelles que sur le bourrage de crâne.

Mais, même sous cette forme brève, je pense que la créativité est bénéfique dans la mesure où elle permet aux stagiaires d'avoir une idée un peu plus claire sur la question, leur cause souvent un choc salutaire, les amène à réfléchir et les incite à poursuivre cette découverte en suivant un séminaire de longue durée.

L'activité d'animateur de groupes opérationnels.

Dans les exemples que j'ai donnés au chapitre 15, on a pu voir comment se pratiquait cette activité : formation d'un groupe puis animation pour résoudre des problèmes posés par l'entreprise (l'administration, le syndicat, etc.).

On pourrait concevoir que le rôle du conseil s'arrête lorsque la formation du groupe est achevée et que les participants prennent en main leur propre animation.

C'est une tentation à laquelle n'échappent pas certaines organisations (la plupart du temps par esprit d'économie). Et dont elles constatent rapidement les effets désastreux.

En effet, il n'est guère envisageable qu'un membre de la structure où va fonctionner le groupe, puisse entreprendre seul cette action d'animation. Non qu'il en soit incapable mais parce que cela exige *une autorité* et *une liberté d'action* que le seul fait d'appartenir à la structure entrave grandement.

Il est une phase où le groupe a besoin de se sentir guidé, soutenu, dynamisé par quelqu'un venu de l'extérieur; quelqu'un qui ne soit pas obnubilé par les problèmes de la structure, qui ait un regard neuf, qui soit en mesure de faire éclater les conflits de personnes, qui soit totalement indépendant vis-à-vis de la hiérarchie et vis-à-vis des membres du groupe. Seul un conseil extérieur peut véritablement remplir ces conditions.

D'autre part, la création d'un groupe de créativité opérationnel exige de son animateur des qualités professionnelles et techniques que seule peut donner une solide expérience. En ce domaine comme en beaucoup d'autres, l'amateurisme et la bonne volonté conduisent à de retentissants échecs.

Le rôle d'animateur d'un groupe opérationnel est beaucoup plus complexe que celui d'un simple formateur. Il ne s'agit plus seulement de réveiller une faculté imaginative assoupie mais de développer la puissance imaginative du groupe pour transformer celle-ci en *réalisations*.

Autrement dit, il s'agit véritablement de mettre la créativité « en pratique » et d'obtenir des résultats tangibles dont l'efficacité sera reconnue.

Ces résultats seront, selon les cas, des brevets, des techniques ou des produits nouveaux, des réductions des coûts de production, des améliorations de la qualité du travail, des idées de promotion, des outils pédagogiques, des réformes administratives, etc.

Ce seront donc des *résultats quantifiables* qui permettront de juger de l'efficacité du groupe et de son animateur.

Devant cette nécessité de *produire,* une certaine angoisse s'empare souvent du groupe. Angoisse d'autant plus forte que les promoteurs du groupe attendent davantage de lui.

Le rôle premier du conseil sera donc d'insuffler au groupe la confiance nécessaire pour travailler efficacement tout en gardant cet esprit d'indépendance et cette imagination en liberté qui caractérisent la période de formation.

Toute création, qu'elle soit artistique ou technique, passe par des hauts et des bas. Il faut savoir détruire ce qu'on avait eu tant de mal à construire pour avancer plus loin. Et cela, au début, le groupe l'accepte très mal.

Il faut savoir rejeter les idées séduisantes dont on se contenterait bien volontiers pour chercher d'autres idées encore meilleures. Et cela non plus le groupe ne l'accepte pas.

Il y a des moments pénibles où l'imagination du groupe patine, où les idées ne sortent plus, où l'on éprouve l'impression que la recherche s'enlise sans s'apercevoir que c'est sans doute à ce moment qu'elle prend vraiment son envol.

Le rôle de l'animateur est alors capital. Il sert à la fois de guide, de catalyseur, parfois de bouc émissaire. Il prend en charge les « malheurs » du groupe pour l'aider à les utiliser afin d'en tirer les matériaux qui permettront à la recherche de progresser.

Il excite le groupe dans ses phases basses, il exige de lui le maximum quand tout semble facile; il l'aide à préciser ses méthodes, à poursuivre ses idées dans leurs plus lointains retranchements; il l'incite à concrétiser ses rêves pour aboutir à des produits viables. Tout cela, bien sûr, en laissant au groupe sa liberté et en lui apprenant à conquérir son autonomie.

Il peut estimer son objectif atteint quand le groupe est capable de se passer de lui en tant qu'animateur et qu'il parvient, sans son aide à définir les méthodes de travail qu'il utilisera pour traiter un problème. Qu'il traite ce problème et que des solutions efficaces émergent de cette recherche.

Alors il se sent récompensé des efforts pénibles parfois en apparences inutiles qu'il a appliqués à ce groupe.

L'activité de conseil.

Le rôle de « conseil » (ou de « consultant », le mot fait plus technique donc plus sérieux) est assez ambigu.

Théoriquement, il est payé pour donner des conseils. En fait, ses conseils sont rarement écoutés où, lorsqu'ils le sont, déformés de telle manière qu'il ne reconnaît plus du tout ses « recommandations ».

A l'extrême inverse, le chef d'entreprise ne peut plus tracer une ligne ni prendre une décision sans faire appel à *son* conseil qui devient ainsi maître à penser et à agir. Jusqu'au jour où il tombe en disgrâce et se voit remplacé par un autre conseil...

Disons que la plupart du temps le chef d'entreprise fait appel à un conseil pour se rassurer et voir confirmées les décisions qu'il a prises. Avec le conseil il peut discuter en liberté, faire part de ses doutes, échanger des points de vue, entendre une voix qui ne soit pas le simple écho de toutes les rumeurs de son entreprise.

En ce sens limité, le rôle du conseil est déjà important. En apportant à l'entreprise l'air du dehors, il permet à celle-ci d'élargir ses vues et de considérer ses problèmes avec un œil neuf.

Le conseil en créativité (comme tous les conseils qui méritent ce nom) est un homme libre. Il dit ce qu'il pense. Il émet des jugements et des critiques que les membres de l'entreprise n'osent ou ne savent prononcer. Dans cette mesure, il est une sorte de catalyseur (parfois de bouc émissaire) qui met au jour les problèmes et les conflits que personne n'osait aborder.

Cette tâche de « réactif » du conseil en créativité est particulièrement évidente. Il vient là, il est payé, *pour entraîner une remise en cause de l'ordre établi.*

J'espère, en écrivant cela, ne pas engendrer chez le lecteur des visions apocalyptiques d'entreprises en perdition, sombrant dans l'anarchie la plus complète et l'aboulie la plus totale.

Non, mettre en cause l'ordre établi (d'un produit, d'une image de marque, d'une procédure, d'une approche commerciale, d'une technique, d'un système d'organisation) c'est, grâce à une recherche identique à celle qui a été décrite au chapitre 14, faire apparaître les secteurs où il est nécessaire d'introduire des innovations pour permettre à l'entreprise de se développer et de garder sa combativité par rapport à son marché et à ses concurrents.

Un des premiers rôles du conseil en créativité est donc *d'empêcher l'entreprise de sombrer dans une torpeur satisfaite et de l'aider à garder sa forme compétitive.*

Le conseil pourra également *procéder à des études et mener des recherches* pour lesquelles l'entreprise n'est pas outillée. Parmi ces recherches on peut citer : les recherches de noms, les recherches d'insatisfactions engendrées par un produit ou un service, les études de motivation créatives et les recherches prospectives.

Dans tous les cas, on fait appel à des personnes extérieures à l'entreprise (consommateurs, clients, fournisseurs, etc.) et l'on cherche à les faire s'exprimer en toute liberté. La masse d'informations ainsi récoltée est ensuite « décodée » et donne lieu à un rapport de recommandations à l'entreprise.

Si l'on peut se faire, au terme de cet ouvrage, une idée point trop fausse de ce que peut être une recherche de noms ou une étude défectuologique, je pense qu'il est intéressant pour le lecteur d'avoir quelques lumières-sur les études de motivation créatives (E.M.C.) et sur les recherches prospectives.

L'étude de motivation créative.

En simplifiant, on peut dire qu'une étude de motivation est la recherche, *en profondeur,* des relations entre l'utilisateur d'un « produit » et ce

« produit » (le terme de produit recouvrant aussi bien un service, qu'une organisation, une personne, etc.). Pour cette recherche, les techniques de créativité, et en particulier l'approche analogique, fournissent des outils extrêmement précieux qui vont permettre, par leur cheminement en détours, de cerner ces relations psycho-affectives utilisateur/produit.

En voici un bref exemple : un promoteur immobilier éprouve des difficultés à vendre une partie des appartements d'une résidence qu'il a construite en bord de Seine, du côté de la Défense.

Ne sachant plus trop à quel saint se vouer, il me demande de prendre en charge ce problème.

On réunit donc, dans l'appartement témoin de la résidence, des co-propriétaires et des personnes qui ont été sur le point d'acheter et qui, au dernier moment, se sont récusées.

Dans un premier temps, je procède à une analyse défectuologique classique, à savoir quelles sont les insatisfactions qu'éprouvent les co-propriétaires par rapport à la résidence.

Cette analyse n'apporte que très peu d'éléments intéressants; on se retrouve dans la banale réunion de co-propriétaires et les insatisfactions exprimées sont minimes. En fait, la construction est de bonne qualité et les appartements sont bien conçus.

Je demande alors aux participants, de décrire de différentes façons la résidence de leurs rêves (dessins, analogies, mimes, sketches de vente, etc.). Il apparaît alors de façon de plus en plus évidente à mesure que se déroulent les exercices que l'insatisfaction profonde que ressentent les habitants provient du fait qu'ils ont moins acheté un appartement qu'un certain « art de vivre » (que leur vantait la publicité) et qu'ils sont fortement déçus par l'absence de communications dans la résidence, le manque d'esprit « club », le sentiment qu'ils sont dans un sous-Neuilly, etc. Il ne s'agit donc pas d'insatisfaction technique mais d'insatisfactions psychologiques et affectives. Ils étaient venus là à la recherche d'un rêve et se trouvent confrontés à une réalité bien décevante (mais qu'ils ne voulaient reconnaître de façon directe).

A partir de là, il était possible d'imaginer des remèdes (création d'un club-house, animation de la résidence, etc.). De même, il apparaissait que les meilleurs vendeurs des appartements restants étaient les co-propriétaires eux-mêmes car ils savaient parler avec passion de *leur* résidence.

Il s'agit là d'un exemple simple. Dans d'autres cas, un travail beaucoup plus important s'impose, en particulier au niveau du *décodage* des éléments recueillis auprès des groupes. Car il s'agit de rendre opérationnel, sans interprétation déviée, le matériau qu'on a ainsi accumulé.

Les études prospectives.

Un nombre de plus en plus élevé d'entreprises et d'organismes divers s'interrogent sur l'avenir. Que ferons-nous dans cinq ans? Comment vont évoluer les besoins de la clientèle? Quels produits nouveaux vont apparaître et concurrencer les nôtres? telles sont quelques-unes des interrogations qui apparaissent maintenant.

La crise que nous subissons et qui a démontré de façon parfois dramatique qu'il ne suffisait plus de prolonger des courbes pour savoir où l'on allait, n'est pas étrangère à cette nouvelle attitude.

On constate maintenant qu'il faut passer du quantitatif au qualitatif. Mais ce dernier est très difficile à saisir car lié aux modes de vie, aux façons d'être, aux évolutions psychologiques et sociales, etc.

Devant de tels problèmes, la plupart des entreprises et organismes se trouvent démunis.

Or, il existe des méthodologies qui peuvent aider à résoudre de tels problèmes et donner les moyens nécessaires aux entreprises pour percevoir les changements et y apporter une réponse d'adaptation efficace.

C'est là un domaine où la créativité peut beaucoup apporter, en particulier avec ses méthodes d'analyse multidimensionnelle et ses systèmes d'étude des relations entre éléments hétérogènes.

Ce problème, qu'aucun chef d'entreprise digne de ce nom n'a le droit de se masquer, est apparu suffisamment grave pour que le Ministère de l'Industrie suscite la création d'un groupe de recherche pluridisciplinaire, auquel j'appartiens, intitulé *Groupe d'ethnotechnologie.*

Ce groupe a pour objectifs de réfléchir sur la relation objet-société et d'en tirer des supports méthodologiques permettant aux services de prévision industrielle et commerciale de prévoir les besoins futurs des consommateurs dans un environnement mouvant et en pleine évolution [1].

On voit que les sujets abordés par le conseil en créativité sont aussi variés que possible.

C'est grâce à cette variété, d'ailleurs, qu'il apporte les éléments les plus intéressants à ceux qui lui ont demandé son aide. Car, passant d'un domaine à l'autre et y récoltant des idées, le conseil en créativité est constamment en mesure de faire des bi-sociations et des analogies entre des problèmes et des solutions de nature très différente.

Ou, plus exactement, *il aide* les demandeurs à faire ces bi-sociations et ces analogies. Contrairement à ce qu'on pense souvent, le conseil en créativité *ne fournit pas de réponses à l'entreprise;* il n'emporte pas un problème pour le rendre, quelque temps après avec la solution.

---

1. Pour des informations complémentaires, écrire au Groupe Ethnotechnologie, Ministère de l'Industrie et de la Recherche, 99, rue de Grenelle, 75007 Paris, Tél. : 555.93.00.

Cette démarche qui est celle des conseils en organisation-technocrates, je la refuse personnellement avec beaucoup de vigueur.

En effet, fournir des solutions à un groupe, même si ce sont de bonnes solutions, ce n'est pas résoudre le problème de ce groupe mais introduire en son sein un corps étranger contre lequel les mécanismes de rejet plusieurs fois décrits dans les chapitres précédents vont jouer à plein.

Je pense, et c'est presque une profession de foi, que c'est au groupe de trouver ses propres réponses. Peut-être, *in abstracto*, seront-elles moins bonnes que celles qu'aurait pu fournir un organisme extérieur mais, en réalité, elles seront forcément meilleures dans la mesure où elles seront issues de sa recherche et de son effort. Il sera prêt à les accepter et à les défendre. *Elles seront sa création.*

Le rôle du conseil en créativité, pris dans ce sens, est plus modeste mais aussi plus profond : c'est d'aider les individus et les groupes, grâce à un apport de méthodes et de questions, à résoudre eux-mêmes leurs propres problèmes.

Il vient non comme un fournisseur d'idées mais comme un interrogateur et un éveilleur. Il cherche à communiquer sa passion pour la recherche, le changement, le mouvement.

Il essaye de donner un regard neuf à ceux qui font appel à ses services et de les aider à devenir *créateurs d'événements,* capables d'imaginer l'avenir et d'agir sur cet avenir en fonction des idées nouvelles qu'ils seront parvenus à produire.

Et lorsque ses « clients » auront atteint ce stade, il se retirera car ils n'auront plus besoin de lui...

19.
ouverture pour demain...

« Nous avons conscience d'être en face d'un monde qui meurt et nous avons du mal à en imaginer un autre. »
André MALRAUX

Voilà. Le lecteur qui est arrivé à ce point du parcours a maintenant une idée un peu plus claire de ce qu'est la créativité en tant qu'aptitude et en tant que technique.

J'espère l'avoir convaincu de son efficacité et lui avoir donné envie d'en savoir plus long, c'est-à-dire de mettre ces techniques en pratique à partir de problèmes qui se posent à lui, dans les domaines les plus variés.

J'espère aussi lui avoir communiqué le désir de se réunir avec des amis, des confrères, des collègues pour expérimenter la puissance imaginative du groupe. Car il ne s'agit pas de parler de créativité mais de vivre des aventures créatives.

J'espère encore lui avoir fait comprendre que la créativité n'était pas seulement un moyen perfectionné pour concevoir de nouveaux produits et améliorer la rentabilité des entreprises.

Si elle se limitait à cela, je m'adonnerais entièrement à la peinture et à l'élevage des chats siamois et n'aurais pas consacré plusieurs mois de ma vie à écrire ce livre.

C'est bien parce que j'ai la conviction profonde que la créativité va infiniment au-delà de cet utilitarisme et qu'elle constitue un moyen exceptionnel de transformer les hommes afin qu'eux-mêmes transforment le monde où ils vivent si mal à l'aise, que je l'enseigne et la pratique avec passion.

J'aime bien la phrase de Malraux que j'ai inscrite en tête de ce chapitre. Car c'est bien de cela qu'il s'agit : comment imaginer un autre monde qui ne ressemble pas, ou si peu, à celui dans lequel nous vivons aujourd'hui?

Non pas un monde qui se contente de perfectionner sans cesse ses techniques (nous savons maintenant que bonheur et progrès technique ne vont pas forcément de pair), mais un monde qui retrouve le sens du plaisir, de la communication entre les êtres, de l'accueil et de la création permanente.

Un monde où les individus quittent ces froids rapports juridico-économiques qui nous contraignent et nous étouffent pour retrouver la chaleur des rapports d'affectivité, depuis longtemps oubliée.

Rêves et chimères, ricaneront certains. Peut-être. Mais comment le savoir si nous ne tentons rien pour que ce monde imaginaire un jour existe et abandonnons toute initiative créatrice pour laisser faire, à notre place, quelques groupes d'austères technocrates.

Je pense que le véritable sens de la créativité est là : rendre à l'individu son autonomie de jugement et d'action. L'aider à s'évader de tous les carcans idéologiques et économiques qu'on essaye de lui faire accepter comme d'évidentes fatalités. Développer en lui ces forces créatives qu'on a tout fait pour éteindre et stériliser.

Alors, quand cet homme-là, cet « agent créatif », sera en nombre suffisant, il sera possible d'imaginer l'autre monde dont parle Malraux.

En ce sens, la créativité est un combat permanent contre toutes les murailles qui se dressent encore pour empêcher l'avènement de cette civilisation créative.

Non pas combat de quelques « spécialistes de l'imagination » mais combat de chacun pour conquérir enfin son inaliénable *dimension créatrice*.

ANNEXES

ANNEXE A

BIBLIOGRAPHIE COMMENTEE

1. Ouvrages sur les techniques de créativité.

Alex OSBORN : *L'imagination constructive* (Dunod).

Cet ouvrage, écrit par le père du brainstorming, a de grandes qualités : clarté de l'expression, abondance des exemples et description fouillée d'une technique qui a fait ses preuves.

On pourrait lui reprocher un certain ton « Readers' Digest », d'un moralisme très américain. Cela est particulièrement sensible dans les exercices proposés : « Si vous aviez un fils à tendance athée, que feriez-vous pour le ramener à des convictions plus saines? »

En tout cas, un ouvrage dont la lecture s'impose au néophyte et qu'on relira avec profit lorsqu'on aura commencé de travailler dans un groupe de créativité.

Charles CLARK : *Brainstorming* (Dunod).

Par un disciple d'Osborn, un ouvrage fort utile montrant comment on peut appliquer le brainstorming pour traiter divers problèmes.

Il s'agit d'un ouvrage essentiellement technique, donc intéressant plus particulièrement des lecteurs animant des groupes de recherche ou participant à de tels groupes.

Guy AZNAR : *La créativité dans l'entreprise* (Editions d'Organisation)

Guy Aznar est l'un des premiers à avoir introduit la créativité en France. Du groupe Synapse qu'il anime sont issus la plupart des consultants de qualité qui opèrent dans notre pays.

Son livre est d'une lecture aisée, très riche sur les techniques et les moyens de les introduire dans une entreprise.

La formation psychologique de l'auteur ne l'a pas entraîné à se perdre dans des discours abscons et prétentieux. Bien au contraire, on sent qu'il est habitué à s'adresser à un public non spécialisé qu'il séduit par ses grandes qualités pédagogiques.

Je ne saurais trop recommander la lecture de cet ouvrage dont la présentation intérieure est particulièrement soignée.

Hubert JAOUI : *Clefs pour la créativité* (Seghers).

Dans une collection destinée à faire comprendre au grand public les grands problèmes de notre temps tout en gardant une rigueur scientifique incontestable, Hubert Jaoui a parfaitement réussi à tenir ce pari : donner les clefs essentielles pour comprendre ce qu'est la créativité, sans jargon, avec rigueur et de manière vivante.

De par ses centres d'intérêt (la psychologie, l'analyse transactionnelle), l'auteur insiste assez longuement sur les aspects psychologiques de la créativité. Mais il sait éviter les débordements lyrico-psychanalytiques de beaucoup de ses confrères.

On notera également une approche méthodologique fort intéressante (*Interlog*) ainsi que des exemples pris hors du cadre de l'entreprise qui donneront une idée de ce que peut faire la créativité lorsqu'elle s'attaque à des problèmes de relations et de société.

Donc, une lecture à recommander sans réserves.

Florence VIDAL : *Problem-solving* (Dunod).

Autre pionnier de la créativité en France, Florence Vidal propose ici une « méthodologie générale de la créativité ».

Disons le tout de suite, ce livre n'est pas d'une lecture facile. Bien que l'auteur prenne constamment la peine d'expliquer le vocabulaire qu'elle emploie, il risque de rebuter les lecteurs qui n'ont que des notions éparses de psychologie.

Pour celui qui fera l'effort de s'attacher à cette lecture, la somme d'informations et d'idées glanées sera très importante.

En particulier, la partie consacrée à l'analyse des problèmes, si souvent escamotée, est tout à fait remarquable.

A conseiller donc à ceux qui ont déjà fait leurs premiers pas dans le domaine de la recherche.

Florence Vidal est également l'auteur de *Savoir imaginer* (Robert Laffont), ouvrage de réflexion sur la création et l'individu créatif.

Michel FUSTIER : *Pratique de la créativité* (Entreprise Moderne d'Edition).

Il me semble que le livre de Michel Fustier qui s'intitulait *Exercices pratiques de créativité,* a beaucoup perdu en se coulant dans le moule de cette collection dirigée par Roger Mucchielli. Il a pris dans ce passage un côté guindé qu'il n'avait pas auparavant.

Cela dit, c'est un bon ouvrage, un peu difficile à comprendre pour le profane, et, ce qui est dommage pour un livre sur la créativité, très logiquement structuré.

Michel Fustier est également l'auteur, avec Kaufman et Drevet, de l'*Inventique* (Edition Moderne d'Entreprise), gros livre sur les méthodes de créativité dont une partie, assez austère, est consacrée à l'utilisation des mathématiques dans la créativité. Il est destiné à un public averti.

Du même auteur, on pourra lire *L'étude de motivation*, petit livre clair, précis et très efficace qui montre comment on peut utiliser les techniques analogiques et projectives en ce domaine.

Christian COLLE : *La création concertée* (Dunod).

Petit livre proposant une « méthode générale d'études » fondée sur l'analyse de la valeur de Miles. Cette méthode s'applique principalement aux produits, à la construction et au service.

Une approche scientifique cherchant à réunir rigueur et imagination, très intéressante.

Jean-Pierre SOL : *TEMCA* (Editions Jean-Pierre Delarge).

Jean-Pierre Sol, ancien polytechnicien, ingénieur des Télécommunications, spécialiste d'Analyse de la Valeur et de Recherche Opérationnelle, est directeur de Créargie.

Son côté scientifique et homme d'affaires se reflète assez bien dans cet ouvrage qui est loin d'être inintéressant pour le spécialiste mais écrit dans une forme tellement ramassée qu'il reste à peu près indéchiffrable pour le profane.

La multitude de graphique sybillins donne à ce livre un aspect incontestablement « sérieux » et scientifique. Mais à enfermer la créativité dans de telles prisons, ne risque-t-elle pas de dépérir?

Morris I. STEIN : *Stimulating Creativity* (Academic Press).

L'auteur, psychologue new-yorkais, a fait ici une étude très complète sur les moyens d'accroître sa créativité (hypnose, psycho-thérapie, alcool, drogues diverses, méthodes programmées et techniques propres). Il analyse les méthodes les plus connues (brainstorming, synectique, etc.) avec beaucoup de sérieux et de compétence.

Pour lecteurs bilingues et courageux.

George M. PRINCE : *The practice of creativity* (Harper and Row).

George Prince, associé de Gordon (dont l'œuvre *La Synectique* n'est pas disponible actuellement en France. Pourquoi?), a rédigé ici une sorte de guide pratique montrant comment on peut mener une recherche en utilisant la méthode synectique.

L'intérêt de cet ouvrage réside, entre autres, dans le compte rendu de séances de recherche sur divers produits et problèmes.

Il permet ainsi au lecteur de mieux comprendre comment se déroule une recherche et quel doit être le rôle de l'animateur au cours de celle-ci.

En ce sens, il sera très précieux pour tous ceux qui ont à animer des groupes de créativité.

2. Ouvrages traitant de la création, de l'imagination et de l'innovation.

Arthur KŒSTLER : *Le cri d'Archimède* (Calmann-Lévy).

Les nombreuses références que je fais à l'ouvrage de Kœstler prouvent de manière éloquente l'admiration que je porte au *Cri d'Archimède*.

Avec une intelligence et une pénétration que l'admirable traduction met en pleine valeur, l'auteur a tenté, à la suite de nombreuses recherches, de mettre en évidence un certain nombre de processus communs à tous les types de création.

Décrire en quelques lignes la richesse d'une telle œuvre est impossible. Je conseille donc au lecteur de s'y plonger sans tarder en le prévenant qu'il s'agit d'un parcours difficile, malgré la clarté de la langue et l'abondance des exemples.

Mais la création étant elle-même un des sujets les plus complexes, il faut savoir gré à Kœstler de l'avoir rendu si lumineux.

Sans hésitation donc : une œuvre capitale.

Thierry GAUDIN : *L'écoute des silences* (à paraître).

Responsable de l'innovation technologique au ministère de l'Industrie, Thierry Gaudin décrit ici, avec beaucoup de brio, les relations entre l'innovation et les institutions. Souvent impertinent, remarquablement documenté, cet ouvrage est une mine de sujets de réflexion.

Gabriel et Brigitte VERALDI : *Psychologie de la création* (Marabout).

Cet ouvrage prétend englober tous les phénomènes de la création : bases, facteurs, technique, histoire, etc.

Si certaines parties sont tout à fait passionnantes, d'autres sont d'une légèreté un peu surprenante. Je pense, en particulier, au chapitre consacré aux techniques de créativité, aussi insuffisant que péremptoire. « Les séminaires de créativité, conclut l'auteur, ressemblent à un gadget coûteux, mis à la mode par la publicité, mais dont l'utilité est, sinon tout à fait nulle, du moins très surestimée par rapport à des outils plus modestes. » Ce jugement venant après une description tout à fait caricaturale d'un séminaire auquel je doute que l'auteur ait assisté...

Mêmes remarques sur les appréciations à propos de la pédagogie moderne, considérée par les auteurs comme une mode sans avenir.

Ces réserves émises, ce livre mérite la lecture, en particulier pour la richesse de ses références et son constant souci de clarté.

Alain BEAUDOT : *La créativité* (Bordas-Dunod).

L'auteur, universitaire angliciste, a fait avec ce livre, composé de traductions de travaux américains, un travail d'un intérêt considérable. Composé de trois parties : « Identification de la créativité », « La personnalité créative » et « Education et environnement », l'ouvrage de Alain Beaudot permettra à tous ceux qui s'intéressent au sujet de prendre contact directement avec la pensée des plus grands noms américains en ce domaine (Torrance, Getzels et Jackson, Parnes, Guilford, etc.).

On trouvera également dans ce livre la description complète du test de créativité de Wallach et Kogan.

Un livre qui, par la qualité de la traduction et le choix judicieux des textes est à recommander chaudement.

La créativité : neuf documents pour réveiller l'imagination (Documents Service).

Ce dossier, destiné aux adolescents est très intelligemment fait. On y trouvera des idées fort intéressantes sur l'utilisation de la créativité dans l'enseignement des mathématiques, de la peinture et du français. De plus, il est illustré avec beaucoup d'humour par mon ami Puig-Rosado...

Michel-Louis ROUQUETTE : *La créativité* (Que sais-je?).

On se demande ce qui a poussé l'auteur et l'éditeur à publier dans une collection de vulgarisation un ouvrage qui ressemble à un résumé de communication savante.

Dans un jargon impressionnant (pour le profane), l'auteur démontre que toutes les recherches appliquées en créativité (Osborn, Gordon, etc.) parce qu'elles n'ont pas été faites par des psychologues armés d'un attirail compliqué de tests et de théories « scientifiques » ne sont pas « sérieuses » (je simplifie, bien sûr). On retrouvera, dans ce petit livre, tous les défauts de l'expert et de l'universitaire qui ne peut pas avancer une idée sans la soutenir de cinquante références.

Cela dit, le lecteur acharné trouvera des démonstrations intéressantes — en particulier sur la systématisation mathématique de l'analogie.

De la créativité (ouvrage collectif) (10-18).

Ce compte rendu du colloque de Cerisy la Salle qui s'est tenu en 1970 est d'une lecture aussi austère que passionnante. Des écrivains, des peintres, des logiciens, des chercheurs scientifiques, des spécialistes de la créativité y confrontent leurs points de vue sur le sujet en apportant des vues parfois très profondes. Je recommande, en particulier, les interventions de Michel Fustier, de Jean Ricardou et d'Alain Robbe-Grillet.

Pour les lecteurs avertis.

AZNAR, BOTTON, MARIOT : *56 fiches d'animation créative* (Editions d'Organisation).

Par l'équipe d'animateurs de Synapse, un ouvrage très précieux pour ceux qui veulent sortir de la routine d'animation des groupes.

Il ne s'agit pas à proprement parler de créativité, mais d'exercices préparatoires à un stage de créativité (se rencontrer, se parler autrement, communiquer, etc.).

Beaucoup de ces exercices étaient déjà connus, la plupart provenant des groupes de recherche américains.

Le mérite des auteurs a été de les regrouper, de les simplifier et de les rendre facilement opérationnels. Un outil précieux.

Les groupes de rencontre.

Catherine DREYFUS : *Les groupes de rencontre* (C.E.P.L.).

Journaliste au *Nouvel Observateur,* Catherine Dreyfus a, durant plusieurs années, participé à toutes sortes de groupes : psychodrame, bioénergie, rolfing, gestalttthérapie, analyse transactionnelle, cri primal, groupes Alpha, créativité, etc.

Ce voyage au pays de l'inconscient et de l'imaginaire est tout à fait passionnant. On trouvera dans ce livre un nombre considérable de renseignements et d'analyses qui vous permettront de briller dans les conversations. La partie sur la créativité, trop partielle, est un peu faible.

Brewster GHISELIN : *The creative process* (Mentor Book).

P.E. VERNON : *Creativity* (Penguin Book).

Deux ouvrages consacrés à des textes de créateurs réfléchissant sur leur création (artistes, savants, écrivains, etc.). C'est une lecture très enrichissante.

3. Ouvrages traitant d'aspects particuliers de la créativité.

Revue Française de Psychanalyse : *La Créativité* (Tome XXXVI, juillet 1972, P.U.F.).

Au sommaire : Créativité et déviation sexuelle, Vie, mort et création, Plaisir, moquerie et intégrations créatrices, etc.

Michèle CARLIER : *Etude différentielle d'une modalité de la créativité : la flexibilité* (C.N.R.S.).

Place de la flexibilité dans une théorie de la créativité. Tests mesurant la flexibilité. Flexibilité, intelligence générale et aptitudes primaires, etc.

4. Ouvrages plus particulièrement tournés vers la pédagogie.

Alain BEAUDOT : *La créativité à l'école* (P.U.F).

En 120 pages, Alain Beaudot réussit le tour de force d'être clair, précis et impartial. Après avoir décrit les recherches américaines sur la créativité, il montre comment celle-ci peut s'intégrer à l'enseignement. Les tests sur la créativité, les rapports entre linguistique et créativité sont abordés de façon concise et remarquablement intelligente.

Bref, un ouvrage petit par la taille qui en surclasse bien d'autres, beaucoup plus volumineux.

J'en conseille particulièrement la lecture aux parents d'enfants en âge scolaire et, bien sûr, aux enseignants.

Alain Beaudot est également l'auteur de *Vers une pédagogie de la créativité* (Editions E.S.F.).

Robert GLOTON et Claude CLERO : *L'activité créatrice chez l'enfant* (Casterman).

Robert Gloton est cet inspecteur de l'Education nationale à qui l'on doit les fameuses « écoles du XXᵉ arrondissement ». En association avec un artiste, il a écrit un livre où se reflètent ses exceptionnelles qualités pédagogiques et créatives.

Tout enseignant trouvera dans ces pages des sujets de réflexion et des idées de réalisations pratiques des plus enrichissants.

Georges PIATON : *La pensée pédagogique de Célestin Freinet* (Privat).

Bonne initiation à l'œuvre de Célestin Freinet. Ce livre montre comment on peut modifier profondément les règles du jeu d'un système, en l'occurrence le système éducatif français. Et à quoi l'on s'expose ainsi...

Lettre à une maîtresse d'école (Mercure de France).

Un témoignage exceptionnel. Ecrit collectivement par les enfants de Barbiana, ce témoignage bouleversant montre comment des enfants, rejetés de la société, ont inventé un nouveau type de pédagogie qui a permis de récupérer les irrécupérables. Un réquisitoire accablant contre l'enseignement traditionnel.

5. Lectures complémentaires.

Michel CROZIER : *La société bloquée* (Seuil).

Michel Crozier est un sociologue qui a réalisé une série d'enquêtes en profondeur dans l'administration pour étudier les phénomènes de blocage.

Dans ce livre, devenu un classique, il se livre à une critique aussi sérieuse que sévère de la rigidité des structures et de leurs créations face à l'innovation.

Un livre à méditer.

A.E. VAN VOGT : *Le monde du non-A* et *Les joueurs du non-A* (J'ai lu).

Parmi les ouvrages de science-fiction, dont la lecture est un excellent stimulant pour l'imagination, je recommande particulièrement ces deux romans, fondés sur les théories non aristotéliciennes de Korzybski. Un régal.

Jacques SEE : *Comment promouvoir et valoriser vos idées* (Denoël).

Pour ceux qui, après avoir lu ce livre, vont avoir beaucoup d'idées. Ils trouveront dans cet ouvrage écrit par le créateur des échafaudages métalliques préfabriqués, des pistes de ski artificielles et... du professeur Nimbus, comment protéger, exploiter, négocier, breveter ces idées.

Un guide pratique fort bien fait qui aidera tous les chercheurs qui sont aussi des « trouveurs ».

En album de bandes dessinées, bien sûr, *Gaston Lagaffe* (Dupuis) mais aussi les aventures d'*Achille Talon* et les *Rubrique-à-brac* de Gotlib où l'on trouvera mises en application la plupart des techniques de créativité décrites dans ce livre.

Mais je pense qu'en ce domaine la plupart des lecteurs en savent autant que moi.

ANNEXE B

COMMENT S'INITIER AUX TECHNIQUES DE CREATIVITE?

Pour ceux qui désireraient s'initier en groupe aux différentes techniques de créativité, nous avons conçu, Alain Convert et moi, un matériel pédagogique léger intitulé *Le jeu de la créativité* (en vente aux Editions Chotard).

Ce jeu, qui a le format d'un livre, comporte quatre éléments :

— un plateau carré comportant cinq rangées de cinq cases, soit vingt-cinq cases au total;

— une cinquantaine de cartes de la taille des cases du plateau. Sur ces cases sont représentés des animaux, des objets, des végétaux, etc., ainsi que des verbes et des mots abstraits. Certaines sont blanches; on peut y coller ou y dessiner ce qu'on désire;

— des cartes, marquées de A à H sur lesquelles sont inscrits les coups à jouer et les techniques de créativité à utiliser;

— des fiches pédagogiques rappelant succinctement les diverses techniques de créativité.

Il permet de pratiquer successivement :

— le brainstorming,

— le concassage,

— les techniques associatives,

— l'analyse défectuologique,

— l'approche analogique.

Chaque série de cartes indique cinq thèmes différents de problèmes à traiter en utilisant une technique.

L'animateur a le loisir d'imaginer d'autres exercices en utilisant les cartes dessinées. Par exemple il peut s'en servir comme mots inducteurs aléatoires, pour le jeu des ressemblances, pour faire inventer des histoires, etc.

Il peut également entrecouper ces exercices d'animations créatives dont il trouvera la description dans l'excellent ouvrage de Botton, Mariot et Aznar : *56 fiches d'animation créative* (Editions d'Organisation).

ANNEXE C

LISTE DES PERSONNES ŒUVRANT EN CREATIVITE AU QUEBEC

Lucien ALBERT, CERHU, Conseiller en relations humaines.

Michel BÉLANGER Inc., Conseiller en Formation et Perfectionnement.

René BERNÊCHE, enseignement et recherche à l'Université du Québec à Montréal (UQUAM).

Paul CUSSON, Groupe Créativité, enseignement à l'Université du Québec à Montréal (UQUAM).

Stéphanie DUDEK, enseignement et recherche à l'Université de Montréal.

Jacques H. DEROME, architecte, enseignement à l'école d'architecture de l'Université de Montréal.

Lucie JULIEN, conseiller en formation pédagogique, ex-professeur à l'Université du Québec à Montréal (UQUAM).

Astrid LAGUNARIS, enseignement et recherche à l'Université de Montréal.

Claire LANDRY, enseignement et recherche à l'Université du Québec à Montréal (UQUAM).

André PARÉ, enseignement et recherche à l'Université Laval, Québec.

Denis PELLETIER, enseignement et recherche à l'Université Laval, Québec.

Michelle SAUNIER, Consultante en créativité, ex-professeur à l'Université du Québec à Montréal (UQUAM).

Colette TASSÉ, enseignement et recherche à l'Université de Montréal.

Cette liste de personnes n'est pas exhaustive, elle contient seulement les noms de celles que nous avons rencontrées pour aider à l'élaboration de ce chapitre sur la créativité au Québec. Nous tenons par ailleurs à les remercier de leur précieuse collaboration.

Les auteurs.

ANNEXE D

COMMENT ENTRER EN CONTACT
AVEC L'AUTEUR DE CE LIVRE

Comme je l'indique dans la préface de cet ouvrage, c'est toujours une joie pour moi que de rencontrer mes lecteurs.

En effet, écrire un livre, c'est tenter d'établir une relation avec des inconnus.

Lorsque ces inconnus se font connaître pour dire leurs réactions à propos du livre qu'ils viennent de lire, pour faire part de leurs critiques ou pour expliquer les expériences qu'ils ont tentées à la suite de leur lecture, c'est pour l'auteur le signe que ses efforts n'ont pas été totalement vains.

Si vous avez envie de dialoguer avec l'auteur de cet ouvrage, de le rencontrer, de contester ses propos, n'hésitez pas. Si vous désirez lui soumettre vos problèmes de créativité et d'innovation, il se fera un plaisir d'aller vous voir.

Pour cela, il suffit d'écrire à l'éditeur qui transmettra.

— Chotard et Associés, Editeurs
   68, rue Jean-Jacques-Rousseau, 75001 Paris

— Agence d'Arc
   6872 Jarry Est Montréal, Québec H1P 3C1

Achevé d'imprimer à Montmagny
par les travailleurs des ateliers Marquis Ltée
en février 1988